TWELVE
AGAINST
THE
GODS

신에 맞선 12인

신에 맞선 12인

인간의 한계를 넘어 마침내 전설이 된 사람들

윌리엄 볼리토 지음·오웅석 옮김

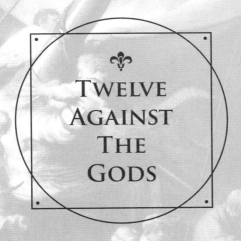

TWELVE
AGAINST
THE
GODS

서교책방

최초의 모험가는 성가신 사람이었다

모험은 개인과 사회의 역사에 활력을 불어넣어 준다. 그렇지만 모험담은 말 잘 듣는 모범생과는 어울리지 않는다. 모험심이 강한 사람들은 고상함이나 자상함과는 거리가 멀고 정해진 법을 따르지도 않을뿐더러, 그들에게 윤리적 잣대를 들이대는 순간 삶의 흥미를 잃고 말기 때문이다.

이런 특징은 씻어낼 수 있는 진흙이 아니라 성격과 분리될 수 없는 바위와도 같은 것이다. 모험이라는 개념 자체가 담고 있는 태생적 삐딱함, 다른 말로 표현하자면 그들의 짓궂음에는 특별한 이유가 있다. 모험이라는 것은 이미 정해진 길과 양립할 수 없으며, 모험가는 본질적으로 자유로운 개인주의자라서 반사회적이지는 않더라도 비사회적일 수밖에 없다. 그렇기에 본질적으로 모험심이 결여된 성직자나 일반인의 삶을 강요당할 때마다 타고난 판단력을 가진 젊은이들은 반항을 할 수밖에 없다.

　아이러니하게도 본질적으로 사회화된 마음을 가진 사람들도 모험가를 꿈꾼다. 이 단순한 사실을 통해서 우리는 모험과 질서, 모험가와 사회라는 대립 관계가 인간의 외적 대립이 아니라 우리의 의지를 분열시키는 내적 대립임을 알 수 있다. 우리의 마음속에는 모험가가 있으며, 그 모험가는 우리의 마음을 얻고자 우리에게 강요된 사회적 인간과 경쟁한다. 그러나 하나는 우리가 간절히 바라는 것이고, 다른 하나는 우리에게 강요된 것이기 때문에 이 두 종류의 삶은 양립할 수 없다.

　독수리와 마찬가지로 우리는 태생적으로 자유를 추구한다. 그러나 우리는 함께 살아가기 위해 어쩔 수 없이 법이라는 새장을 만들고 스스로 횃대 위에 앉아야만 한다. 호랑이와 마찬가지로 우리는 태생적으로 파괴적이며 뒤돌아보지 않지만, 어쩔 수 없이 근근이 살아가거나 굶주리거나 얼어 죽어야만 한다. 우리는 태생적으로 여러 곳을 돌아다녀야 하지만, 애석하게도 한곳에 머물며 땅을 일구며 살게 되었다.

　모험적인 삶은 우리가 만나는 최초의 선택이다. 걸음마를 뗀 아기는 훌륭한 모험가의 전형이라 할 수 있다. 의지가 있는 만큼 힘이 있다면 해내지 못할 위업과 범죄가 어디 있겠는가! 우리는 타고난 모험가이며, 모험을 향한 사랑은 우리가 완전히 늙어서 소심한 노인이 될 때까지 절대로 떠나지 않는다. 노인들은 자신들의 입맛에 맞게 법을 제정하기 때문에, 법과 시인은 상극일 수밖에 없다.

　명백한 사회적 파문으로부터 모험가를 지켜주는 것이 바로 이러한 인간의 이중성이다. 모험가는 자신의 실체를 드러내면 더 이상 자비를 바랄 수 없게 된다. 이 책에 등장하는 열두 인물의 인생에서 볼 수 있듯이 모험가의 삶은 고달픈 여정이다. 자신의 정체가 밝혀지는 순간, 모험가는 법과 그 법을 둘러싼 도덕이라는 막연한 압박감, 사회의 축소판이자 자극제인 가족, 그리고 자유에 이르는 길을 가로막는 복잡한 이해관계자들과 같은 온갖 짐을 짊어져야만 한다. 이 무게를 견디지 못하면 그저 범죄자로 전락할 뿐이다. 모든 범죄자의 3분의 1은 그저 실패한 모험가에 지나지 않으며, 이들은 머리가 나빠서 죄를 짓거나 배가 고파서 죄를 지은 나머지 범죄자들보다 더 엄격한 형을 받는다. 그러나 모험가가 각성하여 관리의 범위를 벗어나는 순간 가장 흥미로운 사회적 반응이 나타난다. 우리는 나폴레옹이나 알렉산드로스 대왕을 이해하려고 하지 그들이 흉포한 무법자들보다 나쁜 인간들이었다고 말하지는 않는다.

모험가는 개인주의자이자 이기주의자이며 의무를 따르지 않는 일탈자다. 그의 길은 고독하고, 그 길에는 동행인을 둘 여지가 없다. 모험가는 그저 자신을 위해 행동할 뿐이다. 그들을 움직이는 동기는 허영심이라는 탐욕의 형태인 경우가 많다. 그러나 이런 동기를 과소평가하면 안 된다. 탐욕은 성적 욕구만큼이나 어리석은 공격심으로 가득 차 있으나, 태생이 모험적이며 만족을 모르는 정복자인 유럽인들은 그것을 다른 인종들과 구별되는 그들의 우월함을 뒷받침하는 소중한 미덕으로 여겼다.

모든 시작에는 모험이 있다. 국가, 제도, 문명의 시작도 마찬가지다. 인류의 진보는 그 불가사의한 방향이 무엇이든 간에 단순한 추진력에 의해 움직이는 것이 아니다. 모험에도 사회학적 역할이 있다. 모험 자체는 비사회적이지만 사회에서 필연적으로 부수적인 역할을 한다. 역사의 진보는 모험가들이 모험을 강행한 결과로 기존의 법과 질서가 크게 흔들리면서 나타난다. 부싯돌을 사용하던 시대에서 지하철을 타고 다니는 현대에 이르기까지, 인류의 문명이 발전하는 데에는 한 가지 힘이 아니라 '방어'와 '탐색'이라는 인류의 두 가지 노력이 필요했다. 전자가 안전한 거주지에 머물던 사람들에게서 나왔다면, 후자는 새로운 환경에 과감히 맞선 자들에게서 나온 것이다. 즉, 문명은 시민뿐만 아니라 모험가에 의해서도 발전했으며, 법을 따르는 이들뿐만 아니라 용기라는 덕목을 가지고 법의 울타리를 벗어나 법을 훼손한 이들에 의해서도 발전했다고 할 수 있다.

최초의 모험가는 성가신 사람이었다. 그는 한밤중에 들리는 소리가 무엇인지 알아보기 위해 부족 밖으로 나가면서 빗장을 열어 공동체를 위험에 노출시켰다. 그 모험가는 그런 행동을 했을 때 그의 어머니, 아내, 그리고 부족 노인들의 거센 반대를 무릅썼을 것이다. 그러나 매머드가 죽어 있는 곳을 알아내어 부족이 천 년 동안 무기로 사용해도 부족하지 않을 만큼의 상아를 발견한 이도 바로 그 모험가였다. 이것이 바로 사회의 공로자이자 동시에 암적인 존재인 모험가의 궁극적인 모습이다.

모험가는 이러한 사회학적 역할을 바탕으로 우리의 공감을 끌어내며 고귀하고 고독한 원정을 떠날 것이다. 불리한 입장이기 때문에 우리의 대안적 자아인 그들에게는 이런 지지가 필요하다. 모험가의 첫 번째 적은 '법'이라고 하는 사회적이고 도덕적이며 기계적이고 상호 연동된 부담감이다. 두 번째 적은 '미지' 그 자체이다. 모든 생명체의 본성이 천적에 의해 결정되듯이, 모험가는 질서와의 싸움 그리고 우연과의 싸움으로 정의된다. 모험가는 첫 번째 적을 이길 수도 있고, 혹은 진다면 감옥에 가게 될 것이다. 그러나 보편성의 발현인 두 번째 적은 절대 이길 수 없다.

이 책은 다른 책들과 달리 모험적인 삶을 추구하라고 이야기하지는 않는다. 모험가라고 해서 물질적 범주에서 성공을 이룰 수 없다는 뜻은 아니다. 일부 모험가들은 수많은 업적을 남기고 자연스럽게 나이 들어 생을 마감했다. 그러나 모험가에게는 몰락, 비루한 노년, 누더기, 모욕감보다 좀 더 미묘한 비극이 기다리고 있다. 그 비극은 그가 모험가로 죽게 될 운명이라는 점이다. 애벌레가 성장하는 과정에서 비난의 고통을 감수해야 비로소 나비가 된다는 자연의 형태학이 모험가의 숙명이다. 모험은 젊음만큼이나 비극적이며, 그 경로는 직선이 아닌 포물선을 그리는데, 특정 지점에 도달하면 다시 새장으로 이끈다. 따라서 역사상 가장 위대한 모험가는 겁 많은 평범한 백만장자로 생을 마감한다.

모험이 궁극적으로 비극인 이유는 추잡하면서도 거룩한 모험가의 동기라는 본질 뒤에 숨어 있는 심리적 요인 때문이다. 금, 권력, 허세, 호기심을 향한 욕심, 심지어는 인생 최고의 순간에도 생겨나는 삶 자체에 대한 욕심은 이중적이어서, 이것들을 유지하고자 하면서도 붙잡고 싶은 충동을 담고 있다. 수많은 승리를 거둔 후 이제 모험이 끝났다는 사실을 깨달은 알렉산드로스가 막사에서 맞이했던 공포의 엄습은 '정적인 욕심'과 '적극적인 욕심'이 어우러져 만들어진 상호작용이었다.

이들은 자기 안의 모순으로 고통받는 사람들이며, 우리와 그 비율만 다를 뿐 그들 안에서도 사회인과 자연인, 구두쇠와 낭비자, 정착자와 개척자, 수집가와 도박꾼, 양치기와 사냥꾼 사이의 전쟁이 벌어진다. 이때 모험가를 넘어뜨리고 목을 조르는 사람은 바로 그 자신의 사회적 자아이다.

이런 모험가의 사회학적이며 심리적인 투쟁 위에는 이 두 가지 모두를 초월하는 굉장히 흥미로운 것이 또 하나 있다. '투지'라는 것은 우연이나 위험 같은 여러 이름을 가진, 모든 새로운 것을 아우르는 미지를 향한 구애와 같다. 모험가가 욕심을 갖게 되는 것은 투지가 가져오는 선물과 떼어놓을 수 없는 투지 그 자체에 대한 열망 때문이다. 그에게 상금을 내려주고, 자비라는 이름의 베일로 눈을 가리고, 금과 승리로 그를 얽어매어 감히 나아가지 못하게 하고, 그를 연인에서 노예로 바꾸는 것은 바로 투지의 배반, 즉 투지가 가진 위엄과 잔인함이다. 해적은 전리품을 세는 순간 단순한 도둑으로 전락하고 만다.

모험가의 세 가지 형태적 요소인 사회적 콤플렉스, 활동 영역, 심리는 모험의 유형과 발생에 영향을 미친다. 이 중 세 번째 요소인 모험가의 심리는 추정할 수 없으니 어느 정도 일정하다는 가정하에 무시할 수 있다. 다른 두 가지 요소의 영향력은 단순한 법칙으로 표현될 수 있다. 사회적 유대의 강도나 미지의 영역과의 거리에 따라 모험은 더 어렵고, 더 흔치 않으며, 더 중요치 않게 될 수 있다. 현대는 이 두 가지 불리한 조건이 모두 적용되는 시대이다. 전보, 우편, 항공편 및 이와 유사한 서비스 개념에 대한 이해를 갖춘 국제 경찰이 활동하고 있어서 카사노바, 칼리오스트로 같은 모험가들을 재빨리 제재할 수 있다. 또, 가장 순수하게 사람들을 유혹하는 지리상 미지의 세계는 사라졌고, 따라서 활동 영역이 더 넓어질 가능성도 사라졌다. 저 멀리 티벳의 라싸 지역까지 전화선이 연결되어 있고, 북극과 남극에는 깃발이 꽂혀 있으며, 여행사에서는 해마다 아시아 지역 낭만 여행이라는 새로운 상품이 쏟아져 나온다. 이런 세상에서 모험은 이제 과거의 일인가?

나는 단지 '흥미로운' 것, 때로는 아주 약간 흥미로운 무언가를 어쩔 수 없이 모험으로 포장해야 하는 작가와 시인의 안일함에 대해서는 이미 포기했다. 그러나 여러 좋은 개념들의 혼합으로 전락하지 않은 모험은 여전히 존재하며, 운 좋게도 부도덕을 경험하지 않을 운명을 가진 모험가도 드물지 않게 존재한다. 모험가들이 귀했던 시기도 있었는데, 특히 모든 것이 발견되고 완성된 것처럼 보였던 18세기가 그러했다. 이러한 시기에는 불변의 자연에서가 아니라 끊임없이 새로워지는 인간의 삶에서 새로운 무언가를 찾아야 한다. 지리학은 진부해졌지만, 문화 지형학은 끊임없이 새로워지고 있다.

규모는 커졌으나 우리 시대의 위업과 사건들에도 똑같이 개척자와 정착자 간의 적대적 협력관계가 있으며, 모든 것을 요구하면서도 동시에 모든 것을 내어주는 수수께끼의 여신을 향한 숭배방식에는 여전히 갈등이 존재한다. 역사는 항상 모험가들의 기록을 소중하게 여겨왔으며, 과거에 그랬던 것처럼 오늘날에도 사업상의 이유로 그런 기록물의 출판이 허용되지 않을 수 있다.

　이제 이어질 내용들은 역사를 좀 더 자세히 조명하고, 열두 인물들의 발자취를 아무런 위선 없이 기리고자 하는 목적으로 쓰였다. 무엇보다도 이 책을 통해 '우리 안에 있는 모험가', 그리고 '모험가 안에 있는 우리'라는 인식을 깨우고 싶었다. 그들의 발자취를 따라가는 이 글을 쓰면서 만족할 줄 모르는 인간의 정신과 그 인간을 둘러싸고 있는 무궁무진한 신비에 경탄하게 되었다는 점을 밝힌다. 모험가와 모험에 대한 사회학적, 심리적, 어떤 의미에서는 신비주의적인 개념 설명은 이 정도로 마치겠다. 이어지는 열두 인물들에 관한 연구가 인생이라는 모험을 시작한 여러분에게 운명을 내 편으로 만드는 비밀에 접근하는 힌트가 되길 바란다.

목차

제1장

알렉산드로스 대왕

"나는 승리를 훔치지 않을 것이오."

Alexander the Great

(기원전 356년 7월~기원전 323년 6월)

고대 마케도니아 왕국 아르게아스 왕조의 제26대 왕이자, 헬레
니즘 제국의 건립자. 후세의 수많은 지도자들이 모범으로 삼았
을 만큼, 인류 역사상 가장 뛰어난 군사 지휘관으로 꼽힌다.

불이 나서 몽둥이가 불타버렸다네,

아버지가 동전 두 잎을 주고 사오신 새끼 염소,

그 새끼 염소를 잡아먹은 고양이,

그 고양이를 문 개,

그 개를 때린 몽둥이,

그 몽둥이가 불타버렸다네.

새끼 염소야! 새끼 염소야!

　자신들의 역사를 기록하여 세대를 걸쳐 기억하게 하려 한 유대인들에게는 세계사의 주요 사건들을 빗대어 부르는 민요가 있다. 이 장을 시작하며 인용한 노래(Chad Gadya, 유월절에 부르는 아람어 민요 '차드 가디야'-옮긴이) 시작 부분에는 '불', 즉 아케메네스 제국을 불태워버린 알렉산드로스 대왕이 등장한다. 이 노랫말에서 유대인은 가엾고 순수한 '새끼 염소'로, 그들을 짓밟은 바빌로니아는 영리한 '고양이'로, 바빌로니아를 무너뜨린 아시리아는 잔혹한 '개'로, 그리고 아시리아를 정복한 아케메네스 제국은 '몽둥이'로 그려졌다. 이 민요의 내용은 남을 괴롭히면 벌을 받는다는 유대인의 우주적 역사 해석을 잘 보여준다. 불같은 인생을 살았고 불같이 싸우다가 젊은 나이에 세상을 떠난 알렉산드로스를 표현하기에 '불'보다 더 적절한 말은 없을 것이다.

알렉산드로스를 첫 번째 인물로 다루는 이유는 그의 활동 시기(기원전 356~323년) 때문이기도 하지만, 그가 이 책의 주제를 아우르는 인물이기 때문이다. 모험가들은 모두 알렉산드로스를 어떤 식으로든 닮아 있으며, 어떤 모험가들은 그를 의식적으로 모방하기도 했다. 그리고 알렉산드로스의 삶 속에는 모험가들을 관통하는 성장과 발전의 비밀이 담겨 있다.

그는 위대한 왕의 아들로 태어났다. 그런 위치에 있는 소년들은 대개 냉혹하거나 우스꽝스러운 햄릿의 역할이 잘 어울리는 심리적 괴물로 성장한다. 그러나 알렉산드로스는 이런 배경에도 불구하고 독자적인 노선을 걸었다. 그의 성장은 모든 방면에서 위대한 아버지 필리포스 2세에 대한 반항을 통해 이뤄졌다고 할 수 있다. 필리포스 2세를 증오했던 어머니 올림피아스의 영향이나 아버지가 모셔온 스승 아리스토텔레스의 영향 등 어린 시절 알렉산드로스 성격을 형성하는 데 일조한 요인들은 모두 이것과 연결되어 있다.

필리포스 2세는 대단한 활약을 펼친 왕이었다. 그는 왕권 다툼에서 경쟁 관계에 있던 형제들의 음모로 열 살이 되기도 전에 적지인 테베에 볼모로 보내졌다. 그렇게 그는 왕권은 꿈도 꿔볼 수 없는 위치로 전락한 것 같았다. 그러나 23년 만에 필리포스 2세는 분열되었던 마케도니아를 평정하고 왕위에 올랐을 뿐만 아니라 모든 그리스 군대를 지휘하는 총사령관이 되는 데 성공했다. 이것은 마치 멕시코 어린이가 미국으로 건너가 문화 차이와 인종 차별을 극복하고 미국 대통령이 되는 것에 비유할 수 있을 정도로 상징적인 일이었다.

그러나 이러한 업적에도 불구하고 필리포스 2세를 모험가라고 부를 수는 없다. 그의 활동은 체스 게임보다도 모험적인 요소가 적기 때문이다. 그가 이룬 업적은 하나의 건축물이었고, 그는 인생의 설계자였다. 모든 것이 그의 설계도에 계획되어 있었기 때문에 그는 그저 잘 익은 결실을 수확하기만 하면 되었다. 아들의 사랑 외에 그가 이루지 못한 것은 아무것도 없었다.

산처럼 호탕한 성정과 바위처럼 탄탄한 신체를 타고난 필리포스는 연회에서는 쾌활함으로 주위 사람들에게 즐거움을 주었고, 운동 경기에 나설 때면 사내아이처럼 활기차고 열정적이었다. 거기에 영특한 머리와 자기과시욕까지 갖춘 그는 막힘없이 정복 전쟁이라는 과업을 이룰 수 있었다. 하지만 알렉산드로스는 정복을 넘어선 포부와 열정을 품고 있었다. 플루타르코스의 『영웅전』에는 이런 알렉산드로스의 비밀을 알려주는 일화가 등장한다.

알렉산드로스는 부왕 필리포스가 어느 중요한 도시를 함락했다거나 큰 승리를 거두었다는 소식을 들을 때마다 조금도 기쁜 모습을 보이지 않고 오히려 '부왕께서 여러 나라들을 계속 정복하고 계시니 내가 할 수 있는 일이 남아 있지 않겠구나'라며 투덜거렸다. 그는 부와 사치, 평화가 보장되는 왕국을 물려받고 싶은 것이 아니라, 오히려 수많은 외적을 물리치며 거대한 야망을 펼칠 수 있기를 원했다.

그러나 영웅을 향한 증오는 영웅을 향한 숭배와 마찬가지로 그 대상을 모방하도록 자극한다. 어떤 식으로든 필리포스가 알렉산드로스에게 지대한 영향을 주었다는 점은 부인할 수 없다. 알렉산드로스는 자신의 성격 중 부왕 필리포스와 조금이라도 비슷한 점이 있으면 모두 떼어내 버리고자 했다. 따라서 기민한 필리포스와는 반대로 알렉산드로스는 무모함과 거대한 포부를 선택했다. 웅변이 뛰어났던 필리포스와는 반대로 알렉산드로스는 과묵함을 무기로 삼았다. 필리포스는 자신이 올림픽 전차 경주에서 승리하는 모습을 황금 주화에 새겨넣을 정도로 허영심이 많았다. 반면, 발이 빠르니 올림픽에 출전하지 않겠느냐는 주변의 권유에 알렉산드로스는 "적의 왕들과 겨룰 수 있다면 출전하겠소."라고 답했을 뿐이었다.

운동 경기의 중요성을 잘 알고 있었지만 운동 경기를 좋아하던 부왕의 성향과 반대되는 모습을 드러내기 위해서 알렉산드로스는 아버지의 취향과 자신의 취향을 구분하였다. 즉, 필리포스는 권투와 레슬링 관람을 즐겼던 반면, 알렉산드로스는 너클을 사용하는 판크라티움(Pancratium)이라는 격투기를 포함해 모든 종류의 격투기 종목에 전혀 관심을 보이지 않았다.

미국 서부 개척시대의 낭만주의 소설가들이 여전히 소중하게 여기는 명마 부케팔로스(Bucephalus)를 길들인 일화는 이 두 인물 사이의 숨겨진 경쟁심을 생생히 보여준다.

테살리아의 말 장수 필로니코스가 필리포스 왕에게 부케팔로스라는 말을 보여주며 (당시 군인 1,500명의 급여에 맞먹는) 거금 13달란트에 팔겠다고 제안했고, 왕은 말을 시험해보기 위해 왕자와 신하들을 데리고 들판으로 나갔다. 그러나 말은 굉장히 사나웠고 사람이 등에 올라타려고 하면 참지 못하고 이리저리 날뛰었다. 성질이 매우 고약한 야생마를 데려왔다는 생각에 기분이 언짢아진 필리포스는 당장 말을 끌고 가라고 호통쳤다. 이때 이 광경을 유심히 지켜보던 소년 알렉산드로스가 조용히 말했다.

"말을 다루는 솜씨도 용기도 부족한 사람들 때문에 천하의 명마를 잃게 생겼구나."

처음에 필리포스 왕은 알렉산드로스의 말을 대수롭지 않게 생각했다. 그러나 왕자가 여러 번 같은 말을 되풀이하며 매우 안타까워하자, 왕은 이렇게 말했다.

"아들아, 저들은 너보다 훨씬 노련한 어른들이다. 네가 저들보다 말을 더 잘 다룰 수 있다는 말이냐?"

그러자 왕자가 대답했다.

"네, 그렇습니다. 저 말이라면 제가 확실히 잘 다룰 수 있습니다."

"만약 실패한다면 네 경솔함의 대가로 어떤 벌을 받겠느냐?"

"실패한다면 이 말의 값을 제가 치르겠습니다."

그러자 그곳에 있던 모든 이들이 웃음을 터뜨렸다. 곧 왕과 왕자의 내기가 시작되었다. 그러자 알렉산드로스는 곧장 말에게 달려가 고삐를 잡고는 말을 돌려 머리가 태양 쪽을 향하게 하였다. 이 말은 사실 기수가 움직일 때마다 자신의 앞에 드리워진 그림자가 움직이는 모습에 겁을 먹고 있었는데 왕자가 이 사실을 간파한 것이다.

알렉산드로스는 말이 흥분하지 않도록 말의 목덜미를 부드럽게 쓰다듬으며 달랬다. 그런 다음 망토를 벗고 가볍게 말 등에 올라탔다. 그는 채찍이나 박차를 사용하지 않고 조금씩 고삐를 잡아당기면서 말을 움직이기 시작했다. 불안감이 사라진 말은 이제 달릴 준비가 되었고, 왕자가 소리치며 박차를 가하자 기다렸다는 듯이 전속력으로 내달렸다. 너무 놀란 필리포스 왕과 신하들은 아무 말도 할 수 없었다. 그러나 왕자가 말을 타고 들판을 한 바퀴 돌아 당당히 출발점으로 돌아오자 모두 크게 환호하였다. 필리포스 왕은 소년의 이마에 입을 맞추며 이렇게 말했다.

"아들아, 네 능력에 어울리는 왕국을 찾거라. 아무래도 마케도니아는 너에게는 너무 작을 것 같구나."

플루타르코스는 이 일화에 담긴 희미한 풍자를 자세히 설명하지는 않았다. 그러나 이것은 진정 아버지의 자부심이 무엇인지를 보여주는 일화임이 분명하다. 위대한 인물들은 자신의 아버지에게 질투심을 느끼며, 오직 못난 이들만이 아들에게 질투심을 느끼는 법이다. 알렉산드로스를 대하는 필리포스의 태도는 아들의 불평과 오만함을 꾸짖는 듯하지만, 실은 훌륭한 아들을 둔 아버지의 기분 좋은 자부심을 나타낸 것이었다.

    일종의 금욕주의 같은 알렉산드로스의 개인적인 생활신조는 성문화된 종교만큼이나 세계의 교육에 영향을 미쳤고 오늘날까지 이상하게 변조되어 적용되는 18세기의 이상인 '영국 신사'로 이어졌다. 이런 생활신조는 필리포스가 죽을 때까지 가지고 있었던 관능적이고 야만적인 모습과는 정반대되는 모습을 보여주고자 했던 알렉산드로스의 의지에서 비롯되었다.

    알렉산드로스는 그런 확고한 토대 위에 아리아 민족의 젊은이들이 가장 매력적으로 생각하는 이상적인 행동 양식을 세웠다. 그 기준들을 단순히 기분 내키는 대로 정한 것은 아니었으나, 그 기원은 어떤 종교나 형이상학과는 거리가 멀었다. 그는 육체와 육체적 쾌락을 경멸했는데, 사실 여러 그리스 학파가 그런 개념을 자신들의 지적 재산이라고 주장해왔다. 이 개념은 알렉산드로스 시대가 시작되기 직전에 철학자 안티스테네스(Antisthenes)가 스승 소크라테스의 '덕은 지식이다'라는 견해로부터 출발하여 '개 같은 삶'으로 금욕을 실천하자며 창시한, 개라는 단어에서 유래한 키니코스 학파(Cynics, 혹은 견유학파)로 발전했다. 그리고 시노페의 주화 주조공 출신이자 안티스테네스의 뻔뻔한 친구인 디오게네스(Diogenes)가 이 학파를 대표하는 인물이 되었다.

    청년 알렉산드로스는 이 철학자들에 관한 이야기에 매료되었다. 그러나 그들의 음울한 추론이 그에게 미친 영향의 저변에는 본능적인 콤플렉스가 있었는데, 바로 모험을 가능케 하는 '자기 절제'

와 '종교의식'이라는 두 가지 요인이었다. 즉, 쉽게 풀어서 얘기하자면 '금욕주의'와 '훈련'이다.

첫 번째 요인인 '자기 절제'는 나머지 인류와 마찬가지로 알렉산드로스 안에서도 존재했으리라 쉽게 예상할 수 있는 것이기에 큰 의미를 두지 않는다. 모든 위인전, 특히 이 책에서 소개하는 인물들의 전기를 명확하게 이해하기 위해서는 인간의 타고난 본성이 그저 쾌락만을 향한다고 가정하지 말아야 한다. 청년이라면 가질 수 있는 부드러운 침대, 포도주, 장미에 대한 거부감을 부자연스럽다거나 혹은 강한 도덕적 교리의 결과라고 쉽게 생각하지 않길 바란다. 인간은 특정 나이대에 접어들면 더 충동적이고 비이성적으로 변하여 쾌락을 추구하기도 하지만, 반대로 쾌락을 멀리하려고도 한다. 요컨대 세상에는 미식가만큼이나 구두쇠도 많다는 점을 이해하면 좋겠다.

그러나 어린 알렉산드로스에게서 나타나는 절제를 향한 열정은 불필요한 습관이나 타협과 같이 자신의 모험을 방해할 수 있는 모든 요소를 잘라내고자 하는 의식적인 욕망으로 인해 더욱 커졌다. 자신의 미래를 어느 정도 감지한 알렉산드로스에게 침대와 식탁 위의 즐거움은 죄악이나 쓸모없는 것이 아니었다. 비록 그가 디오게네스의 궤변에 빠져 있었을 때는 그런 식으로 말했을 수도 있었겠지만, 그에게 그런 즐거움은 결국에는 위험한 장애물에 불과했다. 그가 성공을 거두어 더 이상 그런 즐거움이 절실하게 필요치 않게 되었을 때 그는 이렇게 이야기했다. "잠과 욕정은 인간이 언젠가는 죽을 운명이라는 사실을 깨닫게 한다."

소년 알렉산드로스에게 영향을 미친 인물은 어머니인 올림피아스와 13세 때부터 그를 가르친 스승이자 유명한 철학자 아리스토텔레스였다. 이 여인과 현자는 소년에게 지워지지 않는 흔적을 남긴다.

두 번째 요인인 '종교의식'은 어머니 올림피아스와 밀접한 연관이 있다. 비록 역사가들이 곱지 않은 시선으로 바라보긴 하지만, 실상 올림피아스는 대단한 여장부였다. 그녀는 여러 복잡한 이유로 남편인 필리포스 2세를 증오했다. 당시 그리스의 도시 국가들이 보기에 필리포스가 통치하는 마케도니아는 다소 거칠고 원시적인 왕국이었다. 한편 올림피아스는 500년 뒤처져 있는 알바니아의 내륙 지방 에페이로스(Epirus) 왕국의 공주로 태어났다. 사실 그녀는 아들과 남편이 막을 내린 고대 세계보다 훨씬 이전의 시대를 상징했다. 석기시대와 같이 역사가가 없었거나 필요하지 않았던 광막하고 난해한 시대의 문화가 그녀 안에 남아 있었으므로 당시 상황을 이해하려면 원주민의 고인돌과 고대 유물에서 단서를 찾아 퍼즐 조각을 맞춰야 한다.

따라서 알렉산드로스를 위해 우리가 먼저 알아야 할 것은 올림피아스가 생각하는 여성의 역할이다. 그녀는 아직 모계사회의 기억과 남자가 사냥하는 동안 여자는 요리를 준비하는 문화에 대한 기억을 가지고 있었기 때문에 변화된 상황에 분개하고 있었다. 그리스인들은 그녀를 '마녀'라고 칭했고, 자신이 기록한 영웅들의 가족들도 명예롭기를 바랐던 플루타르코스마저도 그녀에 대해 이야기할 때는 말을 아꼈다.

그러나 지금 우리는 그녀의 죄상이 아니라 그녀의 사고방식, 즉 그녀의 종교에 관심을 가져야 한다. 그녀는 오르페우스와 디오니소스의 열렬한 신봉자이자 대제사장이었다. 이에 대해 플루타르코스가 남긴 기록을 살펴보자.

에페이로스의 여인들은 옛적부터 오르페우스와 디오니소스를 섬기며 제를 지냈다고 한다. 올림피아스 또한 이 황홀한 의식에 빠져 있었고 열광적이며 엄숙한 분위기를 보여주고자 행사에 커다란 뱀을 이용했는데, 이 뱀들이 담쟁이덩굴이나 마법의 부채에서 기어 나와 여인들의 허리춤을 휘감으며 꿈틀거리는 모습에 관중들은 기겁했다.

올림피아스라는 이름이 역사에 등장할 때마다 고대 그리스인들의 가장 빛나는 합리성 뒤에 존재하며 아직 완전히 밝혀지지 않은 고대의 초자연적 비밀이라는 배경을 자연스럽게 떠올리게 된다. 그녀가 열렬히 신봉하는 이 밀교는 여성들에게 정치적 또는 심지어 사회적 역할을 부여하며, 어떤 설명할 수 없는 이유로 부족간주의나 비민족주의와 연결된다는 점에서 긍정적인 측면이 있었다. 올림피아스와 그녀의 동료들이 이 유서 깊은 밀교 행위를 숨기고 소년에게 어떤 유치하고 잔인한 짓을 가르쳤을지는 모르지만, 알렉산드로스에게 '비민족주의'라고 하는 것은 매우 중요한 의미를 지닌다.

이렇게 혼란스럽고 불가사의한 다신교의 사당 안에는 아티스

(Attis, 소아시아 북부 프리기아 지역에서 숭배한 죽음과 부활의 신-옮긴이)뿐만 아니라 이시스(Isis, 고대 이집트에서 숭배한 풍요의 여신-옮긴이)를 위한 성소까지 갖춰져 있었다. 그곳에는 키벨레(Cybele, 프리기아 지역에서 숭배한 풍요와 다산의 여신-옮긴이), 페르시아의 미트라(Mithras, 태양신-옮긴이), 그리스의 오르페우스 등 다양한 신들이 모여 있었다.

이곳에서는 유랑하는 유대인이나 시리아인, 메디아인이 의례를 통해 그리스인이나 마케도니아인과도 의형제가 될 수 있었고, 구성원 간의 상호 교류가 활발히 이뤄지면서 신규 유입인이나 외부인을 구분할 수 없었다. 알렉산드로스가 어머니의 뒤를 이은 오르페우스 비교(秘敎)의 일원이라고 해서 그가 이집트 테베의 밀교에 가입하지 못할 이유는 없었다.

이런 어머니의 영향으로 알렉산드로스는 모험가에게 가장 큰 부담인 배타적 애국심을 떨쳐버릴 수 있었다. 그에게는 페르시아인도 형제가 될 수 있었고 아테네인도 외부인이 될 수 있었다. 즉, 그는 사회의 가장 교활한 책략이자 모험가의 적인 민족주의에서 벗어날 수 있었다. 사실 이 애국심이라고 하는 것은 사회라는 정숙한 여인에게 화려한 옷을 입히고 일종의 음악으로 꾀어 무법자가 무리에 벗어나지 않도록 설득하고 유인하며, 의무가 아니라 즐거움으로 충정을 끌어내겠다는 모호한 의도로 모험가를 붙잡으려는 방책이다. 그리고 이러한 책략이 먹히지 않으면 남자는 타격을 받지 않겠지만 여자는 거부당했다고 느낄 것이다. 애국심, 즉 집단적인 형태의 모험은 순수한 형태인 개인적 모험과 양립할 수 없고, 따라서 모험심이 없는 국민이 가장 애국심이 강하다.

전형적인 모험가들의 삶을 살펴보면 그들은 사회의 법이나 도덕적 규칙을 무시하고 적대시하는 모습을 보이지만, 국가라는 정서에 대해서는 다소 노골적일 정도로 무관심하다. 애국적인 모험가라는 말은 법을 준수하는 모험가만큼 역설적이지는 않다. 그러나 종종 모험가들은 애국적이지 않다는 이유로 비난받고는 하는데, 이 점은 알렉산드로스에게도 마찬가지로 나타났다. 그의 모험, 그리스 권력이라는 왕관은 그와 함께 막을 내린 그리스의 거대한 배신으로 바뀌었다.

소년은 페르시아를 정복하기 전부터, 어쩌면 그 정복을 생각하기 훨씬 전부터 자신이 신이라고 믿고 있었다. 올림피아스는 이 사실을 잘 알고 있었고 심지어 이를 자신의 독특한 교육 도구로 사용했을 것이다. 자식에게는 열정적인 어머니이자 남편을 증오하는 아내인 올림피아스는 신으로 가득한 세상에서 원시인이자 오르페우스 밀교 신자로 살았다. 그녀가 밀교 입문 의식에서 배운 오르페우스의 첫 번째 말은 '나는 땅과 하늘의 아들이다'였다. 죽은 신도들의 손에 쥐어진 부적에는 '나는 생명의 고리를 벗어났다'와 '오, 복되고 행복한 자여, 그대는 불멸을 벗어버리고 신이 되리라'라는 글이 새겨져 있었다.

그러나 비민족주의가 어떻게 생겨났고 자라났는가에 대한 질문과는 별개로, 이것은 심리적 도구로서 알렉산드로스의 개인적 발전과 그가 이룬 전례 없는 위업에 실질적인 영향을 미쳤다. 우선, 그는 위대한 인물의 아들들이 겪는 정신적인 부담, 즉 그들이 이뤄낸 업적은 단지 아버지의 피를 물려받은 결과라고 치부하는 안팎의 평가로부터 자신을 보호할 수 있었다. 그리고 경이와 신비의 세계에 빠진 어머니의 도움과 그가 처한 상황이 더해져 신앙이 되자 여러 이점이 생겼다. 자신이 신이라고 믿었던 알렉산드로스는 문명 세계를 정복했고 결국 왕좌에 올라 숭배의 대상이 되었다. 그가 추구하는 바가 영웅이 되는 것에만 머물러 있었다면 지금의 위치에 오르지 못했을 것이다.

그렇다면 필리포스가 마녀 같은 왕비에 맞서려는 의도로 아들을 위해 모셔온 '학식 있는 자들의 아버지'이자 천재 철학자인 아리스토텔레스는 어떠한가? 이제 유명한 철학자 스승의 영향력을 살펴보도록 하자.

이 현명한 마케도니아 출신 철학자는 소년에게 학업을 크게 강요하지는 않았던 것 같다. 그는 왕궁에 도착하자마자 희귀한 나무들이 그늘을 드리우는 산책로, 석조 의자 그리고 언제든지 토론과 교육이 이뤄질 수 있는 테라스까지 갖춘 쾌적한 아테네식 철학 정원을 만들었다. 알렉산드로스는 그때쯤 『일리아스』를 읽는 재미에 푹 빠지게 되었다. 열네 살 소년 알렉산드로스가 아리스토텔레스에게 '들고 다닐 수 있는 군사 지식의 보고'라며 이 책에 관해 설명하자 그 역시 그 말에 동의했다. 아리스토텔레스는 자신이 직접 수정하고 주석을 단 요약 필사본을 이 어린 제자에게 전해주었다. 알렉산드로스는 형이상학에 대한 열정을 보였고, 훗날 아리스토텔레스가 '논리의 비밀'을 세속의 세계에 발표한 것을 책망하기도 했다.

이 신의 아들은 철학자와 시인에 대한 존경심을 갖게 되었지만, 아리스토텔레스는 그에게 그런 것을 가르치는 데 관심이 없었다. 이 철학자가 알렉산드로스의 열정적인 관심을 끌어낸 어떤 한 분야가 있었는데, 바로 약용식물학이었다. 알렉산드로스는 자신의 스승이 맨드라고라의 뿌리, 악귀를 물리치는 마편초 향, 보름달에 모인 우슬초의 약효와 같은 마법의 특성에 대해 거의 아무것도 말해줄 수 없다는 사실에 실망했을 수도 있지만, 최초의 과학자들에 관한 재미없는 이야기에도 즐거워했으며, 차와 물약을 만들고 친구들을 치료하는 일은 평생의 취미가 되었다.

그저 그런 철학자였다면 아마도 알렉산드로스가 올림피아스에게서 전해 받은 두 가지 강력한 이념, 즉 밀교 의식의 비민족주의와 그를 운명으로 내몰았던 유피테르 숭배를 근절하려고 시도했을 것이다. 그러나 그는 아리스토텔레스였으므로 그의 관점은 그렇게 단순하지 않았을 것이다. 그는 자신의 논리로 입증할 수는 있으나 실현하기는 어려운, 자신이 설파한 가르침의 정점에 이 야생의 왕자가 있다는 사실이 두려웠을 것이다. '진정한 왕이란 인간들 사이의 신이며 그 자신이 법이기 때문에 제우스 신만큼이나 국가나 법에 얽매이지 않는다'는 아리스토텔레스의 군주정 이념은 민족, 도시, 부족은 그저 하나의 요소에 지나지 않는, 한 명의 신인(神人)에 의해 통치되는 국가라는 알렉산드로스의 이상을 낳았다.

이 모든 것이 모여 알렉산드로스를 키웠으며, 이것들은 특히 모험에 대한 야심이 가득한 인물이 가질 수 있는 가장 큰 이점, 즉 의지의 통합으로 이어졌고, 몇 가지 모순을 제거하면 그것 자체만으로도 위대한 업적의 시작이었다. 문제는 그 의지의 방향인데, 알렉산드로스의 운명은 외곬이었다. 하나를 제외한 모든 목표가 아버지와 겹쳤기 때문이다.

소년 신은 그저 그리스의 지도자인 위대한 왕이나 되기를 바라지 않았다. 인기, 힘, 정치적 수완, 이 모든 것이 그의 아버지에 의해 달성되었기 때문에 알렉산드로스는 그를 능가하는 다른 일을 해야겠다는 생각에 이르렀다. 규모와 난도 면에서 필리포스가 아직 달성하지 못한 한 가지 목표가 남아 있었다. 그리스인이 아케메네스 제국을 정복한다는 것은 상상조차 할 수 없는 일이었지만, 자신을 무적의 신이라고 믿었던 소년에게 그것은 불가피한 일이었다. 그가 받은 교육들로 인해 그의 의지가 통합되었던 것처럼, 그의 상황들로 인해 그는 이 한 가지 위업에만 골몰하게 되었는데, 그 위업은 자신을 위한 것이지 마케도니아인을 위한 것도, 그리스인을 위한 것도 아니었다.

알렉산드로스가 선택한 맞수이자 전리품은 지리학적 의미에서 당시 전 세계의 핵심이자 세 대륙의 중심지인 페르시아 제국이었다. 페르시아 제국은 유럽의 트라키아 지역에까지 걸쳐 있었고, 제국의 통치자들이 광활한 영토의 상징으로 각각 도나우강, 나일강, 인더스강에서 떠온 물을 자신의 궁전에 있는 잔에 섞었을 정도로 번영했다. 당시 제국은 카리아인, 리디아인, 프리기아인, 아르메니아인, 유대인, 히르카니아인, 파르티아인, 박트리아인의 나라들과 여러 도시의 토지를 차지했고, 그들의 신과 재산을 흡수하면서 과거에 이집트, 바빌로니아, 아시리아 등 위대한 제국이 자리 잡았던 지역을 차지하고 확장했다. 그리하여 그 영토가 나일강 상류에서 인더스강까지, 사마르칸트에서 바빌론까지, 그리고 카스피해에서 홍해까지 뻗어 있었다. 이런 광활한 영토는 세계 역사상 가장 눈에 띄는 것이었고, 이후 19세기가 시작될 무렵까지는 힘과 부와 안정성에 있어서 이와 견줄 만한 것을 찾아볼 수 없었다.

알렉산드로스가 등장하기 이전 수백 년 동안 헤아릴 수 없이 많은 인구가 해당 지역 내에서 생산적인 평화와 번영을 누렸다. 그곳은 산맥으로 막힌 남동쪽의 약하고 분열된 여러 브라만의 왕국들과 북동쪽 사막 너머에 있는 중국에 대해 무지한 문명의 오아시스였다. 크세르크세스(Xerxes)의 기록에 따르면 제국은 단순히 전쟁이라고 하기에는 규모가 너무 큰 징벌적 원정을 위해 백여 개의 다른 언어와 전투 방식을 가진 군사 백만 명을 동원할 수 있었다.

여러 시인과 역사가들이 로마나 고대 이집트에서보다 아케메네스 왕조(기원전 550년~기원전 330년)가 남긴 폐허의 흔적에 훨씬 큰 경외와 회한을 느낀다. 우리는 제국의 뻔뻔한 적들, 즉 항상 승리에 있어서 비열한 그리스인들, 그리고 자신 외의 모든 민족을 미워했던 유대인들의 책을 통해 그 모습을 파악해야 하지만, 그들의 기록에서조차 이 제국은 웅대한 모습으로 그려진다. 통치자들은 아름답고 인도적이었고, 제국의 법률은 객관성과 관용으로 찬사를 받았으며, 제국의 부는 끝이 없었다. 이 제국은 공자, 싯다르타, 플라톤이 등장한 세계에서 인류 최고의 사회적 성취를 이루며 황금기를 구가했다. 만약 제국이 몇 세기만 더 번영했더라면 유럽과 아시아는 오랫동안 분리되어 정체된 시기를 겪지 않아도 되었을 것이다.

좁은 바다를 사이에 두고 이 거대 제국과 맞닿아 있는 그리스는 파라오의 이집트 인근의 민족, 즉 힘보다는 지성 때문에 중요하고 강인하며, 멸시받지는 않지만 자주 잊히는 작고 까다로운 유대인의 모습과 닮았다. 내륙의 위대한 페르시아 군주에게는 그리스의 예술가나 철학자보다 그리스의 군인이 더 잘 알려지고 존경받았다. 그리스 군인 수천 명이 제국에서 용병으로 복무했으며 일반적으로 그곳에 정착하여 제국에 흡수되었다. 그곳에서 그들의 종교는 존중받았고, 법은 과하지 않고 공정했으며, 봉급도 풍족하고 제때 지급되었다. 출신 도시와 사회적 지위에 따라 창이나 검, 혹은 도끼를 들고 싸운 이 금발의 군인들은 세계에서 가장 똑똑한 군인들이었다. 때때로 종교나 그릇된 신념에 빠진 얼간이와 소년들은 죽음만 생각하며 싸우긴 했지만, 직업 군인의 진정한 가치는 판단력에 따라 평가되었다. 저 멀리 발루치스탄(Baluchistan, 이란, 파키스탄, 아프가니스탄에 걸친 사막 지대-옮긴이)의 외딴 시장에서나 바빌론 너머에 있는 관개 낙원에서도 스파르타인이나 아테네인 등 그리스섬과 마케도니아에서 온 남자들은 그곳 여성들에게 친숙한 광경이었다. 그들은 위대한 왕의 지배하에 모인 어두운 피부의 변덕스러운 메디아 궁수들과 그 외 혼혈인들 사이에서 눈에 띄었으며, 마치 반신반인처럼 싸움이나 논쟁, 연애에 있어서 누구보다도 뛰어났다.

알렉산드로스는 용병 생활을 마치고 돌아온 군인들과 박학다

식한 아리스토텔레스를 통해 경이로운 페르시아의 상황을 귀 기울여 들었다. 그가 열다섯 살이 되었을 때 그의 아버지는 신중하게 고민한 끝에 위험한 결단을 내렸고, 제국의 반대편 해안 항구를 습격할 계획을 세웠다. 첩자가 전하는 보고는 그의 기록 보관소에 쌓여 있었고, 알렉산드로스는 이 기록을 통해 통치자의 이름과 기질, 거리, 경로, 요새의 위치 등 적군에 관한 자료를 접할 수 있었다. 돌아온 용병들의 다채로운 이야기와 스승의 가르침도 그의 흥미를 돋우었을 것이다.

필리포스 왕은 습격을 계획했던 반면, 알렉산드로스가 실제로 자신의 정복 사업을 계획했다는 증거는 없다. 따라서 전자는 신중한 계획이었고, 후자는 오직 영적인 준비 외에는 모두가 걸림돌이 되는 모험이었다. 모험에는 연결 통신망이 필요하지 않다.

그렇지만 필리포스가 마케도니아 군대를 정비하지 않았다면 제아무리 알렉산드로스라 할지라도 할 수 있는 일이 없었을 것이다. 그의 군대는 키루스 2세(Cyrus, 페르시아 제국의 창건자이며 일명 키루스 대왕이라는 호칭으로 불린다-옮긴이)의 주력부대인 메디아 기병대나 구스타브 2세 아돌프(Gustavus Adolphus, 스웨덴을 강국으로 만든 왕. 흔히 라틴어 이름인 구스타부스 아돌푸스로도 불린다-옮긴이)의 군사와도 견줄 만하다. 그 핵심은 '걷는 벗들'이라는 뜻의 '페제타이로이', 즉 청동 갑옷을 입고 느슨한 팔랑크스 방진 대형을 이루며 길이가 4~6미터에 달하는 사리사(sarissa)라는 마케도니아 장창으로 무장한 보병대였다.

그리스의 팔랑크스 부대는 다양한 전술 대형과 누구보다 빠른 진군 속도 덕분에 강철처럼 단단하면서도 탄력 있는 운용이 가능했고, 세계 어느 지역에서 어떤 적을 상대하든 승리를 거둘 수 있었다. 이 조직의 종속부대인 왕실 근위병 군단은 은청동 갑옷, 투구, 창과 방패로 좀 더 가볍게 무장한 조직이었다. 필리포스는 이들 중에서 날쌘 군사 1,000명을 선발해 충격 부대를 조직하여 기병보다 더 빨리 길을 틀 수 있었다.

심리공학의 천재라는 말에 걸맞게 필리포스는 주로 궁핍하고 오만하며 무모한 지방 귀족들로 마케도니아 기병대를 구성했다. 그는 이들 중 최후의 방어자이자 공격의 선두이며 '왕의 벗들'인 '헤타이로이'라는 탁월한 소규모 분대를 조직해 그들의 장점을 십분 활용했고, 훗날 알렉산드로스가 규정검을 휘두르게 되면서 부왕의 뒤를 이어 이들을 지휘했다.

알렉산드로스가 아버지에게 자신의 의도를 숨기려고 했을 가능성은 없는 것 같다. 만약 그랬다면 이 노련한 왕은 그에 관한 이야기를 남겨두었을 것이다. 플루타르코스는 한 일화를 통해 알렉산드로스가 제국에 대해 가졌던 부러움과 씁쓸하게 얽혀 있는 복잡한 가족사를 보여준다.

> 카리아(에베소와 스미르나의 남쪽, 소아시아 남서쪽 모퉁이에 있는 작은 지방)의 총독 픽소다루스(Pixodarus)가 아리스토크리토스를 마케도니아로 보내 맏딸을 필리포스의 서자이자 알렉산드로스의 이복형인 아리다이오스와 결혼시켜 필리포스 왕과 동맹을 맺고 유대 관계를 맺고자 했다. 그러자 알렉산드로스의 친구들과 올림피아

스가 들고 일어나 필리포스 왕이 성대한 결혼을 통해 아리다이
오스에게 왕위를 물려주려 한다며 비난했다.

만약 알렉산드로스가 결혼을 통해 페르시아 지방 총독의 가족
이 되는 일에 열광했다면 완전한 제국의 통치자라는 평가를 받을
수 있었을까?

열여섯 살이 된 알렉산드로스는 부왕이 원정을 떠나 있는 동안
마케도니아의 섭정을 맡았다. 이듬해 그는 필리포스의 마지막 대
전투인 카이로네이아 전투에서 테베의 최정예 부대인 신성부대를
선두에서 격파하고 왕의 벗들을 지휘하며 전공을 세웠다.

그가 열여덟이 되던 해에 이들의 가족사는 새로운 국면을 맞이
했다. 올림피아스는 어린 아리다이오스에게 약을 먹여 그를 얼간
이로 만들었다는 의심을 받았다. 필리포스는 그녀의 질투심과 성
정에 질려 있던 차에 이 일을 계기로 그녀와 결별하고 궁정 미인
중 한 명인 클레오파트라 에우리디케와 결혼했다.

결혼식이 거행되는 동안 클레오파트라의 삼촌이자 필리포스의
장수인 아탈로스가 술에 취한 상태에서 이 결혼을 통해 마케도니
아인들이 늘 신에게 기도하던 적법한 왕위 계승자를 낳을 수 있기
를 바란다고 말했다. 이 말을 듣고 격분한 알렉산드로스는 술잔을
들어 아탈로스 머리 위로 던지며 "그럼 나는 서자란 말이냐?"라고
외쳤다. 필리포스가 자리에서 일어나 칼을 뽑았으나 포도주를 너
무 많이 마신 탓인지 아니면 지나치게 화가 난 탓인지 발을 헛디뎌
그만 바닥에 넘어지고 말았다. 그러자 알렉산드로스는 "마케도니

아 사람들이여, 유럽을 넘어 아시아까지 정복하시겠다는 분께서 저 탁자에서 이쪽 탁자로 넘어오지 못하고 쓰러져 계시는구나."라며 비꼬았다.

필리포스는 곧 세상을 떠난다. 우리는 알렉산드로스가 그의 암살에 가담했는지는 알 수 없지만 이 사건으로 이익을 얻었다는 사실은 잘 알고 있으며, 무속의 힘을 빌려 뱀을 부리는 올림피아스가 자객을 고용하여 어느 연회에서 필리포스를 칼로 찌르도록 사주했다는 사실도 알고 있다.

알렉산드로스는 겨우 스무 살이었지만 부왕의 뒤를 이어 왕위에 올랐다. 이로써 소년 신은 왕권에서 유일하게 관심이 있었던 군대를 차지하게 되었다. 실제로 필리포스에게는 그 외에 남아 있는 재산이 거의 없었다. 최고 지휘관이라는 권력, 정돈된 왕국, 그리고 보물, 이 모두는 금세 녹아 없어졌다. 남쪽의 도시 국가에서부터 북쪽 산악 지방의 야만족에 이르기까지 여기저기서 반란이 일어나 필리포스가 평생에 걸쳐 건설한 왕국이 분열되었다. 알렉산드로스가 믿을 수 있는 것은 파르메니온(Parmenio)을 비롯한 서너 명의 노장, 궁정의 젊은 동료들, 그리고 필리포스 관리들의 무뚝뚝한 충성심이 전부였다. 그러나 이들만으로 충분했다. 이후 이어지는 사건들을 통해 보이는 그의 성급함은 그의 비범한 업적에 대한 기억을 무색하게 만들 정도로 맹렬했다.

그가 반란에 대해 품었던 것은 두려움이나 원망 같은 감정이 아니라, 그동안 억누르고 있던 열정과 원초적인 에너지였다. 우선 반란이 일어난 지역으로 돌진한 그는 그리스의 조직된 군대가 아니라 북쪽의 산악 부족들을 먼저 진압했다. 알렉산드로스 이후의 역사에서 로마인이나 튀르크인은 모든 자원을 동원하고도 이 호전적인 부족들의 터전인 발칸반도를 완전히 장악한 적이 없었는데, 알렉산드로스는 한 달 만에 이들의 반란을 제압했다. 그의 팔랑크스 보병대는 시프카고개(Shipka Pass, 불가리아 중부 발칸산맥을 넘는 고개-옮긴이)를 돌파했다. 그의 기병대는 수레바퀴의 바큇살처럼 행군 대열의 바깥을 휘저으며 달렸고, 알렉산드로스는 마치 야생 양 떼를 다루듯 세상에서 가장 완고한 반란군을 몰아붙이고 적지를 불태우고 학살을 자행했다.

행군의 끝은 다뉴브강이었다. 그 너머에는 유럽의 가장 어두운 미지의 지역이 기다리고 있었다. 밤에 도착한 알렉산드로스는 강 건너편을 응시하며 새벽까지 기다렸다. 이 시기에 사람들은 짐작할 수 없을 정도로 멀리 떨어진 어딘가에서 스톤헨지를 세우거나 황량한 카르나크 신전에서 예배를 올리고 있었을 테고, 아마도 유럽의 덴마크 지역에서는 조개더미가 1인치 정도 더 쌓이고 있었을 것이다(덴마크 지역에는 유명한 석기시대 패총문화 유적지가 있다-옮긴이). 알렉산드로스는 망설였다. 그날 밤의 결정에 따라 다뉴브강은 세계 주요 흐름의 중심지가 될 터였다.

다음 날 아침, 그는 도강을 명령했다. 새롭게 정비한 필리포스의 군대를 손짓 하나만으로 움직일 수 있었다. 강 너머 저편에 게르만족, 켈트족 같은 야만인들이 사는 마을이 있었을까? 누구도 알 수 없었다. 그들 앞에 펼쳐진 광활한 평야를 살피기 위해 정찰병들이 파견되어 한 시간을 달렸으나 아무것도 나오지 않았다. 그래서 알렉산드로스는 그 지역을 불태웠고, 천년이 지난 후에야 역사에 등장하는 그 미지의 지역을 남겨둔 채 다시 강을 건너 회군했다.

알렉산드로스는 지금의 유고슬라비아(1991년 발발한 내전 이후 현재는 슬로베니아와 크로아티아 등의 국가로 해체되었다-옮긴이) 지역을 지나 그 어떤 군대도 시도한 적이 없는 빠른 속도로 진격하여, 반란 연합의 수장이자 문명과 질서의 중심지이며 시인 핀다로스(Pindar, 고대 그리스의 서정 시인-옮긴이)의 도시인 테베의 성벽 앞에 나타났다. 단 며칠 사이에 이곳은 연기가 피어오르는 폐허가 되었고, 병사 약 6,000명이 전사했으며 시민 약 30,000명이 노예로 팔렸다. 이 파괴자는 자신이 학식이 있는 자이며 철학자의 제자라는 사실을 세상에 알리기 위해 핀다로스의 집만은 훼손하지 않았다.

이 일을 분별력 없는 어느 정신없는 자가 벌인 범죄라고 말할 수는 없을 것이다. 이 사건은 알렉산드로스의 모험에 필요한 것이었지만, 그는 자신이 한 짓을 잘 알고 있었고, 자신이 자행한 모든 범죄에 대해 양심의 가책을 느꼈다. 알렉산드로스는 재앙에서 살아남은 테베인들이 요청하는 바를 모두 순순히 들어주며 그들을 보살폈다. 또한, 그는 아버지의 암살자를 처형했고, 공식적으로 배후를 조사하여 공범들을 색출했다. 테베의 마지막 날을 잊지 못한 그는 진군을 멈추었고, 아테네를 포함한 다른 그리스 지역은 침공하지 않았다.

이제 그는 다시 그리스 연합군의 총사령관으로 인정받았다. 스파르타를 제외한 그리스로부터 군사를 지원받아 최대 30,000명에 달하는 보병과 5,000명의 기병으로 원정대를 꾸렸다. 그는 여세를 몰아 동쪽으로 진군했다. 모험에 무엇이 필요한지 알고 있었던 그는 먼저 자신의 퇴로를 없애기로 결심했다. 그는 자신과 왕실이 소유한 모든 재산, 토지, 수입, 독점권을 친구들에게 나누어주었다. 어떤 자에게는 농장을, 어떤 자에게는 마을을, 혹은 도시나 주둔지의 관할권을 주기도 했다. 이런 식으로 신분에 맞게 모두에게 재산을 나누어주며 왕실 재산을 다 써버리자, 페르디카스가 왕을 위해서는 무엇을 남겨놓겠느냐고 물었다. 그러자 알렉산드로스는 "희망"이라고 대답했다.

사실 그는 위대한 시인 호메로스가 묘사한 신의 삶을 준비하고 있었다. 그는 아리스토텔레스가 자신을 위해 주석을 달아준 호메로스의 『일리아스』요약 필사본을 항상 지니고 다녔다. 우리는 보스포루스(Bosphorus, 아시아 대륙과 유럽 대륙을 구분하는 튀르키예의 해협-옮긴이)를 건너 함선에서 뛰어내린 그의 모습을 정확히 알고 있다. 그는 붉은 머리카락과 햇볕에 그을린 피부색이 어울리는 개방적인 모습이었다. 조각가 리시포스(Lysippus)의 알렉산드로스 조각상을 보면 머리는 한쪽으로 기울어져 있고 눈빛은 매우 명민하다.

알렉산드로스는 키가 크거나 덩치가 크지 않았다. 그는 주로 기병과 함께 싸웠는데, 말에 오른 그의 모습은 언제나 돌격의 신호였다. 그가 가장 좋아하는 무기는 날카로운 날을 가진 가벼운 검이었다. 원정길에는 점쟁이 아리스탄드로스가 하늘의 징조를 점치기 위해 황금 왕관을 쓰고 흰색 의복을 갖추고 말을 탄 채 그의 옆을 따랐다. 전투가 시작되면 알렉산드로스는 은처럼 빛나는 철 투구를 쓴 채 누비옷 외에 다른 갑옷은 입지 않았다.

그가 바다를 건너 아시아 땅에 상륙했을 때 가장 먼저 한 행동은 당연히도 옛 트로이의 유적지에 올라가 미네르바와 아킬레우스에게 제물을 바치는 일이었다. 영웅을 기리기 위해 그는 무덤의 기둥에 기름을 바르고 관습에 따라 친구들과 벌거벗은 채 그 주위를 돌았다.

거대한 페르시아 제국은 미온적인 반응을 보였다. 마케도니아 군이 쳐들어왔다는 소식이 저 멀리 수사(Susa, 현재 이란 서부에 있던 고대 도시이자 아케메네스 왕조의 수도-옮긴이)에 있는 책사들에게는 제대로 전해지지 않은 것 같았다. 거대 제국의 입장에서는 해당 지역 총독들이 취한 조치가 충분해보였다. 페르시아 기병대와 주로 그리스 용병들로 구성된 보병대는 그라니코스강을 사이에 두고 알렉산드로스의 군대를 마주했다. 선왕 필리포스와 오랫동안 전투에 참여했던 노장 파르메니온은 이 상황을 흥미롭게 보고 있던 알렉산드로스에게 마케도니아가 전통적으로 불운하다고 여기는 달 5월이니 공격을 잠시 미루자고 상신했다. 그러나 알렉산드로스는 그 제안을 받아들이지 않고 오히려 그달의 이름을 바꾸어 부르게 했다.

전투는 그날 늦은 오후에 시작되었다. 적군은 전술을 펼치기 좋은 평지에 진을 치고 있었던 반면, 좁고 물살이 거센 그라니코스강 건너 알렉산드로스의 군대는 가파르고 진흙투성이인 강둑에 자리 잡았다. 전투 경험이 많은 장수들이 생각하기에 그 위치는 아무래도 불리해 보였다. 그러나 그들이 그런 생각에 빠져 있던 사이에, 알렉산드로스는 13개 기병 중대를 이끌고 도하를 감행했다. 강을 건너는 기병대를 향해 페르시아군 궁수대가 즉각 일제히 사격을 가했다. 이를 무릅쓰고 건너편 강둑으로 올라온 알렉산드로스의 기병대는 두 명의 페르시아 귀족 장교 로이사케스(Rhoesaces)와 스피트리다테스(Spithridates)가 지휘하는 페르시아 기병대와 맞붙어 격전을 벌였다.

투구에 크고 하얀 깃털을 꽂아 장식한 알렉산드로스는 적의 눈에 잘 띄는 표적이었고 한동안 스스로 방어해야 했다. 그러한 지도력 아래에서 전투는 전투라기보다는 격렬한 축구 경기와 비슷했다. 노련하고 진지한 제국의 장수들은 그동안 알고 있던 모든 전술을 무시하고 달려드는 상대를 마주하자 어쩔 줄 몰라 했다. 젊은 로이사케스와 스피트리다테스 역시 당황하여 자신들이 지휘해야 할 부대를 뒤로한 채 개별적으로 알렉산드로스에게 달려들었다. 스피트리다테스가 도끼로 투구를 내려치자 꽂혀 있던 깃털이 잘려 나갔고 알렉산드로스는 기절했다. 그때 알렉산드로스의 친구인 클레이토스가 달려와 스피트리다테스를 창으로 물리친 덕분에 알렉산드로스는 겨우 목숨을 건질 수 있었다.

기병대 사이에 전투가 벌어지는 동안 보병대가 강을 건너왔다. 마케도니아 팔랑크스 보병대의 공격을 받은 페르시아 궁수대는 모두 도망쳐버렸고, 10분이 지나자 페르시아의 그리스 용병들만 남게 되었다. 언덕 위까지 밀려 올라간 이들은 알렉산드로스에게 항복하겠다는 의사를 전했다. 그러나 격앙된 알렉산드로스는 이를 무시하고 추격 명령을 내렸다. 그 과정에서 그의 말이 창에 맞아 쓰러졌고, 이 불필요하고 불명예스러운 추격전은 용병들이 모두 죽거나 쓰러질 때까지 몇 시간 동안 계속되었다.

이 시점부터 알렉산드로스 진영은 굉장히 특이한 움직임을 보인다. 모든 성공에는 인식할 수 있는 어떤 구조가 있어야 하며 '계획'이라는 단어는 사전에 명확하게 고려된 개념에 적용되어야 하는데, 이런 의미에서 어린아이의 낙서처럼 지도를 종횡무진하는 동선을 보면 알렉산드로스에게는 계획이란 것이 있었다고 말하기 어렵다. 그는 그저 자신을 기쁘게 하는 일을 했을 뿐이다. 이 전쟁으로 그는 유리한 위치에 서게 되었다. 제국은 그를 쫓아내려고 시도하지 않고 기다렸다. 그가 도착한 지역의 주민들은 장미와 포도주를 바치며 그를 받아들이거나 혹은 대항하다가 정복당했는데, 그는 후자를 더 선호했다.

다음 해까지도 마케도니아군이 소아시아에서 영역을 넓혀가자, 다리우스 황제는 이제 알렉산드로스가 제국에 흡수되거나 스스로 물러나지 않을 것임을 알았다. 그는 군사적 감각을 잃어버린 제국들이 의지했던 (하루에 2마일도 움직이지 못하는) 괴물 같은 대군을 편성했다. 그들 중 가장 작은 부대조차도 마케도니아군보다 규모가 컸다. 페르시아군은 아시아 지역의 모든 부족에서 징집된 병사들로 조직되었다. 페르시아의 대군은 천천히 서쪽으로 진군하여 키프로스의 맞은편 지중해에 맞닿아 있는 이소스만에 이르렀다.

한편 알렉산드로스는 적어도 1년을 신으로 살았다. 매주 전투를 벌였고, 매달 승리하여 입성했으며, 낮이면 먼지투성이 전장에서 온몸을 던져 돌격하고 밤이면 성대한 잔치로 지독한 소음이 끊이지 않는 그리스 진영에서 잠을 설치는 나날을 보냈다. 미다스 왕의 찬란한 도시에서 고르디우스의 매듭을 잘라낸 사건도 이 시기에 벌어진 일이었다.

프리기아의 수도 신전 기둥에는 오래된 우마차가 층층나무 껍질을 꼬아 만든 끈으로 매듭지어 묶여 있었다. 오래전부터 '이 매듭을 푸는 자가 온 세상을 지배한다'라는 전설이 내려오고 있었기 때문에 사람들은 알렉산드로스가 이 복잡한 매듭을 어떻게 푸는지 구경하려고 몰려들었다. 그 매듭은 여러 가지 방법으로 뒤틀리고 끝이 너무 교묘하게 안쪽에 숨겨져 있어서 알렉산드로스는 매듭을 풀어내는 것이 불가능하다는 사실을 깨달았다. 뱀을 부리는 사람의 아들로 자라온 그는 징조를 믿고 있었지만, 전에 불길한 달의 이름을 바꾸었듯이 징조가 좋지 않으면 피하기보다 그것을 바꿔버렸다. 그는 칼을 휘둘러 매듭을 베어서 끊어버렸다.

이 사건이 즉시 그에게 행운을 가져다주지는 않았다. 페르시아의 대규모 병력이 진군해오고 있다는 소식에 부하 장수들은 걱정하고 있었다. 하지만 알렉산드로스는 다시 행군을 시작했고, 곧 전투태세를 갖추고 마케도니아 부대의 측면을 노리고 있던 엄청난 수의 적군과 마주했다. 페르시아의 기병이 먼저 마케도니아 군의 왼쪽을 공격했으나, 밤이 되자 알렉산드로스가 우익의 최정예 기병대를 직접 지휘하며 적을 급습하여 격파했다. 다음 날 새벽에는 페르시아 제국군의 전열이 완전히 무너져 다리우스는 급히 후방으로 도망쳐야 했다. 페르시아 군대와 그리스 용병들은 앞다투어 도망치기 바빴고, 마케도니아군은 패주하는 적군을 추격하며 살육전을 벌였다. 이것이 그 유명한 이소스 전투(Battle of Issus)다.

알렉산드로스와 그의 부하들은 더 이상 추격할 마음이 없었다. 알렉산드로스는 마케도니아의 창병과 기병에게 전리품을 나누어 주었다. 다리우스 3세는 행군 속도를 높이기 위해 짐을 대부분 다마스쿠스에 두고 참전하였으나 전장에 남아 있는 물건들만으로도 마케도니아 병사들은 열광하기에 충분했다. 다리우스는 너무나 위급한 나머지 막사는 물론 하렘도 그대로 두고 도망쳤다. 알렉산드로스는 화려한 비단으로 지은 다리우스의 막사에 들어와 금으로 아름답게 세공된 대야, 물병, 상자, 꽃병을 둘러보았다. 감미로운 향이 막사 안을 가득 채웠고 별도의 넓은 공간에는 화려한 가구와 수정 욕조, 여전히 연기가 나고 있는 거대한 법랑 향로가 있었으며, 세계의 지배자를 위해 준비된 식탁과 그릇들도 그대로 놓여 있었다. 그는 친구들을 향해 말했다. "왕이라면 이렇게 살아야 하나 보군."

그는 몸을 씻고 저녁 식사를 마친 후 다리우스의 모후와 왕비, 미혼의 두 딸을 불렀다. 여기서 그 무엇보다 인류애가 발동하는 장면이 등장한다. 그 여인들을 측은하게 여긴 그는 그들이 기존의 생활을 유지할 수 있도록 허락했다. 이들을 포함해 포로로 잡힌 여인들은 제국에서 가장 아름다운 여인들이었고, 그는 농담으로 "이 페르시아 여인들은 눈이 아플 만큼 아름답구나!"라고 말했다.

이 장의 앞부분에서 알렉산드로스의 정복만큼이나 놀라운 그의 자제력에 관해 얘기했었다. 먹을 것은 매우 절제했던 그였으나 술은, 특히 이소스 전투 이후에는 거의 절제하지 못했다. 이 전투를 통해 그는 마케도니아를 넘어 아시아를 포함한 세계적 규모의 부자가 되었다. 말린 무화과와 빵을 먹던 기존 생활과 달리 이제는 막료들과 동료들을 불러 밤마다 연회를 벌였는데, 그 비용이 너무나 막대하여 사치스럽기로 유명한 아버지 필리포스 왕은 상대가 되지 못할 정도였다. 식사 후에 알렉산드로스는 식탁에 앉아 시간 가는 줄 모르고 이야기를 나누었다. 특히 아첨꾼과 궁정 시인들로 이뤄진 모임을 좋아했는데, 지나친 자화자찬으로 친구들은 난처해했다. 그는 다마스쿠스에서 나머지 보물들을 챙겨 이집트로 떠났다.

페니키아 도시들은 모두 이집트로 남하하는 알렉산드로스 군에 항복해왔고 오직 티레(Tyre, 티로, 두로, 튀로스 등으로도 불리는 고대 페니키아의 항구도시-옮긴이)만이 그에게 저항했다. 티레에서 그는 셈족의 전쟁사에 길이 남을 길고 고된 공성전을 펼쳐야 했다. 티레의 시민들은 이상한 신탁에 의존했는데, 사제의 환영을 통해 그들의 신 아폴론이 자신들을 버리고 알렉산드로스에게 가버렸다고 믿게 된 티레 시민들은 아폴론의 신상을 사슬로 꽁꽁 묶고 받침돌에 못을 박았다.

이집트에서 그의 행적은 아문 신전을 방문했다는 일화와 그의 이름을 딴 알렉산드리아라는 도시를 세웠다는 것 외에는 제대로 기록된 바가 없다. 호메로스의 『오디세이아』에 나오는 파로스 섬에 영감을 받은 그는 곧장 그곳에 훌륭한 도시를 설계해보라고 명했다. 그의 설계도는 중심에서부터 부챗살처럼 선을 그은 반원형이었는데, 마치 짧은 마케도니아식 망토 같아 보였다.

여기서 알렉산드로스가 펼친 모험의 전반부가 끝을 맺는다. 알렉산드리아(헬레니즘 이집트의 수도로 이집트와 지중해 역사에서 가장 중요한 도시 가운데 하나)는 그의 첫 소유물이었고, 그 이후로 그는 더 이상 자유롭지 않게 된다. 그의 병사들은 더 이상 반인반신이 아니라 그저 부유한 인간일 뿐이었고, 그의 동료들은 누구나 할 것 없이 사치스럽고 호화로운 생활을 누렸다. 어떤 이는 레슬링에 쓸 흙가루를 멀리 이집트에서 낙타로 실어올 정도였고, 또 어떤 이는 은고리가 달린 신을 신고 다녔다.

반면 알렉산드로스는 여느 때와 다름없이 열정적으로 자신을 단련하며 살았고, 빼앗은 모든 보물을 어머니와 고국에 있는 친구들에게 보냈다. 그러나 그의 성공의 무게는 개인적인 금욕주의만으로는 짊어질 수 없을 만큼 무거웠다. 그가 부케팔로스에게 그랬던 것처럼 이제는 의무와 책임이라는 안장이 그에게 얹어졌으므로 전속력으로 달리더라도 그것을 떨쳐버릴 수가 없었다. 승리를 거듭할수록 그는 정복이라는 전리품에 점점 더 깊이 빠져들었다.

이제 이어질 내용들은 찬란한 업적과 수많은 성공을 가능하게 했던 그의 열정이 천천히 사그라지는 쇠락의 이야기이다. 그는 패주한 다리우스를 찾아 군대를 움직였는데, 모험을 다시 시작하려는 희망 때문만이 아니라 지극히 개인적인 관심이 작용했다. 잘생기고 키도 컸지만 무능하고 운이 없었던 페르시아의 황제는 제국의 영토 전역에서 기병을 끌어모아 이소스 전투에서 패퇴한 군사보다 규모가 큰 대군을 이끌고 다시 서쪽으로 진군했다.

마케도니아 군대는 실력이 녹슬지 않았으며 여전히 빠르고 유연했다. 그러나 마치 눈에 보이지 않는 변화를 세상에 드러내려는 듯, 알렉산드로스는 단순하고 이상한 일을 벌였다. 다리우스의 군대는 고대 니네베 유적지 근처 마을인 가우가멜라(Gaugamela)에 진을 치고 있었는데, 그들의 횃불이 눈에 보이는 거리까지 접근한 알렉산드로스는 점술가이자 영적 동료인 아리스탄드로스와 함께 공포의 신에게 제사를 지내며 제물을 바쳤다. 그 공포는 육체적이거나 물리적인 것이 아니라 불안과 걱정이었고, 패배에 대한 공포가 아니라 그날 밤 자신과 함께 한 동료들에 대한 책임감이라는 이름의 공포였다.

멀리서 페르시아 진영이 움직이는 소리는 마치 거대한 바다의 울부짖음처럼 들렸고, 그날 밤 지평선은 무수한 불빛으로 가득했다. 파르메니온을 비롯한 장수들은 대군을 상대로 하는 전투를 두려워했고, 병력의 열세를 감안하면 구름처럼 몰려드는 적과의 싸움에 승산이 없다는 데에 의견을 같이했다. 이들은 어두워서 적이 얼마나 많은지 볼 수 없는 밤에 공격을 개시해야 병사들이 싸워보기라도 할 것이라며 야간 기습을 감행하자고 알렉산드로스에게 간청했다. 그러나 제사를 마치고 나온 알렉산드로스는 전투가 임박하자 과거처럼 확고한 신념이 되살아났는지 다음과 같은 유명하고 엉뚱한 대답으로 그들의 제안을 거절했다. "나는 승리를 훔치지 않을 것이오."

막료들이 물러간 후 그는 막사로 들어가서 평소보다 더 깊은 잠에 빠졌다. 이튿날 병사들이 아침 식사를 마칠 때까지 그가 일어나지 않자 더 이상 지체할 수 없었던 백전노장 파르메니온은 알렉산드로스의 침실로 들어가 두세 번 큰 소리로 그를 깨웠다. 그가 잠에서 깨어나자 파르메니온은 일생일대의 가장 큰 전투를 앞두고 마치 벌써 승리를 거둔 것처럼 어찌 그렇게 태평하게 잠을 잘수 있느냐고 분통을 터트렸다고 한다.

전투의 시작은 마케도니아군에게 불리하게 진행되었다. 천년후 알렉산드로스의 세계보다 더 넓은 지역을 지배한 칭기즈 칸의 군사들처럼 무시무시한 몽골 기병의 선조인 박트리아 기병대가 구름떼처럼 몰려와 파르메니온이 맡고 있던 마케도니아군 좌익에 맹공을 퍼부었다. 진지와 군수품을 잃게 되는 상황을 염려한 파르메니온은 알렉산드로스에게 급히 구원 전령을 띄웠다. 그러나 알렉산드로스는 파르메니온에게 모멸적인 답변을 전하고는 투구를 쓰고 말에 올라탔다. 그는 집결해 있는 그리스 병사들 앞에 서서 일장 연설로 그들을 격려했고, 전의를 불태운 군사들은 우렁찬 함성으로 어서 대왕을 따라서 적을 무찌를 수 있게 해달라며 소리쳤다. 창을 높이 쳐든 알렉산드로스는 하늘을 향해 유피테르의 아들인 자신과 자신의 군대를 지켜달라고 큰소리로 외쳤다.

한편 전장의 중앙에서는 다리우스가 이끄는 최정예 전차부대가 출격을 준비했다. 엄청난 파괴력을 가진 구세계의 가공할 병력은 적진 중앙을 차지한 강인하고 창백한 팔랑크스 보병대를 목표로 삼고 있었다. 광분한 말과 전차 뒤에는 메디아인 부대가 마치 비석처럼 서서 다음 명령을 기다리고 있었다.

드디어 전차부대가 마케도니아의 경갑 보병대를 향해 돌격했다. 그러나 마케도니아군은 직진에는 강하지만 선회하기는 힘든 전차의 특성을 역으로 이용했다. 제1열이 비스듬히 물러서 틈을 열어 맹렬히 돌진하는 전차를 통과시키면 제2열이 전차를 포위해 적군을 쉽게 쓰러뜨렸다. 이 순간 알렉산드로스와 그의 부하들은 유피테르의 새인 독수리 한 마리가 높이 날아가는 모습을 보았고, 곧장 적진을 향해 돌격했다. 팔랑크스 보병은 물밀듯이 돌진하여 페르시아군의 심장부까지 깊숙이 파고들었고, 알렉산드로스는 다리우스의 근위대와 맞서게 되었다. 용감한 페르시아 무사들은 땅에 쓰러지는 순간에도 말의 다리를 붙들어 매고 몸을 겹쳐 쓰러지며 끝까지 적의 기병이 지나가는 길을 막았다.

알렉산드로스와 다리우스가 마주한 시간은 아주 짧았지만, 그 순간 페르시아인들은 공포에 휩싸였다. 다리우스는 놀라 달아나기 시작했고, 징집병들은 그들의 위대한 왕중왕이 도주하는 모습을 보고 혼비백산했다. 이렇게 페르시아군은 처참히 패배하고 말았다.

이 전투의 결과로 세계의 주인이 바뀌었다. 이제 알렉산드로스는 문명인들이 모두 신성한 영예로 떠받드는 지상 세계의 신이 되었다. 하지만, 현실은 그가 꿈꿔왔던 것과는 달랐다. 그의 책에 등장하는 것처럼 밝고 번쩍이는 신이 아니라 세계의 모든 의심과 책임을 짊어져야 하는 동방의 우상이 된 것이다. 이제 그의 일상은 제례 의식과 각종 서신, 전 세계를 통치하는 지루한 행정 업무로 채워졌고, 낮 동안의 일들은 밤에도 그를 괴롭혔다.

어느 날 밤 연회에서는 그라니코스 전투에서 그의 목숨을 구한 오랜 친구 클레이토스와 다투는 일이 벌어졌다. 연회의 분위기가 무르익자 그리스인 광대들이 노래를 지어 부르기 시작했는데, 문제는 그 노래가 과거에 야만족들과의 전투에서 패한 마케도니아 장수들을 비겁하다고 조롱하고 모욕하는 내용이었다는 점이다. 왕과 몇몇 사람들은 재미있다며 즐거워했지만, 클레이토스와 일부 장수들은 그 노래를 가만히 듣고 있을 수 없었다. 왕이 노래를 계속하라고 명하자 클레이토스가 불같이 화를 내며 이렇게 소리쳤다.

"신의 아들이신 대왕을 스피트리다테스의 창으로부터 구한 사람은 바로 그 비겁한 마케도니아인인 저였습니다. 선왕이신 필리포스 왕을 저버리고 아문신의 아들이 되신 것도 결국 모두 마케도니아인들이 흘린 피 덕분임을 잊지 마십시오."

두 사람 사이에 격렬한 말다툼이 일어났고, 알렉산드로스는 그리스인 일행을 향해 이렇게 말했다. "그대들이 보기에 이런 마케도니아 사람들 사이에 있는 그리스인들이 마치 짐승들 사이에 있는 반신(半神)처럼 보이지 않는가?" 그러자 클레이토스도 지지 않고 대답했다.

"바른 얘기에도 귀를 기울이십시오. 그렇지 않을 거라면 앞으로는 연회에 자유인을 초대하지 말고 그저 듣기 좋은 말만 하는 노예들만 초대하십시오."

알렉산드로스는 화를 참지 못하고 식탁 위에 놓인 사과를 집어 클레이토스의 얼굴을 향해 던지고는 칼을 찾아 두리번거렸다. 사람들이 왕을 진정시키려고 하였으나 그는 자리를 박차고 일어나 문으로 달려가더니 마케도니아어로 호위병들을 불러 모았다. 그는 나팔수에게 군대를 움직이도록 나팔을 불라고 명했다. 그러나 나팔수가 명령에 따르지 않자 알렉산드로스는 그를 주먹으로 쳐서 넘어뜨렸다. 훗날 그 나팔수는 전군이 혼란에 빠지지 않도록 나팔을 불지 않았다는 이유로 칭찬받았다.

한편 동료들이 클레이토스를 연회장 밖으로 끌고 나갔으나, 그는 그 상황을 빗대어 조롱하는 내용의 시 한 구절을 읊으며 다시 들어오려고 했다. 알렉산드로스는 호위병이 들고 있던 창을 빼앗았고, 그때 마침 문 앞에 쳐놓은 커튼을 걷으며 들어오는 클레이토스를 찌르고 말았다. 클레이토스는 바닥에 쓰러져 곧 숨을 거두었다.

알렉산드로스는 클레이토스의 죽음을 자신에게 닥친 가장 큰 불행이라고 여겼다. 이후 그는 예민해지고 광포해졌다. 여러 사건을 통해 그는 동포인 마케도니아인 막료들 사이에서 일어날 수 있는 반란과 음모에 대한 두려움에 사로잡히게 되었다. 클레이토스가 죽은 후에는 그 누구도 의심의 대상에서 벗어날 수 없었고, 그의 동료 여럿이 가장 잔인한 방식으로 희생되었다. 죽임을 당한 이들 중에는 불쌍한 파르메니온도 있었고, 고문을 받다가 숨진 그의 아들 필로타스도 있었다.

기원전 328년, 여전히 부하들로부터 사랑받던 시기에 그는 가장 단호한 결정을 내렸다. 그는 자신이 차지한 영토의 동쪽 끝을 탐험하겠다는 뜻을 밝히고 인도로 원정을 떠났다. 그러나 그동안 획득한 너무나 많은 양의 전리품 때문에 진군에 어려움을 겪게 되었다. 이 모습을 본 그는 이른 아침에 모든 수레를 모아놓고 우선 자신과 친구들의 전리품을 불살라버리고 나머지 병사들의 전리품들도 불태우라고 명했다.

이것은 어려운 결정이었지만 효과가 있었다. 알렉산드로스의 원정길과 도중에 조우한 부족들에 대한 공격 작전은 상세히 기록으로 남아 있다. 그의 군대는 거의 아무런 피해 없이 일 년도 안 되는 기간 안에 파탄족과 아프간족의 조상이 살고 있던 미로 같은 산길을 통해 힌두쿠시를 넘고 카이버고개(Khyber Pass, 파키스탄과 아프가니스탄을 잇는 주요 산길-옮긴이)를 지나갔다.

이 행군에서 가장 눈에 띄는 장면은 그보다 200년 앞선 페르시아 아케메네스 제국의 창건자이자, 정복자로서는 알렉산드로스와 대등한 위치의 키루스 대왕의 무덤을 발견한 순간이었다. 무덤의 비석에는 페르시아어로 이렇게 새겨져 있었다.

지나가는 나그네여, 그대가 누구이고 어디에서 왔든 나는 그대가 올 줄 알고 있었다네. 나는 페르시아 제국을 세운 키루스다. 나의 몸을 덮고 있는 이 한 줌 흙을 시기하지 말지어다.

이 비문을 읽고 깊은 인상을 받은 알렉산드로스는 인생의 무상함을 다시 한번 생각하게 되었고, 키루스 대왕의 무덤을 정비하도록 지시했다.

알렉산드로스는 인더스강에 도착하자마자 가장 먼저 포루스 왕의 군대를 무찌른 후 그를 사로잡아 친구로 만들었다. 그가 인도에서 잡은 포로 중에는 고대 자이나교 분파의 사도들이자 최초의 불교도들과 동시대인인 나체의 고행자들도 있었다. 이 인도 철학자들은 반란을 선동하는 등 마케도니아군의 골칫거리가 되었는데, 알렉산드로스는 그들 열 명을 불러들여 가장 서투른 대답을 한 자는 죽이고 나머지 아홉 명은 풀어주겠다고 약속했다.

그의 질문과 답변 중에서 몇 가지를 살펴보자. 첫 번째 질문은 "산 자와 죽은 자 중 어느 쪽이 더 많은가"였고, 이에 대한 자이나교도의 대답은 "죽은 자는 더 이상 존재하지 않으니 살아 있는 이가 더 많습니다"였다. 다섯 번째 질문을 받은 남자는 약간 역설적인 답을 말한 것 같다. "낮과 밤 중 어느 것이 먼저인가"라는 질문에 이 현자는 "낮이 한나절 앞서지요"라고 대답했다. 알렉산드로스가 어리둥절해하자 그 남자는 "난해한 질문에는 난해한 답이 있는 법입니다"라고 했다. 다음 사람은 "인간은 어떻게 하면 신이 될 수 있는가"라는 질문에 이렇게 답했다. "인간이 할 수 없는 일을 하면 됩니다." 그가 마지막으로 던진 질문은 "인간은 얼마까지 사는 것이 좋은가"였다. 벌거벗은 철학자는 "죽는 게 사는 것보다 낫다고 생각될 때까지이지요"라고 답했다. 이 대답을 들은 알렉산드로스는 그들 모두를 풀어주고 선물을 하사했다.

말년에 그는 바빌론 성벽 밖에 있는 막사에서 지내면서 유프라테스강에 배를 띄워 강을 유람하며 시간을 보냈다. 그러던 중 이상한 사건이 발생했다.

　어느 날 알렉산드로스가 공놀이를 마친 후였다. 그의 옷을 가지러 갔던 하인은 어떤 낯선 사내가 왕관을 쓰고 왕좌에 앉아 있는 모습을 보았다. 사람들은 그 남자에게 누구냐고 물었으나 그는 오랫동안 묵묵부답이었다. 한참 후에야 입을 연 남자는 자신을 그리스 출신의 디오니소스라고 했고, 누명을 쓰고 고국을 떠나 바빌론 감옥에 갇혀 있었다고 했다. 그런데 그날 저승사자 세라피스 신이 나타나더니 사슬을 풀어주고는 그리로 데려와 자신에게 왕의 옷을 입히고 왕관을 씌우고는 왕좌에 앉히더니 그대로 조용히 앉아 있으라고 했다는 것이다.

　알렉산드로스는 화를 내지는 않았지만, 점술가들의 충고에 따라 그 남자를 죽여버렸다. 그러나 이 사건을 포함해서 몇 가지 불길한 징조들이 그를 괴롭혔다. 결국 그는 신들이 자신을 버렸다고 생각하여 죽음이 임박했다고 믿었고, 측근인 마케도니아인 동료들까지 의심하기 시작했다. 그는 점점 난폭해졌다.

　한번은 마케도니아의 귀족이자 알렉산드로스가 신임하는 장군 안티파트로스의 아들 카산드로스가 대왕을 알현하러 궁을 방문했을 때 바빌론 궁정의 엄숙함, 특히 야만인들이 왕 앞에 엎드려 있는 모습을 보고 크게 웃음을 터트린 적이 있었다. 그는 그리스식 교육을 받고 자랐기 때문에 그런 모습을 본 적이 없었던 것이다. 화가 난 알렉산드로스는 왕좌에서 뛰어 내려와 그의 머리를 휘어잡고 벽에 처박았다. 이 일로 그는 알렉산드로스를 두려워하게 된 듯하다. 카산드로스는 알렉산드로스 사후에 마케도니아의 왕이 되어 그리스 전체를 지배했지만, 플루타르코스에 따르면 델포이를 돌아다니며 조각상을 감상하던 중 알렉산드로스의 조각상을 발견하자 거의 기절할 정도로 몸서리치며 벌벌 떨었다고 한다.

세상에서 가장 위대한 모험가의 삶은 결국 끝을 향해 가고 있었다. 어느 날 그는 성대한 잔치를 열어 밤새 술판을 벌였고 잠들기 전에 목욕을 마쳤다. 그러고는 갑자기 고열에 시달리기 시작했다. 그가 열병에 걸린 지 14일째 되던 날, 마케도니아 병사들은 그가 죽었다고 생각해 궁전 문 앞까지 몰려와 왕의 막료들의 만류에도 불구하고 안으로 들어왔다. 알렉산드로스는 말없이 침대에 누워 있었고, 그들은 눈물을 흘리며 차례로 마지막 경의를 표하며 왕의 침상 곁을 지났다. 이튿날 그는 서른세 살의 나이로 세상을 떠났다.

그의 죽음은 부하 장군들에 의한 제국 분할의 신호탄이 되었다. 그의 동료 중에서는 프톨레마이오스만이 거의 유일하게 운이 좋았기에 그가 세운 왕조는 로마에 의해 정복될 때까지 이집트를 통치했다. 어머니 올림피아스는 목이 잘렸다. 알렉산드로스의 아내 록사나와 어린 아들도 같은 운명을 맞이해야 했다. 몇 년이 지난 후에는 그의 업적 중 남아 있는 것이 아무것도 없었고, 그가 아시아 지역에 끼친 영향력은 그 이후 왕들이 신성과 신의 영예를 주장하는 방식에만 국한되게 되었다. 그리스인들의 예술과 과학은 사막의 물처럼 아시아에서 몇 세기 만에 사라졌지만, 오늘날까지 전해지는 중국의 불상에는 그리스가 미친 영향의 흔적이 남아 있다.

　지금껏 살펴봤듯이 플루타르코스를 통해 밝혀진 그의 성격과 삶의 방식은 영국의 교육에도 큰 영향을 미쳤다. 이스칸데르 또는 아스칸데르로 음역된 그의 이름은 다양한 동양 민담에 등장한다. 그러나 그는 소유자가 아니라 발견자로, 새로운 방식의 창조자가 아니라 오래된 방식의 파괴자로 평가되어야 한다. 알렉산드로스는 아시아와 유럽을 분리하고, 역사 속 중앙 집권적 통일 제국을 패망시켰으며, 로마인들과 그 후세를 위한 길을 닦는 등 세계 역사를 움직였다. 이런 거대한 역사적 결과들로 인해 여전히 부정적인 평가와 긍정적인 평가를 동시에 받고 있다.

제2장

카사노바

"운명은 의지가 있는 자들을 이끌어주지만,
의지가 없는 자들은 끌고 간다."

Giacomo Girolamo Casanova
(1725년 4월~1798년 6월)

이탈리아 베네치아의 모험가이자 작가, 시인, 소설가를 자칭한
범죄자이자 사기꾼. 일반적으로 잘난 바람둥이의 대표격이자
난봉꾼의 대명사로 알려져 있다.

　궁극적으로 '성격'이라는 것은, 예를 들어 셰익스피어와 같이 극을 좋아하는 신이 나쁜 마음을 품고 셰익스피어를 저명한 영국 노동당 지도자의 아들로 태어나게 하거나, 나폴레옹 보나파르트를 브루클린의 아이스크림 장사꾼으로 자라게 하고는 그들이 인생을 어떻게 펼쳐나가는지 관찰하는 식의 전지전능한 실험을 통해서만 확인할 수 있다. 그러한 잔혹한 실험이 아니라면 인격의 중심인 '나'라는 개인을 교육, 환경 그리고 우연한 사건들과 같은 후천적 틀과 구분하여 생각한다는 것은 불가능하다.

　그러나 우리는 항상 알렉산드로스와 카이사르의 인생을 비교하거나 카사노바와 크리스토퍼 콜럼버스의 삶을 비교하는 등 위인들 사이의 유사점을 찾아보려고 한다. 혹은 우리가 그들이라면 어떠했을지나 그들이 우리라면 어떠했을지를 상상하게 된다. 이러한 비교의 저변에는 다른 상황이었어도 알렉산드로스는 계속해서 무모하게 도전하여 성공했을 것이고, 카이사르는 냉철한 용기를 갖게 되었을 것이라는 입증 불가능한 가설, 다시 말하면 행동 방식이라는 것은 변하지 않는 성격을 직접적으로 보여준다는 생각이 깔려 있다. 차라리 비교할 두 인물이 출신 배경이나 상황, 그리고 환경 면에서 큰 차이가 있다면 이런 추측이 더 의미 있을 것이다. 두 명의 정복자나 두 명의 시인, 두 명의 탐험가와 두 명의 해적과 같이 비슷한 부류를 저울질해가며 상상한다면 더욱 혼란스러울 것이기 때문이다. 그럴듯하거나 혹은 그저 흥미로운 차이점과 유사점을 알아보는 것이 아닌, 성격과 인생의 관계를 이해하기 위해서는 흑백에 가까운 대비가 필요하다.

이런 이유로 베네치아인 자코모 카사노바(Giacomo Casanova)를 마케도니아인 알렉산드로스 다음으로 살펴보는 것이지, 그저 재미있자고 이 인물을 알아보는 것이 아니라는 점을 밝히고 싶다. 너무나 외설적인 내용 때문에 라이프치히의 유명 출판사 브록하우스(Brockhaus)사의 금고에 보관되었다가 순화된 내용으로만 출판될 수 있었던 회고록의 주인공이자 탈옥으로 유명한 희대의 사기꾼과 고결한 아시아의 반신반인 알렉산드로스 사이에서 찾아볼 수 있는 유일한 공통점은 바로 이 두 인물 모두 모험가라는 사실이다.

이 두 인물은 생명력이라는 유사 물리학적(Quasi-physical) 감각을 지녔다는 정신적인 측면에서뿐만 아니라 훨씬 더 중요한 인생의 궤적(Trajectory)이라는 면에서도 공통점이 있다. 이 두 미사일은 사회라는 유기 조직을 관통하여 흔들어놓았는데, 비록 그 피해 규모는 확연히 다르지만 둘 다 똑같이 흔들림 없는 이기주의자였을 뿐만 아니라, 둘 다 똑같이 심리적이며 개인적인 비극으로 이어지는 치명적 탄도학이라는 신비의 법칙을 따랐다.

자코모 카사노바는 돈벌이가 시원치 않으나 매력적이었던 베네치아 희극 배우의 장남으로 태어났다. 그의 아버지는 알을 낳기만 하고 양육에는 신경 쓰지 않는 뻐꾸기 같은 남자였다. 카사노바의 아버지 가에타노(Gaetano)는 허름했지만 그래도 체면은 지키고 있었던 집안을 도망쳐 나와 극단에서 이런저런 작은 역할들을 맡았다. 극단을 따라 돌아다니던 그는 베네치아의 산 사무엘레(San Samuele) 극장에서 일자리를 구할 수 있었다.

그가 머물던 숙소 맞은편에는 점잖은 제화공 파루시의 집이 있었는데, 그곳에는 활기 넘치며 무대에 열광하던 열여섯 살쯤 된 딸 차네타(Zanetta)가 살고 있었다. 아름다운 아가씨에게 빠져버린 가에타노는 마침내 그녀의 마음을 사로잡았고, 차네타는 부모님의 뜻을 거스르고 그를 따라 집을 나왔다. 얼마 지나지 않아 그녀의 아버지는 슬픔으로 세상을 떠나고 말았다.

이후 절대 딸을 무대 위에 세우지 않겠다는 약속을 받은 차네타의 어머니는 이들의 결혼을 허락하였고, 우리의 주인공 자코모는 이 둘 사이에서 첫째 아들로 태어났다. 그가 여섯 살이 되던 해에 부친이 요절하고, 연기하는 법을 배운 어머니는 드레스덴 주립극장에서 꽤 유명한 배우가 되어 순회공연을 다니는 등 바쁜 일정을 소화해야 했기에 아이들을 거의 돌보지 못했다. 그는 자신의 삶을 뒤돌아보면서 생애 초반에 경험했어야 할 부모라는 우산이 없었지만, 힘든 것이 아니라 오히려 약간은 즐거웠다고 회고했다. 그는 외할머니의 맹목적인 사랑을 받으며 자랐으나 외할머니는 그에게 아무런 영향도 미치지 못했다. 그는 고아나 다름없이 자랐고, 걷기 시작하면서부터는 18세기라는 시대와 베네치아라는 장소를 양부모 삼아 성장하게 되었다.

그가 태어난 1725년의 베네치아는 세계에서 가장 방탕하고 매혹적인 도시였다. 르네상스라는 웅장한 발전의 시대가 끝난 베네치아는 더 이상 전 세계 부와 정치의 중심지도 아니었고, 최강의 군사력을 자랑하는 도시도, 아시아 무역의 교두보도 아니었다. 그러나 쇠퇴 속에서도 베네치아는 부도덕한 옛 로마나 천박하고 퇴폐한 소돔과 고모라를 능가하며 지금의 런던, 파리, 베를린의 밤 문화 못지않은 모습을 유지하고 있었다.

그는 자신의 『회고록』에서 궁전의 빛바랜 위엄, 석호의 씻기지 않는 흙, 미로 같이 복잡한 수로, 해적의 보물 동굴과 같은 교회의 향, 한때 동방무역을 독점하던 부두 창고에 쌓여 있는 곰팡이 핀 온갖 향신료, 이 모든 것이 합쳐져 도시의 방탕한 분위기를 자아냈다고 전한다. 쓰레기 더미에서 자라나는 이국적이고 병약한 꽃이라는 은유는 카사노바가 베네치아를 묘사할 때 거의 필수적으로 쓰였다.

결론적으로 말하면, 카사노바가 태어나고 자랐으며 그의 회고록이 자세히 전해주는 18세기의 베네치아 생활은 병들어 약해진 시기였지만 그 도시의 절정을 보여주고 있었다. 깊은 사회학적 이유로 인해 근본적인 사회적 틀이 마치 섬유화된 노인의 동맥처럼 경화되었다. 베네치아는 정치적으로나 사회적으로 퇴행하거나 부패한 것이 아니라 변화가 사물의 자연스러운 과정에서 차단되는 그러한 발전 단계에 도달했다고 할 수 있다. 모든 것이 정리되고 해결되어 완성된 상태에 이르렀고, 인류는 그 어느 때보다도 자신의 논리, 법적 기하학, 법률, 다시 말하면 자신의 과거에 갇혀버렸다. 왕도 백성도 그것을 바꿀 수는 없었다. 유럽은 스스로 안에 들어가 문을 잠갔으나 그 열쇠는 찾지 못했다. 그리고 그들을 가두는 벽에는 작은 틈도 없어서 아무리 천재적인 모험가라 할지라도 통과해 나갈 수 없었다. 밀폐된 공간에서 일어나는 폭발, 그것이 바로 교착상태를 종식시킨 혁명의 한 측면이었다. 그러나 카사노바는 혁명 이전에 활동한 인물이므로 파란만장한 삶 내내 동시대 다른 사람들과 함께 갇혀 있었고, 그의 모험은 전적으로 사회 내부에서 일어났다.

당시의 시대정신을 명명하고 평가하자면 모파상과 와일드의 지쳐버린 시대와 같은 세기말(Fin de siècle)이 아니라 낙관적이고 신중한 것들은 모두 시대에 뒤떨어졌다고 여긴 세계말(Fin de monde)이었다. 베네치아 사육제의 근본 원인은 사회적 절망이었다. 이러한 배경 위에서 선진 문명의 화려함을 뽐내던 베네치아인들은 새로운 종류의 사랑이자 희귀한 기쁨을 엮어냈다. 귀족적이며 이국적인 사랑은 모든 지적 쾌락을 끌어올리는 신비로움으로 장식되었다.

카사노바를 키운 베네치아, 그의 회고록에 기록된 베네치아는 그와 닮아 있다. 요컨대 카사노바의 베네치아는 아름다운 가면의 문화였기에 미신과 무신론자가 공존했고, 평민을 가차 없이 배제하면서도 신분을 따지기 귀찮아했고, 무자비하면서도 도처에 사랑이 퍼져 있었고, 모험에 적대적이면서도 도박에 빠져 있었으며, 절망에 빠졌으면서도 그 어떤 유럽 지역보다도 진심으로 즐기고 있었고, 잔인하면서도 감상적이었다.

그의 생애에 가장 먼저 영향을 미친 사람은 대대로 베네치아를 지배했던 가문의 구성원인 귀족 바포(Baffo)였다. 그는 성품이 너그러웠고, 음란한 시와 젠체하는 대화로 유명한 인물이었다. 어린 카사노바에게 글자를 가르친 사람도 그였고, 병약했던 카사노바가 더 좋은 공기를 마실 수 있도록 아홉 살 때 이탈리아 본토에 있는 파도바의 기숙학교로 보내자고 의견을 낸 사람도 그였다.

이 기숙학교의 여주인은 무시무시한 세르비아 사람이었는데, 그녀는 학생들을 잘 씻기지도 않고, 충분히 먹이지도 않았으며, 제대로 가르치지도 않았다. 당연히 그런 환경에서는 아이가 제대로 자랄 수 없었고, 결국 카사노바는 병이 나고 말았다. 제대로 먹지 못해 볼품없이 깡마른 소년은 기숙학교를 나와 학식 있고 순진한 고치(Gozzi) 박사에게 맡겨졌다. 고치 박사의 집에는 좋은 식탁과 좋은 서재 그리고 온정 있는 사람들이 있었다. 카사노바는 엄청난 식욕으로 이들을 모두 활용했다. 몇 년이 지나자 그는 마치 하루가 다르게 덩치가 커지는 봄날의 새끼 늑대처럼, 언젠가는 유럽의 모든 법정과 감옥이 알게 될 그 유명한 민첩성과 187센티미터가 넘는 키에 탄탄한 근육질의 몸을 가진 거구의 사내로 성장했다.

벌레가 우글대던 기숙학교에서 발견한 이 식욕은 평생 그를 떠나지 않았다. 이런 식욕은 학업에서도 마찬가지였는지 그는 고치 박사의 모든 책의 지식과 가르침을 흡수했다. 그는 위대한 시인 호라티우스의 고전 작품들을 마치 갓 구운 빵처럼 먹어치웠다. 수학, 자연과학, 역사, 시, 연극, 프랑스어와 이탈리아어는 물론, 이성의 시대에 그 희소성 때문에 많은 인기를 끌었던 마술, 점성술, 카발라 밀교, 연금술 등 신비로운 주제에 이르기까지 그는 다양한 분야를 닥치는 대로 섭렵했다. 박사의 서재에 꽂혀 있던 몇 안 되는 신비주의 관련 책을 모두 읽은 후, 그는 그 주제와 비슷하지만 좀 더 떳떳한 사촌 격인 신학으로 눈을 돌렸다.

교육이 없었다면 그저 육체노동자에 지나지 않았겠지만, 그는 이런 식의 잡식성 독학으로 어느 지식인 한 사람에게 휘둘리지 않고 다양한 지식을 쌓을 수 있었다. 당시에는 재빠른 기지가 수학의 주요 열쇠였고 과학에는 실험보다는 상상력을 열어주는 가설이 더 풍부했으며, 위대한 시인들은 아직 문법학자의 분야에 속하지 않았다. 카사노바는 십 대가 되기 전에 이미 유럽에서 가장 말을 잘하는 사람이 될 요소를 갖추게 되었다. 오직 그런 얘깃거리를 만들어줄 인생의 경험이 필요했을 뿐이었다.

성인이 된 그는 경험을 쌓기 시작했는데, 그 첫걸음은 다소 뜬금없는 익살극처럼 보인다. 그는 베네치아 대주교로부터 신품을 받았고, 관례에 따라 성직자가 되었다. 당시는 교회가 미덕보다는 두뇌를 선택하고, 사회에서 기능하는 교회의 헌법적 역할이 교회의 가르침보다 더 중요해진 시기였다. 따라서, 돌처럼 굳어버린 당시의 유럽에서 교회는 조금이라도 움직임이 있고 경력을 쌓을 수 있는 유일한 유기적인 영역이었다.

결론적으로 말하면, 카사노바처럼 가진 것이라곤 잘난 두뇌뿐인 이들, 즉 하위 계층으로부터 넘쳐 나온 모든 야망과 열정은 이 하나의 자유로운 통로를 향해 흘러가는 경향이 있었다. 그에게 필요한 것은 바포에게서 받은 추천서와 교육뿐이었다. 그는 크게 고민할 것도 없이 성직 생활을 시작했다.

이러한 사실들을 고려하여, 회고록에 등장하는 첫사랑이 이 시기에 일어났다고 해서 그를 사악하다거나 모순적이라고 하면 안 된다. 이 시점부터 그의 회고록에는 여성에 대한 열정, 추구 그리고 숭배가 주요 내용으로 등장하며, 다른 모험 분야가 아무리 그를 유혹하더라도 결코 그것을 손에서 놓지 않는다.

여기서 그의 성공의 비밀을 밝혀보고자 한다. 유혹의 원리는 오비디우스와 같이 익살스러운 고대인들에 의해 제시될 수 있지만, 만약 오명을 뒤집어쓴 카사노바의 지혜와 실천에 기초했더라도, 그것은 사냥에 나선 대다수 아마추어 바람둥이를 겁주는 결과를 낳을 수 있다. 남녀 간의 성관계에 대해 사회가 부여하는 엄청난 부담은 '지조'였고, 누구든 이 부담에서 자유롭지 못했다. 이것을 결혼이라고 부르든 아니며 좀 더 끈끈한 자유 결합(Union libre) 관계라고 부르든, 그 저변에는 경제 문제가 깔려 있다.

그러나 카사노바는 신비로운 외부 껍질과 내부 사업의 핵심을 모두 거부하고 무시했다. 하지만 루비가 석류석보다 더 가치가 있듯이 그에게는 어떤 즐거움보다 사랑이 소중했다. 그에게 애인은 식욕을 돋우는 식후 음식도 아니고, 사이비 난봉꾼의 트로피, 전리품, 또는 도구처럼 하찮은 존재도 아니었다. 천 명의 연인 한 사람 한 사람에 대한 그의 사랑은 거룩한 결혼으로 이어지는 마음과 마찬가지로 진실했다. 다만 그것이 오래 지속되지 않았을 뿐이다. 그렇게 그는 위자료 소송과 치정 사건 같은 힘든 세월을 모두 피해 갔다.

그는 그녀들에게 자신이 가진 모든 것을 주었고, 그의 연인들은 그들의 신성한 의무를 저버리지 않았다. 카사노바는 사기꾼도 아니고 기둥서방도 아니었다. 그의 '성적 이끌림'이라는 신비를 궁금해한 예리한 심리학자들이 이 사실을 깨달았더라면 우리는 그에 대한 그토록 많은 헛소리를 듣지 않아도 되었을 것이다. 카사노바는 그저 자기 자신을 존중하는 모든 여성의 요구사항을 들어줬을 뿐이다.

그는 자신의 모든 것을 평생 정기적으로 갚아야 하는 할부가 아니라 더 눈부시고 매력적인 일괄 지급이라는 방식으로 내어주었다. 그는 일주일 만난 애인을 위해서도 수없이 자신을 낮춰가며 구애했고, 그의 재산이 절정에 이르렀을 때도 주저하거나 후회하지 않고 새로운 애인을 위해 수없이 힘든 선택을 했다.

따라서 카사노바가 펼치는 모험은 여성이라는 금지된 땅으로 이어진다. 인생의 궤적이 상승곡선을 그릴 때도 그의 의지는 알렉산드로스만큼이나 한결같았다. 그와 마찬가지로 이 유랑극단 배우의 아들에게도 부와 명예는 그다지 의미가 없었다. 이러한 특이한 공통점에 더해 한 가지 더 유사한 점이 있다면, 모험을 시작하기 위한 의식과도 같은 생애 초기의 자기 절제를 언급할 수 있겠다. 카사노바도 알렉산드로스처럼 퇴로를 원천 봉쇄하고 자신만의 보스포루스 해협을 건넜을까?

말리피에로(Malipiero)는 부유하고 잘생긴 80세의 미혼 상원의원이었다. 그는 40년 동안 베네치아에서 최고 관직을 누린 후 은퇴하고 자신의 웅장한 궁전에서 지내며 아름다운 여성에 대한 열정을 이어갔다. 카사노바는 새롭게 얻은 성직자라는 지위 덕분에 이 남자를 소개받을 수 있었다. 말리피에로는 그가 마음에 들었고, 마음대로 사용할 수 있는 방을 마련해주는 등 여러모로 후원했다. 카사노바는 말리피에로의 사치스럽고 화려한 생활을 공유했으며 그의 영향력을 통해 화려한 출셋길을 기대할 수 있었다.

이때 상원의원이 별처럼 아끼는 애인은 어느 여배우의 어린 딸 테레사 이메르였다. 그녀는 아름답고 겸손하며 재능도 있어서 말리피에로의 애간장을 녹였다. 젊은 카사노바는 늙은 향락주의자에게 감사의 마음이 있기도 했고 나네타와 마르타라는 두 자매와 열정적인 사랑에 사로잡혀 있었기 때문에 오랫동안 이 매력적인 여성 테레사를 향한 마음을 억누를 수 있었다. 그러나 정계의 거물인 상원의원의 후원을 받으며 밝은 미래를 보장받던 그는 마침내 테레사와 사랑에 빠지는 순간을 맞이한다. 카사노바는 자신의 은인이 끊임없는 자신을 의심하고 있고, 하인이 자신을 배신할 것이며, 적발되면 어떤 처벌을 받게 될지 모두 알고 있었지만, 마치 알렉산드로스가 거침없이 적을 향해 돌격했듯이 위험한 불장난 속으로 몸을 던지고 말았다. 결국 그는 붙잡혀 흠씬 얻어맞는 수치를 당하고 궁전 밖으로 쫓겨나는 신세가 되었다. 삶의 문턱에서 그는 막강한 후원자였던 말리피에로를 치명적인 적으로 만들어버렸다.

이제 그는 매우 다른 삶을 시작해야 했다. 운명을 향한 지름길이 막혀버린 그는 성직자 생활을 계속할 수 있도록 어느 작은 신학교에 들어갔다. 그곳에서 가질 수 있는 유일한 희망은 가난한 교구의 사제가 되는 것뿐이었지만, 이 매력적이지도 않은 전망마저 곧 사라졌다. 성직자와 맞지 않게 고집스러운 교만에 빠진 그는 일탈 행위를 일삼았고, 여러 구설수가 생겨나서 결국은 신학교에서도 쫓겨났다. 그는 이제 돈도, 가족도, 친구도, 심지어 머물 곳도 없는 신세가 되었다.

지금까지 젊음이라는 이름으로 용서받을 수 있는 한 가지 잘못을 제외하고는 크게 나쁜 짓을 하지 않았던 한 소년의 성장기를 살펴보았다. 이제 등장할 진정한 카사노바, 즉 사기꾼 카사노바는 그저 도덕규범을 위반하는 데 그치지 않는다. 그는 이제 교회법이 아닌 형법에도 아랑곳하지 않고 아버지가 가족들에게 유산으로 남긴 가구 몇 개를 주저 없이 팔아 자신의 주머니를 채우기 시작했다.

이 사건에 라체타라는 변호사가 개입한 결과 그는 리도(Lido)섬에 있는 산탄드레아 요새에 갇히게 되었다. 이 엄청난 불행 속에서 카사노바 특유의 성격이 드러나기 시작했다. 그는 단호하며 복수심이 강하고 대담하면서도 운이 좋은 성인 남성으로 우리 앞에 나타난다. 어느 밤 그는 요새를 탈출해 곤돌라를 타고 베네치아로 돌아왔고 몇 번의 시도 끝에 라체타를 덮쳐 치아 세 개를 날려버리고 코를 부러뜨린 후 운하에 던졌다. 그러고는 알리바이를 위해 적당한 시간에 요새로 돌아왔다. 일련의 작전은 참호 습격이나 전문 은행털이를 방불케 할 만큼 치밀했다.

이 사건으로 베네치아 내에서 그에 대한 적대감이 증폭되었다. 법정 공방 끝에 그의 석방이 결정되었는데, 라체타가 복수한다거나 말리퍼에로가 칼을 쓰거나 정식 감옥으로 이송을 요청하는 등 더 강력한 조치를 취하기 전에 카사노바는 풀려나자마자 베네치아를 떠났다.

교양 있는 늙은 미식가와 지내던 동안 카사노바는 이후의 삶에 지침이 될 두 가지 라틴어 격언을 마음에 새겼다. 그 하나는 "운명이 길을 열어주리라(Fata viam inveniunt)"였고, 다른 하나는 "운명은 의지가 있는 자들을 이끌어주지만, 의지가 없는 자들은 끌고 간다(Volentem ducit, nolentem trahit)"였다. 첫 번째 격언은 에픽테토스(Epictetus, 그리스의 스토아학파 철학자-옮긴이)와 로마의 철학자 세네카(Seneca)를 통해 전해진 말이었고, 두 번째 격언은 에우리피데스(Euripides, 그리스의 시인-옮긴이)의 비극 중 한 문장을 키케로가 번역한 것이었다. 이 격언들은 무기력을 강조하지 않으면서도 숙명론 고유의 위안을 제공한다. 가장 순수한 모험의 전통을 이보다 더 잘 보여주고, 모험이라는 신비한 교리를 이보다 더 잘 요약한 표현은 없을 것이다. 카사노바는 기분 좋게 다음 모험을 시작했다.

몇 달 전, 호화롭게 지내던 시기에 드레스덴에 있는 그의 어머니는 이탈리아 남부의 주교단에 추천서를 제출했다. 이제 카사노바는 거의 이탈리아반도를 횡단해야 하는 장거리 여행조차 불평할 수 없을 정도로 난처한 상황이었다. 그는 배를 타고 로마로 돌아갈 요량으로 해안선을 따라 내려가는 배편을 구했다. 항상 거지 차림에 때때로 도둑질도 서슴지 않았던 자신의 길동무 수도사 스테파노와 여러 번 말다툼하면서도 그의 도움을 받으며 카사노바는 로마에 도착했다.

그러나 주교는 오래전에 로마를 떠나 자신의 교구로 향했고, 카사노바는 험준하고 인적이 드문 길을 따라 다시 남쪽으로 향해야 했다. 포르티치(Portici, 이탈리아 남부 나폴리 인근의 도시-옮긴이)에서는 그의 불굴의 의지에 만족하는 것처럼 운명의 여신이 조금 친절해지기 시작했다. 그는 그곳에서 수은을 거래하는 부유한 그리스 상인을 만났고, 그에게 납과 창연을 섞어 만든 장치로 상품을 위조하는 방법을 알려주고 그 장치를 판매하는 데 성공했다. 이 거래 덕에 카사노바는 좀 더 편하게 여행을 계속할 수 있었다.

마르티라노에서는 끔찍한 실망감이 그를 기다리고 있었다. 주교는 평범한 재능과 야망에 비해 너무 높은 지위에 오른 불행하고 좌절한 인물이었다. 시골 사람들은 가난하고 촌스러웠고, 바다는 선물이 아니라 감옥이자 유배지였다. 카사노바는 도착하자마자 이곳의 상황을 파악하고는 빨리 떠나야겠다고 결심했다.

다음 날 아침에 그는 이 비참한 마을에서 지내면 몇 달 안에 죽을 것 같다고 선량한 주교에게 말했다. "덧붙여 말씀드렸듯이, 저에게 축복을 허하시고 저를 보내주세요. 아니면 차라리 저와 함께 가시죠. 저희가 다른 곳에 가면 돈을 벌 수 있을 거라고 장담합니다." 이 제안을 들은 주교는 그날 하루 종일 웃음을 감출 수가 없었다. 만약 그 제안을 받아들였다면 주교는 2년 후 한창나이에 죽지 않았을지도 모른다.

이런 발언은 알렉산드로스만큼이나 용기 있는 결정이었다. 주교는 나폴리 상인에게 60두카트(Ducat, 베네치아 등 유럽에서 통용된 금화-옮긴이)에 대한 신용장을 써주었다. 그 대가로 카사노바는 그리스인 사기꾼에게 받은 (최소한 그에 상응하는 액수의 가치가 있는) 법랑 상자를 그에게 반강제로 건네주고는 서둘러 그곳을 떠났다.

나폴리에서는 "주교께서는 당신이 매우 숭고하신 분이라고 쓰셨더군요."라고 말하며 두 팔 벌려 환영하는 은행가를 만난다. 이런 환대 덕분에 그는 나폴리의 고위층들과 안면을 텄고, 유부녀이지만 아름답고 사회적으로 중요한 위치에 있던 첫 번째 정복 대상 돈나 루크레치아(Donna Lucrezia)를 만나게 되었다.

그는 짧지만 화려했던 나폴리에서의 생활을 뒤로한 채 다시 한 번 운명을 따라 로마로 향한다. 나폴리 상류층과 친분을 쌓았던 덕분에 그는 유럽의 중심인 바티칸에서 에스파냐와 나폴리의 보호자 역할을 하던 아콰비바(Acquaviva) 추기경의 서기관으로 일할 수 있었고, 교황 베네딕토 14세를 만날 수 있었다. 바티칸 사제들은 이 키 큰 젊은 성직자에게 매료되었다. 카사노바는 그곳에서 그들의 방식, 특히 분별력과 우둔함 사이의 중요한 차이점을 구분하는 방법을 열심히 배웠다. 말리피에로의 후원을 받을 때보다 더 크게 출세할 수 있는 길이 보였고, 자신의 기지만으로 그 길을 열었다는 사실에 그는 내심 만족했다.

그러나 운명의 여신은 마치 이 전도유망한 예비 입문자를 또 다시 시험하려는 듯, 전에 테레사 이메르에게 바쳤던 것과 같은 희생을 그에게 요구했다. 그 고난은 카사노바의 프랑스어 실력을 키우기 위해 추기경이 고용한 교수의 딸 바르바라 달라콰(Barbara

Dalacqua)라는 소녀를 통해 발생했다. 이때 카사노바는 인생 처음으로 고귀한 역할을 맡았다. 그의 삶에 가장 큰 혼란을 불러왔던 반사회적 기질을 포기한 것은 아니지만, 그의 대처 방법이 평소와 달랐던 것은 확실하다.

이 가련하고 순진한 바르바라는 로마의 한 젊은 귀족 남성과 열렬한 사랑에 빠졌는데, 이 두 남녀는 한밤중에 도망칠 계획을 세우고 있었다. 당시 추기경 궁전에 머물고 있던 카사노바는 이 둘의 관계를 알고 있었고 동정심을 가지고 지켜보고 있었다. 귀족 남성의 가족이 요청하여 선동된 경찰은 남자 성직자의 옷과 챙 넓은 모자로 변장한 그녀가 숙소를 떠나자마자 따라붙었고, 그녀는 너무 경황이 없던 나머지 카사노바의 방문을 열고 들어와 버렸다. 경찰들은 아무도 빠져나가지 못하도록 밤새 그곳을 지켰다. 위험을 알고 있었지만, 카사노바는 소녀에게 침대를 내어주었고 아침이 되자 비밀문을 통해 안전한 곳으로 피신시켰다.

이 연인의 도피 행각은 이상한 소문을 만들어냈다. 비록 엄격한 사람은 아니었으나 추기경은 다른 사람들처럼 이 상황을 받아들일 수 없었다. 그는 카사노바에게 고귀하고 친절한 말투로 "로마 사람들은 그 비참한 소녀를 당신의 애인이 아니면 나의 애인이라고 생각합니다."라고 조심스레 말했다. 추기경도 고통에 빠진 그녀를 외면하는 일이 온정이 있는 사람이라면 할 수 없는 행동이라는 점에 동의했다. 그러나 그는 사실상 죄가 없는 카사노바를 어쩔 수 없이 해임하고 로마를 떠날 것을 요구해야 했다.

카사노바는 이 사건으로 어두운 절망에 빠졌다는 점을 숨기지 않았다. 그에게는 이전 세계보다 더 큰 어려움이 닥칠 것이 분명했다. 그러나 다행히도 그의 희생에 감동한 추기경은 그가 다른 곳에서 새로운 출발을 할 수 있도록 추천서를 써주겠다고 제안해주었다. 추기경이 언급한 도시는 콘스탄티노플이었는데, 사실 카사노바는 그곳이 어디든 크게 상관없었다.

다음 날 카사노바는 콘스탄티노플 궁전에 있는 카라마니아의 사령관 오스만 본느발(Osman Bonneval)에게 보내는 봉인된 편지와 함께 베네치아로 가는 여권을 받았다. 그는 연인 루크레치아에게 작별 인사를 하러 갔으나 그녀는 만나기를 거부했다. 다음 날 그는 북쪽으로 가는 마차에 올랐다.

이렇게 해서 카사노바의 성직자 생활은 끝났다. 베네치아에 도착하려면 멀었으나 겨울 주둔지를 이용하는 에스파냐와 오스트리아 군대가 도로를 막고 있어서 그는 마차에서 내릴 수밖에 없었다. 추기경이 준비해준 여권 덕분에 길을 통과하는 데는 어려움이 없었지만, 갈아입을 옷이 담긴 여행 가방과 여권을 그만 잃어버리고 말았다. 볼로냐를 지나던 그는 다음과 같이 적었다.

테레사 벨리노에게 편지를 쓴 후 갈아입을 옷 몇 벌을 사야겠다고 생각했고 여행 가방을 되찾지 못할 수도 있으니 새 옷을 직접 만드는 것이 최선이라는 결론에 도달했다. 그러는 과정에서 내가 성직 생활을 계속할 가능성은 그리 높지 않다는 생각이 들었고, 어떤 새로운 선택을 할 수 있을지 불확실한 상황이었는데, 불현듯 장교가 되면 어떨까 하는 생각이 뇌리를 스쳤다. 내 또래라면 누구라도 자연스럽게 이런 생각을 했을 것이다. 언제나 군복을 입은 사람들은 존경받았고, 나도 그들처럼 존경받고 싶었기 때문이다. 게다가 베네치아로 돌아갈 계획이었기 때문에, 이런 멋진 제복을 입은 내 모습이 매력적일 것이라는 생각이 들었다.

카사노바는 곧 재단사를 구해 푸른색 조끼, 금색 견장과 화려한 소맷단이 있는 흰색 제복을 주문했다. 멋진 제복에 검은 모자까지 갖춰 쓴 채 카페에 등장한 그는 자신의 새로운 모습에 만족했다.

어느 날 호텔로 돌아온 그는 나폴리에서 함께 지내자는 테레사 벨리노의 편지를 받았는데, 이때 그는 인생에서 처음으로 결정을 내리기 전에 충분히 생각해볼 필요를 느꼈다. 그러나 불과 몇 주 전만 해도 그를 파멸로 몰아넣을 뻔했던 소녀의 매력과 비교하기에는 당시 카사노바의 상황, 즉 베네치아에 거의 다 왔고 새로운 제복도 입은 데다가 주머니에는 콘스탄티노플에 전달할 편지가 있는 상황이 훨씬 더 끌렸다.

그리하여 그는 인생에서 가장 복잡하고 변화무쌍한 시기에 접어들게 된다. 여정에서 보여준 천재적인 허세로 그는 새로운 직함을 인정받아 베네치아 군대의 도움을 받으며 코르푸(Corfu)를 거쳐 콘스탄티노플에 도착했다.

콘스탄티노플에서 펼쳐진 카사노바의 모험은 회고록의 나머지 부분만큼 신경 써서 기록되지 않았다. 해당 내용의 원고 자체도 다른 부분보다 얇고 값싼 종이를 사용했다고 전해진다. 사건의 순서도 뒤죽박죽이고 그 내용도 하렘에서 유혹한 노예나 향락적인 튀르크인들과 나눈 이슬람교에 대한 논쟁 등 진부한 이야기뿐이다. 카사노바를 연구하는 학자들이 어려움을 겪는 부분이 바로 이 시기인데, 마치 당시에 벌어진 어떤 사건을 일부러 숨기려 한 느낌을 주기 때문이다. 그러나 평범한 부끄러움을 모르고 더 나쁜 일도 유쾌하게 고백했던 카사노바다. 숨기려는 사건이 떠도는 소문인 갤리선 노역 이상일 테지만, 당시의 기록 보관소를 샅샅이 검색해도 새로운 것은 나오지 않았다.

우리는 이제 이 사람의 성격을 충분히 이해했기 때문에, 만약 그런 것이 존재하고 단순한 기억 오류 이상의 문제라고 한다면 그것은 다른 어떤 수치스럽거나 불운했던 사건이 아니라 본인의 허세에 흠집을 주는 사건이었음이 틀림없다는 것을 안다. 어쨌든 콘스탄티노플에서 그의 행적을 찾는 작업은 실패했다.

이후 그는 군대를 떠나 무일푼에 절망적으로 쇠약해진 모습으로 다시 베네치아에 등장한다. 그는 20년 전에 아버지가 제화공의 딸이자 그의 어머니의 마음을 사로잡았던 바로 그곳, 산 사무엘레 극장의 악단에서 바이올린을 연주하며 근근이 생계를 이어갔다. 행색이 초라해진 그는 지나간 모든 과거를 일장춘몽이라 여기며 현재의 베네치아 생활에 정착했다.

그의 친구들도 그와 같은 부류였다. 일을 마치고 나면 이 못된 무리는 포주, 깡패, 사기꾼 혹은 소매치기 같은 짓을 하고 돌아다니며 동네를 공포로 몰아넣었고, 비어 있는 곤돌라를 탈취하거나 산 마르코 광장에 놓인 유서 깊은 대리석을 뒤집어놓는 등 난폭한 장난을 서슴지 않았다. 이런 악행을 가장 잘 보여주는 것이 사육제 기간에 가난한 직조공의 신부를 납치하고 욕보인 사건이다. 피해 자들이 진상 조사를 요구했고 이 일로 카사노바는 밤마다 하던 짓 궂은 장난을 끝내야 했다.

이 사건이 가져올 결과를 걱정하던 그 순간, 운명의 수레바퀴 가 카사노바에게 유리하게 돌아간다. 그 시작은 마치 일부러 계획 한 것처럼 극적이었다. 사육제의 마지막 날 밤, 그는 가면을 쓰고 망토를 두른 채 극장을 나오고 있었다. 그리고 부둣가에서 진홍색 의원복을 입은 한 남자가 곤돌라에 올라타면서 실수로 주머니에 서 편지를 떨어뜨리는 장면을 목격했다. '운명이 길을 열어주리라' 라는 말이 실현되는 순간이었다. 카사노바는 그 편지를 얼른 주워 들고 주인에게 돌려주었다. 이것이 중요한 계기가 되었다. 노인은 숙소로 데려다주겠다며 그가 곤돌라에 탈 수 있도록 자리를 마련 해주었다. 그런데 잠시 후 노인은 몸 상태가 이상하다며 왼쪽 팔에 감각이 없다고 말했는데, 카사노바가 놀라서 살펴보니 그의 왼쪽 몸이 마비되어 있었고 입도 돌아가 있었다. 뇌졸중이 틀림없었다.

즉시 상황을 파악한 카사노바는 사공들에게 곤돌라를 부둣가 에 대라고 소리치고는 급히 의사를 불러와 정신을 잃은 의원의 팔 에서 피를 뺄 수 있도록 했다. 응급처치를 마치고 곧장 노인의 집 으로 달려간 그는 노인의 머리맡에 앉아 당황하고 겁에 질린 하인 들을 통솔했고 노인이 정신을 차릴 때까지 자신의 판단에 따라 필요한 의사들을 불러들였다.

그런데 나중에 알고 보니 이 노인은 강력하고 유서 깊은 귀족 가문의 우두머리인 브라가딘(Bragadin) 의원이었다. 목숨을 건진 그는 자신의 생명을 구해준 남루한 차림의 낯선 이였던 카사노바를 후원하기 시작했다. 이 우연한 사건으로 카사노바는 이후 오랫동안 그와 우정을 나누며 도움을 받을 수 있었다. 브라가딘은 카사노바가 자신과 마찬가지로 카발라(유대교 신비주의 사상-옮긴이) 신봉자라는 사실도 알게 되었다.

소심한 사람이나 모험적인 사람이나 할 것 없이 누구나 미래에 대한 강렬한 호기심과 미래를 예견하는 초자연적 수단에 대한 믿음을 갖고 있기 마련이다. 카드를 이용하든 고대부터 지금까지 이어져온 무수히 많은 징조 해석 방법 중 하나를 이용하든, 점술의 체계에는 상당히 형이상학적인 교리가 숨겨져 있으며, 그것은 우연이 필연적이라고 하거나 인생은 순식간이라는 역설로 위장하는 등 무심한 방식으로 표현된다. 그러나 확실한 점은 이 미신이라는 것이 진정한 모험가의 특성인 완전한 우연을 다루지는 않는다는 것이다. 겁쟁이들이 점술에 열광하고 그 결과에 복종하며 두려움에 떠는 반면, 모험가들은 반은 유치하고 반은 기만적인 반응을 통해 논리적이고 파멸적인 운명론으로부터 본능적으로 자신을 구해낸다는 점이 흥미롭다.

알렉산드로스는 징조를 알아보지 않고는 한 걸음도 움직이지 않았고, 관을 쓴 신탁을 곁에 두고 전투에 임했다. 그러나 정작 징조가 불리하게 나타나면 그는 그것을 따르지 않았다. 그는 그라니코스 전투에 앞서 불운한 달의 이름을 바꾸었고, 델포이의 제사장이 대답을 거부하자 그녀를 강제로 사당으로 끌고 가서 그녀의 저항을 길한 것으로 받아들였다. 따라서 카사노바가 자신이 내놓은 카발라의 답을 자주 조작했다는 이유로 그를 단순히 사기꾼으로 생각한다면 그것은 큰 오해다. 그에게 우연이란 축복받기 위해 붙들고 있어야 하는 야곱의 천사(천사와 씨름하던 야곱이 허벅지를 다치면서도 끝까지 천사를 놓아주지 않자, 천사는 비로소 야곱에게 축복을 내린다.-옮긴이)와도 같았다.

이 당시 카사노바의 주요 생계 수단으로 등장하는 카발라(Cabala)는 여러 장을 할애해서 설명해야 할 정도로 복잡하고 신비로운 교의이다. 여기에서 짧게 소개하자면, 전통적인 카발라의 신탁은 숫자가 매겨진 알파벳 또는 코드를 기반으로 한 산술 연산인데, 카사노바는 이것을 변형시켜 자신만의 방식으로 활용했다. 자신 앞에 놓인 질문을 숫자로 변환하고 산술 피라미드에 따라 정리한 후 더하고 빼고 나누면 숫자가 나타나는데, 이것을 다시 글자로 변환하면 원하는 답을 운문 형태로 얻을 수 있었다.

카사노바의 첫 고객인 브라가딘은 말할 것도 없었고 그와 비등하게 저명한 두 동료 의원인 단돌로(Dandolo)와 바르바로(Barbaro)도 곧 카사노바의 카발라에 빠져들었다. 이들은 바보가 아니었기에 카사노바가 만드는 피라미드의 결과를 자신들이 알고 있는 과학과 논리를 이용해 나름대로 검증할 수 있었다. 그들을 포함해 여러 신봉자들이 카사노바의 카발라에 열광한 이유는 그가 자신이 하는 일에 믿음을 갖고 있었기 때문이기도 했고, 한편으로는 그가 애초에 마음먹었던 결과에 도달하기 위해 피라미드 행렬을 위아래로 자유자재로 오가며 복잡한 연산을 암산으로 풀어버리는 천재적인 능력을 지닌 덕분이기도 했다. 여기에는 저속한 속임수가 없었고, 그저 진정성과 인간의 계산 능력이 합쳐진 노련한 카드 사기꾼의 정교함만이 있을 뿐이었다.

카발라 그리고 서투른 카드 손기술, 이 두 가지가 그의 주요 생계 수단이 되었다. 브라가딘과 그의 동료들이 카사노바에게 복채를 두둑하게 챙겨주었기 때문에 그는 한동안 풍족하게 지낼 수 있었다. 그는 이제 그동안의 준비 기간을 끝마치고 본격적인 모험가가 되었다. 상류계급과 하류계급, 훌륭한 숙녀들이 가면을 쓰고 찾아오는 무도회와 향기로운 규방, 한밤중에 통제할 수 없는 아름다움을 추구하기 위해 칼에 찔릴 위험을 감수하면서까지 찾아 들어가는 어둡고 불길한 골목길까지, 베네치아는 다시 한번 그에게 열려 있었다.

그의 회고록에는 각 국가 간의 전쟁뿐만 아니라 그의 은밀한 활동에 대한 기념비적인 세부 사항들과 그에게 기쁨을 주었던 베네치아의 풍경을 그린 유쾌한 장면이 많이 등장한다. 그는 몸에 감겨 기분 좋은 느낌을 주는 훌륭한 옷감의 셔츠와 모든 사람이 감탄하는 최고의 겉옷을 입고 피아체타(Piazzetta) 거리를 누볐다. 그런가 하면 휴일에는 곤돌라 쿠션에 등을 기대고 베네치아 대운하의 수상 교통로를 통해 이동했는데, 반짝이는 궁전들을 지나 장미가 벽을 타고 내려오는 그늘진 작은 뱃길을 따라 내려가거나 백색

석호 지대를 지나 무라노(Murano)섬까지 가곤 했다. 모자를 쓰고 망토를 두른 채 악마 같은 흰색 베네치아 가면으로 얼굴을 가린 그는 금지된 사랑을 위해 비밀 별장으로 가는 도중에 있는 메르체리아(Merceria) 거리의 열광적인 활기 속에서 신분을 감추고 돌아다니는 자유를 만끽하기도 했다. 어둑한 골목 구석의 술집에서부터 밤새 호화로운 연회를 마치고 침대로 돌아가던 부둣가 거리에 이르기까지 베네치아는 모두 그의 것이었다.

스물한 살부터 서른 살까지 9년 동안 밀라노, 파르마, 볼로냐, 심지어 제네바와 파리까지 즐거운 여행이 이어졌는데 그때마다 그는 거의 항상 운이 좋았으며, 그 기간의 기록에 공백이 생기지 않을 정도로 지칠 줄 모르는 열정을 가지고 활발하게 움직였다. 여성과의 모험은 더욱 복잡해지고 훨씬 다양해졌으며, 연애 기간은 점점 짧아지고 있었지만 그의 은밀한 활동들은 거대한 실타래처럼 점점 더 얽히게 되었다.

그는 수많은 연애사에서도 그저 그런 호색한이나 난봉꾼 수준으로 전락한 적이 없었고, 거의 예술에 가까운 인간적 매력을 잃어버린 적도 없었다. 다양한 면모를 가진 카사노바는 자신을 새롭게 꾸밀 필요가 없었는데, 항상 자신을 소진하고 지칠 줄 모르는 독창성으로 스스로 새로 태어났기 때문에 그는 생명 그 자체와도 같다. 그는 모든 연인에게 자신을 온전히 바쳤고, 그에게는 여러 개의 자신이 있었다. 그 누구도 금단의 세계를 이처럼 방대하게 탐험한 적은 없었다.

여러 시대에 걸쳐 생겨난 뿌리 깊은 열등, 기생, 사려 같은 관습 뒤에 숨어 있는 여성의 본질적인 모습은 무엇인가? 단순히 육체를 나눈 것뿐만 아니라 최소한의 구속이나 편견에도 얽매이지 않고 마음을 나누며 여성들에게 접근한 오직 이 남자만이 답할 수 있을 것이다. 그의 관심을 끈 것은 여성이라는 통념이었을까, 유용성이었을까, 또는 그 자신의 끝없는 이기주의 이외의 다른 어떤 것이었을까?

마침내 운명의 수레바퀴가 방향을 바꾸었다. 1755년 어느 새벽, 베네치아 경찰서장 마테오 바루티(Matteo Varutti)의 단속반이 카사노바의 방으로 들이닥쳐 '반종교 및 풍기 문란'이라는 모호하지만 강력한 죄목으로 그를 체포했다.

이것은 새로운 프리메이슨의 오컬트 집단 내에서 벌인 그의 활동과 어떤 식으로든 관련이 있을 것이다. 그의 강력한 적들이 힘을 합쳐 마침내 브라가딘 무리의 영향력을 넘어섰다고 설명하는 편이 더 간단하고 정확하다. 그에게 더 중요한 사실은 충분한 설명이나 명분 없이 종신형이 선고되어 남은 생을 두칼레 궁전의 무시무시한 납 감옥에서 지내야 한다는 사실이었다. 그는 이제 다시 베네치아의 모습을 볼 수 없게 된 처지가 되었다.

카사노바는 쥐들이 들끓는 옥상 근처의 감방에서 1년이 넘도록 외부와 단절된 채 살았다. 이후 다섯 달은 너무나 절망스러웠던 나머지 한번은 대지진이 리스본을 강타한 날(1755년 11월 1일 발생한 리스본 대지진-옮긴이) 감방 벽이 흔들리자 그는 "한 번 더, 한 번 더! 오 하나님, 좀 더 강한 지진을 내려주소서!"라고 외쳤을 정도로 지진의 충격보다 교도관이 더 무서운 나날을 보냈다. 그러던 어느 날 밤 그는 역사상 가장 별나면서도 유명한 탈옥을 시도했다.

탈옥에는 수없이 많은 어려움이 있었지만, 두 가지는 특히나 극복할 수 없었다. 첫 번째는 궁전의 다락방인 피옴비(Piombi) 감방으로 들어가는 유일한 입구는 경비병이 밤낮으로 지키고 있는 종교재판관실을 통과해야 한다는 점이었다. 두 번째는 엄청나게 두꺼운 지붕을 뚫을 수 있는 최소한의 도구가 없다는 것이었다. 감방 밖 좁은 복도에서 보초를 서는 간수 세 명에게 뇌물을 줘야 했지만 그는 무일푼이었다. 이런 상황에도 불구하고 카사노바는 이 문제를 해결했다. 그가 그렇게 할 수 있었던 비밀은 다음과 같이 기록되어 있다.

나는 항상 사람이 어떤 일을 하려고 마음먹고 그 계획에만 몰두한다면 어떤 어려움이 있더라도 반드시 성공한다고 믿어왔다. 그런 사람은 대재상이나 교황이 될 수도 있고, 기회를 잡는 데에 필요한 두뇌와 인내심을 갖고 있다면 왕조를 뒤엎을 수도 있을 것이다. 운명의 여신이 경멸하는 나이에 이르면 더 이상 아무것도 할 수 없게 된다. 운명의 도움 없이는 희망도 없기 때문이다.

그가 오랜 기다림 끝에 발견한 도구는 굴뚝에서 떨어져 나온 검은 대리석 조각과 녹슨 쇠막대였다. 그는 2주 동안 쇠막대를 대리석에 갈았고, 손바닥 살갗이 벗겨지고 팔이 떨어져 나갈 정도로 힘들게 작업한 끝에 쇠막대 끝을 뾰족하게 만들 수 있었다. 그는 고백이 허락된 사제와 얘기를 나누던 중 우연히 좋은 징조를 발견하고 그 기회를 활용했다. 그의 회고록 중 제4장 전체가 그 녹슨 쇠막대와 대리석 조각에 관한 이야기로 채워져 있으며, 크나큰 시련이라는 시험을 이겨내기 위해 몇 달에 걸친 비인간적인 작업과 초인적인 용기를 담은 탈옥 과정을 자세히 설명하고 있다. 이 글을 읽다 보면 그에 대한 동정심이 생길 수밖에 없을 정도다.

마침내 그는 지붕 위에 올라가 달빛 아래에 비친 베네치아를 내려다보다가 불현듯 들린 종소리에 영감을 받고 다시 한번 용기를 냈다. 슬그머니 지붕창을 통해 들어간 그는 두세 개의 거대한 문을 뚫고 계단으로 내려갔다. 그리고 경비원과 사무원을 따돌리고 광장으로 나와 마침내 자유를 얻었다. 그는 이제 서른한 살이 되었으나 이전과는 완전히 다른 사람이 되었다. 그는 인간의 극한 한계에 도달하여 승리를 쟁취했다.

감옥에서 탈출하여 무일푼이었던 그는 누추한 모습으로 떠돌다 마침내 파리에 도착했다. 파리는 두 번째 방문이었지만 그의 방탕했던 모습을 기억하는 사람들은 대부분 사라졌거나 그를 보아도 알아보지 못했다. 게다가 그에게는 몇 가지 좋은 패가 있었다. 그중 최고의 패는 베네치아 주재대사로 재직할 당시 카사노바의 가장 추악한 모험의 동반자이자 지금은 모든 권한을 가진 외무부 장관 베르니(Bernis)였다. 베르니는 과거의 유령이 초라한 모습으로 다시 나타나자 반가워하며 즉시 그에게 머물 곳을 구해주었다. 그는 슈아쥘(Choiseul) 공작에게 카사노바를 재정 전문가로 추천했고 그 덕분에 카사노바는 프랑스 국영 복권 위원회에 임명되었다.

카사노바는 칼차비지 형제라는 두 명의 이탈리아인들과 함께 불법 복권 사업소 다섯 곳을 운영하였다. 그 과정에서 그는 자신이 힘들게 탈출한 운명의 굴레에서 완전히 벗어나기 위해 부유한 권력자가 되어야겠다는 생각을 굳혔고 야망을 키우게 된다.

카사노바는 몇 달 만에 큰 부자가 되었다. 그는 보호자들의 이익을 잊지 않고 챙겨주었기 때문에 이후 법정 공방에서도 유리한 위치를 고수할 수 있었다. 일련의 사건들이 원만히 해결되자 돈을 쓰고 싶은 욕망이 커졌다. 자신이 가진 부를 확인하기 위해 그는 호화로운 건물들을 세웠고 과도한 소비로 진정한 궁정 귀족들과 경쟁하기 시작했다. 연일 무도회가 열렸고 난잡한 향연으로 이어졌다. 동시에 방탕한 철학자인 그에게 전에는 없던 금을 향한 욕구가 점차 자라났다. 이제 그가 하는 모든 일들에는 온갖 속임수들이 사용되었다.

그가 가진 행운의 카드는 점점 광포해졌다. 카발라와 현자의 돌 (Philosopher's Stone) 같은 신비주의를 이용해 까다롭고 지적이며 합리적이기까지 한 뒤르페(D'Urfé) 후작 부인을 포함해 수많은 사회 상류층 인사들을 속였다.

한편 프랑스 정부는 그들 모두에게 이익이 되었기 때문에 그를 계속 사업에 참여하게 했다. 1757년, 그는 처음으로 비밀 임무를 수행하기 위해 네덜란드로 파견되었다. 이 임무를 깔끔하게 처리한 그는 이번에는 막대한 통화 문제를 협상하기 위해 프랑스 왕의 공인 특사로 파견되었다. 그는 또다시 임무를 성공적으로 완수했다. 프랑스로 돌아온 그는 돈을 흥청망청 썼는데, 이때가 카사노바 인생의 정점이었다.

카사노바 자신도 명확하게 이해할 수 없었던 몰락의 계기가 되는 사건을 추적하는 일은 쉽지 않다. 이 행복한 날들은 그가 파리에서 추방되면서 갑작스럽게 끝났다. 그는 그 원인을 단순히 강력한 경쟁자들의 질투 때문이라고 확신했다.

이제 그의 인생 곡선은 서서히 하락세로 돌아섰는데, 그 원인은 실제로는 카사노바 자신에게 있었다. 드러난 혐의만 해도 환어음 위조, 속았거나 거의 속을 뻔한 채권자들의 피해, 납치, 다투기조차 추악한 계급의 남자들과 벌인 한밤중의 싸움, 낙태 종용과 부녀자 유혹까지, 카사노바가 아니었다면 누구라도 당장 파멸로 이어질 수밖에 없는 죄목들이었다. 그는 이미 피옴비 감옥에 수감된 적이 있었고 베네치아에서는 이보다 더 심한 죄도 넘어갔었기 때문에 지금까지는 이런 죄목들에 대한 처벌을 피할 수 있었다. 하지만 그는 서서히 모험가가 아닌 그저 요란한 무뢰한이 되었고, 좀 더 너그럽게 얘기하자면 세계 최고의 패자라는 매력을 잃게 되었다. 그는 자신도 모르는 사이에 안정된 지위만 갈망하는 사람이 되었고, 방법도 모른 채 그것을 사회 자체의 안정과 연결하고자 했다. 그는 재산 사냥꾼이 되었고 우연에 기대는 일을 꺼리게 되었다. 초자연적인 눈빛이 사라지자 사람들은 이제 그를 더 이상 마법사로 여기지 않았고 그저 경쟁 상대로만 보았다.

하향곡선이 완만하기는 했으나 그는 여러 가지 사건들을 겪으

며 힘든 시기를 보냈다. 파리를 떠난 후 런던에서 머물던 시기를
그는 이렇게 적었다.

> 1763년 9월, 이 시기를 내 인생의 가장 큰 위기 중 하나로 기록
> 했다. 바로 이때부터 내가 진정으로 늙었다고 느끼기 시작했기
> 때문이다. 당시 나는 고작 서른여덟 살이었다.

카사노바는 이때쯤 용기를 잃어버리고 걱정이 많아지며 삶에
대한 의욕을 상실하는 등 바빌론에서 알렉산드로스가 겪었던 것
과 비슷한 증상을 보였다. 몇 달 동안 영국에 머물면서 별 재미를
보지 못한 채 소송 사건에 휘말린 그는 다시 멀리 떠나야 했다. 새
로운 목적지는 동쪽으로 좀 더 멀리 떨어져 있는 프로이센이었다.

그러나 그는 이번에도 재기에 실패했다. 간신히 얻은 기회로 프
리드리히 2세를 만날 수 있었는데, 왕은 그의 속셈을 꿰뚫어 보고
그를 경멸하며 무시했다. 그 후 러시아로 간 그는 도박꾼이자 방탕
아이며 미신과 연금술의 신기루를 좇는 자유로운 영혼의 소유자
쿠를란드(Courland)의 카를 왕자를 만난다. 그러나 카사노바는 이
기회도 놓치고 마는데, 확실하고 수익성이 있는 안정적인 한직을
조건으로 요구하자 왕자가 싫증을 냈기 때문이었다. 빛나던 궤적
은 완전히 하향곡선을 그렸다. 카사노바는 이제 모험가라고 할 수
없었고 그도 그것을 알았다. 쉰에 가까운 그는 이렇게 적었다.

나는 인생에서 처음으로 과거의 행동을 후회했고 더 이상 환상

을 품지 않았으며, 이제 내 앞에는 직업도 재산도 없이 그저 나쁜 평판과 헛된 후회만 남은 불행한 노년의 슬픔 외에는 아무것도 없다는 생각에 충격을 받았다.

그는 베네치아로 돌아갔으나, 아버지나 다름없던 브라가딘은 파산한 상태로 숨을 거두어 그에게 한 푼도 남겨주지 못했고, 의원이었던 단돌로는 거지나 다름없는 가난한 노인으로 전락하여 궁핍하게 살고 있었다. 그때 카사노바 나이는 쉰둘이었다.

생계를 유지하기 위해 그는 어쩔 수 없이 자신을 피옴비 감옥에 집어넣은 베네치아 정부를 위해 스파이로 활동하겠다고 지원했다. 비굴한 상황이었지만 다른 방법이 없었다. 그의 임무는 도시의 도덕성에 대한 보고서를 작성하는 일이었다. 그가 작성한 보고서 중 일부가 현재까지 전해지는데, 그는 자신의 이름 대신 안토니오 프라톨리니(Antonio Pratolini)라는 이름으로 서명했다. 한 보고서에서 그는 불이 꺼진 극장에서 그가 관찰한 추악한 장면들을 기록하여 상관에게 보고한다. 또 다른 보고서에는 한 남학생으로부터 압수한 금서 목록을 기록했는데, 그중에는 자신의 오랜 친구 바포의 시집도 포함되어 있었다. 그는 미술 학교의 누드모델 중에 어린 소녀들이 있는데 예술가도 아닌 자들이 신분을 속이고 허위로 입학 허가를 받고 있다며 불평하기도 했다. 이러한 업무의 대가로 그는 소정의 급여를 받았으나, 1781년에 종교재판관들은 그를 해임했다.

이렇게 난처한 상황에 놓인 와중에도 이 남자에게는 프란체스카 부스키니(Francesca Buschini)라는 이름의 정부(情婦)가 있었다. 신분이 미천한 침모(남의 집에 매여 바느질을 맡아 하고 품삯을 받는 여자)인 그녀는 한 편지에서 그를 '훌륭한 마음씨에 지성과 용기가 충만한 분'이라고 표현했다. 그들은 바르베리아 델레 이올레(Barberia delle Iole)에 있는 작은 집에서 함께 살았다고 하는데, 이곳이 아직 존재하는지 또는 정확한 위치가 어디인지는 알 수 없다.

이 남자의 유명한 초상화 두 점이 있다. 하나는 그의 동생 프란체스코 카사노바가 그린 것이고, 다른 하나는 요한 베르카(Johann Berka)가 63세의 카사노바를 그린 판화이다. 전자는 확실히 그의 젊은 시절 방탕했던 모습을 잘 보여주고 있다. 초상화 속에서 그는 '나의 반지, 빛나는 시곗줄, 내 목에 걸친 다이아몬드와 루비 십자가 목걸이'라고 언급한 보석을 자랑하며 깃털 달린 모자를 쓴 채 노란색 비단 조끼와 진홍색 짧은 비단 바지를 입고 화려한 은색 에스파냐식 레이스로 장식된 빛나는 회색 코트를 두르고 있다. 가장 특징적인 것은 긴 눈매에서 빛나는 갈색 눈동자다. 나이가 들면서 그의 모습은 그의 운명만큼이나 많이 변했다. 낭만적인 사람이라면 맹금류 같다고 말할 수도 있겠지만 매부리코에 쓸데없이 풍채만 좋은 모습은 탐욕스럽고 인색한 늙은 건달처럼 보였다.

그는 다시 베네치아를 떠나 다른 곳을 찾아 나섰고, 마침내 적당한 곳을 발견했다. 그는 보헤미아 지방에 있는 두흐초프 성에서 발트슈타인(Waldstein) 백작의 도서관 사서로 일하게 되었다. 그곳에는 4만 권의 책이 있었으나 그곳의 주인은 거의 책을 찾지 않았다. 노인 카사노바는 사서직을 훌륭히 수행했고, 발트슈타인 백작이 그곳에서 사냥 파티를 열 때면 그와 이야기를 나누곤 했다. 그러나 백작이 자리는 비우는 동안에는 하인들, 집사, 의사 등 성을 관리하는 사람들과 전쟁을 벌였다. 그들은 카사노바를 못마땅하게 생각했으며, 마을 사람들을 선동하여 그들이 이 늙은 사서에게 등을 돌리게 했고, 그가 외출하면 남자아이들은 돌을 던지고 여자아이들은 도망쳐 숨어버렸다. 처음에는 분노했지만 별다른 도리가 없었기에 그는 결국 이 사람들을 무시하기로 했고, 대부분 시간을 도서관에서 보냈다.

오히려 이런 생활을 하면서 그는 엄청난 양의 서신을 주고받을 수 있었다. 그는 오랜 친구들과 다시 소통하게 되었고, 그가 쓰기 시작한 글들이 인기를 얻자 고귀하고 학식 있는 인물들과도 서신을 주고받을 수 있게 되었다. 삶의 기쁨을 조금도 느낄 수 없이 완전히 늙은 퇴물 취급을 받던 그에게 이것은 큰 위로가 되었다.

역사적으로나 예술적으로나 그의 인생 최고의 작품이라고 할 수 있는 『회고록』은 그의 마지막 작품이었다. 생전에 출판되지는 않았지만 많은 이들이 이 작품의 존재를 알고 있었고, 특히 일부 측근들은 그 내용을 읽고는 그를 격려했다고 한다. 이 작품은 그가 살았던 시대, 어떤 의미로는 인류가 누린 가장 문명화된 시대 전체를 담고 있다. 따라서 비록 수정을 거친 형태로밖에 볼 수 없을지라도 『회고록』은 세계 최고의 책 중 하나라고 할 수 있다.

그러나 이 뛰어난 작품은 카사노바가 파란만장했던 자신의 삶을 기억 속에서나마 다시 한번 되새겨보는 즐거움에서 태어난 부산물일 뿐이다. 그 삶은 역사상 가장 대담하고 규모가 크고 궁극적으로 성적인 모험이었다. 말년에는 경건한 삶을 살고자 했던 카사노바는 비록 굴욕적이라고 말했으나 이 인생 기록물 집필에 열정을 보였고, 몇몇 친구들에게 원고를 보여주었다. 이러한 이유로, 그는 위대한 모험가 중에서 잘못 알려진 내용 없이 행적이 온전히 남아 있는 유일한 인물이 되었다.

1798년, 그는 (현재 체코 공화국인) 보헤미아 왕국 두흐초프에서 생을 마감했다.

제3장

크리스토퍼 콜럼버스

"우리에게 주어진 것보다 더 많이 받게 해주소서."

Christopher Columbus
(1450년 10월~1506년 5월)

이탈리아 제노바 공화국 출신으로 스페인에서 활동한 탐험가.
오랜 시간 위인이자 영웅적인 모험가로 추앙받았으나 현재는
재평가되었다.

우리는 알렉산드로스와 카사노바의 탐험을 통해 인생이라는 게임에는 보이지 않지만, 그들을 조종하는 전능한 적수가 있다는 점을 어렴풋하게 알게 되었다. 우리는 그리스인도 페르시아인도 아니며 인간도 신도 아닌 존재의 특징이자, 젊은 반신반인을 유혹하여 망치고 마침내는 관대하게 목 졸라 죽인, 흔들리는 그림자를 확실히 보았다. 그가 아시아, 유럽, 아프리카 지도 위에 휘갈겨 그린 원정 경로도 결국은 (그가 알지 못한) 운명의 대본인 플랑셰트 (planchette, 연필을 쥐고 있으면 저절로 글을 써준다는 심령술 도구-옮긴이)를 따른 듯하다. 모험가에게는 연인이자 암살자이며, 증명되지 않은 이론과 추측을 바탕으로 하는 숙명, 우연, 운명, 섭리 같은 것들은 베네치아라는 무대에서 좀 더 자세히 확인할 수 있었다. 한밤중에 로마의 아콰비바 추기경 궁전에서 일어난 소란, 운하에서 늙은 상원의원이 떨어뜨린 편지, 피옴비 감옥에서 발견한 녹슨 막대는 우리가 카사노바 특유의 신비주의를 믿지 않더라도 등골이 오싹할 만큼 놀라운 일들이었다.

그렇다면 세속적인 탐구를 통해서 우리는 모든 모험을 종교처럼 떠받드는 신비의 정체를 더 가까이서 확인할 수 있지 않을까? 운명은 의지가 있는 사람을 이끌고 게으른 자는 돌보지 않는다. 그것은 단순히 숙명이라는 말보다 더 깊은 울림을 주지만 이것만으로는 설명하기에 충분하지 않다.

요컨대, 이 모든 방정식에서 반복되는 암호 문법에 다가가기 위해, 즉 모험이라는 신학을 시도하기 위해서 해줄 수 있는 유일한 조언은 운명의 선택을 주의 깊게 연구하라는 것이다. 저글링 묘기를 부리는 곡예사의 기술을 알아내기 위해 맨 앞줄에 앉아 그의 왼손을 뚫어지게 쳐다보듯, 운명이 선택한 인물 중 한 명의 삶을 면밀히 관찰해보라. 알렉산드로스와 카사노바가 우리에게 가르쳐준 요소들을 바탕으로 운명의 여신이 좋아하는 것과 싫어하는 것, 그리고 여신이 방심한 틈에 나타나는 사소하고 미묘한 제삼의 무엇인가를 추가해보면 연구에 진전이 있을 것이다. 그렇게 되면 자신 앞의 상황을 수학적 논리가 아니라 성격, 또는 적어도 심리적인 논리를 통해 보는 모험가의 관점을 취하게 되어 만족스러운 태도로 지켜볼 수 있다.

이처럼 약간은 신성 모독적인 연구의 대상으로 크리스토퍼 콜럼버스(Christopher Columbus)보다 더 적합한 인물은 없을 것이다. 그는 모험가 중에서도 가장 포장이 잘 된 행운아로 기록된다. 너무나 운이 좋았기 때문에 모험을 숭배하던 19세기 사람들은 그를 성자로 추앙했다. 그러나 현대에 와서 재평가가 이뤄지면서 과거의 명예는 사라졌고 이제는 위인이 아니라 순전히 모험가로만 평가받게 되었다.

그는 중세가 실제로 끝나는 1453년 무렵에 태어났다. 다른 많은 역사 속 인물들처럼 그도 전적으로 그 시대에 속한 사람이었다.

다시 말하면 그 역시 이전 시대의 온갖 편견을 가진 사람이라는 뜻이다. 중세 시대는 이 남자로 인해 막을 내렸고, 언제나 그렇듯 지난 시대는 구식이 되었다.

무수히 많은 학파, 작가, 종파, 군주, 사상과 선전의 힘으로 이미 자리가 잡히고 철조망이 처져 있는 주제를 굳이 파고들지 않더라도, 크리스토퍼가 가졌던 중세적 관습 중에는 모든 것을 과소평가하는 습관과 불굴의 속물근성 이 두 가지가 가장 눈에 띈다. 먼저, 그가 태어난 시대의 관습이 그러했듯이, 그는 '인간의 키'를 측량의 기준으로 삼았기 때문에 하늘과 땅에 있는 모든 것이 실제보다 더 작고, 더 느리고, 더 단순하고, 더 가깝다고 생각했다. 이때의 개념에 따르면 별들은 지구에서 불과 몇 큐빗(Cubit, 45cm 정도 되는 길이 단위-옮긴이) 떨어져 있었고, 유럽과 아시아는 지척의 거리였다. 세상은 그리 오래되지 않았고 곧 망할 것이며 아리스토텔레스가 이 모든 것을 설명하고 있었다.

르네상스의 특징 중 한 가지는 이런 중세적 척도를 폐기했다는 것이다. 이제껏 생각했던 것과 다른 실제의 크기가 밝혀지자, 사람들은 큰 충격을 받았다. 그러나 정작 이 변화에 다른 어떤 사람보다 큰 책임이 있는 크리스토퍼는 평생토록 예전의 기준을 고수했다. 좋든 나쁘든 그의 활동에 따른 구체적인 결과는 그 시대에 영향을 미쳤다. 심리적인 측면에서 보자면, 이 내재적 오류는 매우 강력하고 실질적인 실용적 허구로 작용하였고, 위대한 사업에 필요한 침착한 자신감과 어린아이와 같은 믿음의 바탕이 되었다. 무엇보다 그는 상상력이 풍부한 사람이었고, 한편으로는 야망을 상상하고 이상화한 속물이기도 했다. 미천한 출신이었지만 시와 신비로운 미덕으로 자신을 포장할 줄 알았다. 당시 직물공의 아들이라면 사회 전체가 자신의 야망에 적대적이라는 사실을 알았을 것이다. 그러나 제노바의 콜럼버스는 본인이 이름을 따온 성인 크리스토퍼처럼 하느님이 주신 일을 맡아 완수해내는 멋진 위인이 되리라 스스로 믿고 행동했다.

　이런 이유로 누군가의 약점을 찾아내서 거기에 의학 용어를 붙이기 좋아하는 사람들은 그를 '병적인 거짓말쟁이'라고 불러왔다. 거짓말을 병리적이라고 한다면 콜럼버스는 자신의 출생과 가족 문제에 대해서도 그런 병에 걸렸다고 할 수 있다. 콜럼버스의 출생에 대해 그 자신과 그의 전기 작가인 아들이 워낙 훌륭하게 세상을 속였기 때문에 오늘날까지도 그 진위에 대해 활발한 논쟁이 벌어지고 있다. 그가 갈리시아 출신의 마라노(Marrano), 즉 개종한 유대인이라고 굳게 믿는 학자들이 있는가 하면, 그가 이탈리아 사람이지만 에스파냐 가문 출신이라고 주장하는 사람들도 있다. 하지만 가장 믿을 만한 이야기에 따르면 그는 도메니코 콜롬보와 그의 아내 수산나 폰타나로사의 아들인 크리스토퍼이며, 제노바에 있는 성 스테파노의 작은 교회에서 세례를 받았다. 그러나 그가 이 모든 가설을 듣는다면 해명하겠다며 무덤을 박차고 일어나고 싶을 것이다. 왜냐하면 그는 평생 자신이 이탈리아 몬페라토에 있는 쿠카로(Cuccaro)의 성주 콜롬보 백작의 후예이자 폰토스 왕국을 정복하고 미트리다테스(Mithridates) 왕을 로마 감옥으로 끌고 온 전설적인 콜로니우스(Colonius) 장군의 후손이라고 말하고 다녔기 때문이다.

아버지인 도메니코 콜롬보는 소규모 직물공이자 상인이었는데, 처음에는 포도주 가게를 열고 거기에 치즈 가판대까지 추가했지만 결국 제노바 상업 공화국에서는 심각한 범죄였던 파산에 이르러 한동안 감옥에 갇혀야만 했다. 크리스토퍼는 가난한 가정환경 탓에 정규 교육을 받지는 못했지만, 라틴어를 비롯해 포르투갈어와 카스티야어를 익혔다. 열한 살이 되면서 아버지의 도제가 되었다고 하니 그는 아마도 영리하고 일도 빨리 익혔던 것 같다. 수입의 증감과 상관없이 도메니코의 일이 늘어나자 크리스토퍼와 그의 동생 바르톨로메오는 아버지를 도와 전날 저녁에 작업을 마친 직물을 주변 농가로 배달하는 일을 했다. 반은 행상인으로, 반은 매장 점원으로 일하던 이 젊은 이탈리아 남자들은 이탈리아 북부 전역과 멀리 프로방스의 아비뇽까지 등에 옷감을 한 보따리 짊어진 채 필사적으로 수레를 밀면서 먼지투성이 언덕길을 넘어야 했다. 이 젊은이들은 굵은 땀을 흘리며 돈을 모았으나 경제 상황은 그다지 좋아지지 않았다.

크리스토퍼가 열여덟 살쯤 되었을 무렵, 그의 아버지는 그에게 장사를 독려했거나 강요한 것으로 보인다. 그와 그의 아버지가 포도주를 공동 구매하면서 포르토 마우리치오 지역의 피에트로 벨레지오에게 남긴 채무 증서가 아직 남아 있다. 같은 해에 가난한 도메니코는 채무 문제로 옥고를 치러야 했다. 크리스토퍼는 아버지가 석방되기 전에 치즈 도매상에게 진 빚에 대한 보증을 서야 했다.

3년 후, 그는 생애 첫 항해를 떠난다. (크리스토퍼가 아홉 살이었을 때 이미 끝났던 원정이기는 하지만) 그의 주장대로라면 그는 나폴리의 르네(René, 이탈리아어 이름은 레나토-옮긴이) 왕이 추진한 '알제 지역의 살레 해적을 응징하는 징벌적 원정'을 위한 함대에 올랐다고 한다. 선원도 아니었고 그렇다고 제독도 아니었지만, 그동안 활동한 이력 덕분에 그는 레반트 지역으로 직물을 운반하는 행상 자격으로 승선할 수 있었다. 그의 고용주는 제노바에서 가장 큰 가문 중 하나이자 밀 독점권을 갖고 있던 디네그로(Di Negro)와 스피놀라(Spinola)라는 거대 회사였다.

1476년에는 같은 자격으로 제노바 상품의 대형 소비 시장인 잉글랜드로 떠났다. 그러나 수송 선단은 포르투갈 남부 상비센트곶에서 프랑스인 카즈노브 쿨롱이 이끄는 사략선(승무원은 민간인이지만 교전국의 정부로부터 적선을 공격하고 나포할 권리를 인정받은, 무장한 선박) 열두 척의 공격을 받았다. 제노바 선박 세 척은 불에 탔고 크리스토퍼가 승선한 배를 포함한 나머지 선단은 포르투갈 해군에 의해 구조되어 리스본으로 이송되었다. 리스본에도 디네그로와 스피놀라의 지점이 있었기 때문에 크리스토퍼를 포함해 생존자 120여 명은 그곳에서 지내다가 같은 해 가을에 두 번째 수송 선단에 올랐고, 운 좋게도 목적지에 도착했다.

다음 해에 그는 리스본으로 돌아와 아프리카 해안과 새로 발견된 마데이라 제도 및 카나리아 제도에서 새로운 무역로를 사용할 수 있는 허가를 받았다. 1479년 4월 25일자 마데이라 설탕 관련 소송 문서에는 당시 26세인 크리스토퍼가 증인으로 인용되어 있다. 그는 그 사건 때문에 제노바로 소환된 것으로 보인다. 공증인은 그에게 "이 사건에서 누가 승소해야 한다고 생각하십니까?"라는 호기심 어린 질문을 던졌는데 크리스토퍼는 신중하게 "자신의 권리를 보유한 사람들"이라고 대답했다. 또한 그는 본인이 상당한 액수인 현금 100플로린을 보유하고 있으며 다음 날 리스본으로 떠나야 한다고 밝혔다고 한다.

아메리카 대륙의 발견으로 이어진 우주지리학(Cosmography)이라는 당시 대중적인 통념에 대해 잘못 알려진 부분이 있다. 세계는 평평하고 대서양은 악마로 들끓고 있다는 이론에 빠진 바보와 겁쟁이의 세계에 달걀을 깨트려 세웠다는 전설의 콜럼버스가 나타나 지구 구형론을 증명하여 갈릴레오와 코페르니쿠스가 등장하는 계기가 되었다는 이야기 말이다.

사실 콜럼버스가 여러 이야기를 통해 자신의 직업으로 언급한 항해사, 과학자, 개척 상인들의 세계에서 세상이 평평하다고 믿는 사람은 아무도 없었다. 1481년에는 교황 비오 2세도 이미 다음과 같이 선언했다. "사람들 대부분은 세상이 둥글다는 데에 동의한다."

리스본과 제노바의 선원들, 그들의 고용주, 멀리 페킹(베이징-옮긴이)에까지 창고나 대리인을 두었던 거대 무역 회사들은 그들의 지도와 해도가 보여주듯이 구세계를 정확히 이해하고 있었다. 그러나 세이렌(노래로 선원들을 유혹하여 잡아먹는다는 요괴-옮긴이)을 보고, 지상낙원의 불타오르는 벽을 찾으며, 맨더빌이 언급한 개의 얼굴을 한 종족, 양이 열리는 나무, 온통 금으로 장식된 도시의 이야기에 직접 주석을 달았던 사람은 다른 누구도 아닌 바로 콜럼버스였다.

콜럼버스가 죽을 때까지 절대 놓지 않았던 지리적 신조는 그의 일기에 잘 요약되어 있다. 그는 세계가 유럽, 아프리카 그리고 아시아로 구성되어 있고 (따라서 실제 지구 크기의 약 절반이며) 정확히 여섯 개의 육지와 한 개의 바다로 이뤄졌다고 믿었다.

따라서 그의 개인적인 견해와 당시의 흐름은 일치하지 않았다. 당연히 당시에는 아메리카 대륙의 존재를 알 수 없었지만, 콜럼버스는 포르투갈에서 서쪽으로 꽤 짧은 거리만 항해하면 아시아에 닿을 수 있다고 믿었던 반면, 다른 해양 전문가들은 그 거리가 상당히 멀다고 확신했다. 그러나 크리스토퍼의 책에 나오듯, 유럽의 서쪽에는 성자와 불멸자가 거주하는, 마데이라 혹은 좀 더 최근에 발견한 아조레스 같은 섬들이 반드시 있을 거라는 데에는 모두 의견을 같이했다.

결국 콜럼버스의 전설은 당시의 선원들에 대한 오해를 낳았고 그들을 과소평가하는 원인이 되었다. 콜럼버스는 탐험에 성공했다는 사실을 제외하고는 탐험이라는 달걀을 세운 인물이 아니라 그저 당시 넘쳐나던 수많은 탐험가 중 한 명에 불과했다.

포르투갈, 리구리아(Liguria, 제노바를 포함하는 이탈리아 북부 지역-옮긴이), 에스파냐의 해안 마을은 탐험을 향한 강렬한 야망을 품은 선원들로 항상 붐볐다. 새로운 곳을 발견하여 지도에 추가하겠다는 사람들이 모이면서 항구는 탐험 이야기로 시끌벅적했다. 탐험이 성과를 보이면서 어느 곳이든 이야깃거리가 넘쳐났다. 특히 포르투갈인들은 기니 해안에서 멀리 떨어진 지역까지 무역을 확장했고 카나리아 제도의 마데이라를 발견하면서 수익성 있는 무역로를 조직했다. 또한 콜럼버스의 탐험 4년 전, 바르톨로메우 디아스(Bartholomew Diaz)는 희망봉을 돌아 인도로 가는 해상 무역로를 개척했다. 이런 주목할 만한 발견들뿐만 아니라 잘 알려지지 않은 여러 다른 발견들, 대규모 무역 회사들과 은행들이 사업을 수행하는 과정에서 얻은 유용한 정보들도 넘쳐났다.

왜곡된 자료들이 넘쳐나던 시기였음에도 신기할 정도로 정확한 지도가 제작될 수 있었던 것은 귀항한 선원들과 무역 회사의 대리인들이 흘린 정보들을 당시의 학자들이 수집하고 공유한 덕이다. 그리하여 콜럼버스가 여전히 제노바 산기슭에서 아버지의 직물을 팔고 있는 동안, 학식이 풍부한 피렌체인 토스카넬리(Toscanelli)는 이미 자신의 훌륭한 지도에 안틸리아라는 이름으로 현재의 쿠바섬을 그려넣을 수 있었다.

콜럼버스가 빠져든 이 탐험 열풍의 원인은 부분적으로 이탈리아 무역 공화국들이 여러 세대에 걸쳐 사용하던 육상 무역로를 차단한 이슬람 튀르크의 세력 확대였다. 그리고 다른 한 가지 원인은 금이 부족했던 유럽의 상황이었다. 어떤 방법으로 계산했는지는 모르겠지만, 경제 역사학자들은 당시 유럽 전체의 주화와 장신구를 모두 모아도 겨우 2,000만 달러 가치의 금밖에 없었다고 보았는데, 그마저도 동방무역 등을 통해 상당량이 유출되었기 때문에 유럽에는 금이 급속도로 고갈되고 있었다. 유럽 내에서는 유일하게 작센과 에스파냐만 사금 채취로 금을 공급할 수 있었는데, 너무나 초라한 수준이라 훗날 아메리카 대륙을 발견 이후로는 기억에서 사라져버렸다.

오스만 제국과 벌인 전쟁 비용, 동양의 사치품 구매에 드는 비용, 통화 관리에 필요한 비용 등 저항할 수 없는 세 가지 비용을 충당하기 위해 국가와 금융가는 새로운 공급지를 찾기 위해 무슨 일이든 시도해야만 했다. 일단 그런 곳을 발견하기만 하면 유럽을 지배할 뿐만 아니라 유럽을 구원할 수 있는 상황이었고, 이런 생각은 선원과 선장 그리고 콜럼버스처럼 배와 직간접적으로 관련이 있는 사람들에게까지 퍼져 있었다.

크리스토퍼의 거짓말과 허세의 영향이겠지만, 그를 당대의 고독한 선장으로, 과학의 진보에 앞장선 외로운 선구자이자 상상력과 대담함을 갖춘 위대한 항해자로 만든 사람들은 확실히 그의 진정한 가치, 완전한 외부인인 모험가라는 가치는 놓친 셈이다. 마지막 항해까지도 그가 사분의(Quadrant, 망원경 이전에 사용되던 천체 관측 기구-옮긴이)를 사용할 수 있었는지조차 의심스럽다. 그는 몸만 쓰는 건장한 선원보다도 항해에 대한 지식이 부족했다. 또한 자신이 발견한 지역의 위도와 경도를 스스로 확인할 수도 없었다. 첫 번째 탐험 당시 그는 사람을 이끌어본 경험도 없었고 그런 것을 배운 적도 없었다. 그는 국가적 이익보다는 철저히 자신의 기준을 따랐다. 사회라는 우주에 대항하여 단독으로 행동할 수 있던 사람이 있다면 그가 바로 콜럼버스였다. 따라서 그의 승리는 질서 있는 사회가 가장 싫어하는 모험가라는 오명을 쓴 무자격자의 승리였고, 권리를 가진 사람들이 적절한 방식으로 침착하고 성실하게 계획한 일을 자신만의 방식으로 밀어붙여 해내는 괴짜이자 비전문가의 승리였다.

이제 그의 사회적 기략을 살펴보면, 그 첫 결과물은 사회적으로 높은 위치의 신부를 얻은 것이었다. 리스본에서 그는 '가족 관계의 힘' 덕분에 마데이라의 인근 섬 포르투산투 총독의 딸 필리파 모니스 페레스트렐루(Filipa Moniz Perestrello)를 소개받아 결혼하게 된다. 그녀의 아버지는 종교재판소에서 최고 권력의 위치에 있던 리스본 대주교 노로냐 추기경과도 친분이 있는 인물이었다. 따라서 크리스토퍼와 결혼한 여인은 진정한 귀족 가문 출신이었다. 그의 장인에게는 훌륭한 여행 서적이 많이 있었는데, 크리스토퍼는 이 점을 십분 활용했다. 그는 지구 구형론을 선언한 교황 비오 2세의 『전 세계 성취사(Historia rerum ubique gestarum)』라는 개론서 여백에 다음과 같이 적었다. "인도는 향기로운 향신료, 수많은 보석, 그리고 엄청난 양의 금 등 수많은 것들이 나오는 곳이다."

새로운 가족 관계 덕분에 상황이 개선되면서 그는 직물 사업을 그만두었다. 그는 처가인 포르투산투를 방문했고 아마도 그곳과 마데이라섬에서 오랫동안 머물렀을 것이다. 그의 말에 따르면 아프리카 기니만까지 갔었다고 하는데 증거가 없어서 설득력은 떨어진다. 아마도 지도상 위치에 대한 오류 때문에 그렇게 믿었던 것 같다.

그는 처가에 머무는 동안 해상 모험과 관련된 여러 이야기들을 접할 수 있었다. 그가 좋아했던 이야기는 안틸리아와 브라질에 관한 것이었다. 안틸리아는 무어인이 에스파냐를 침공할 당시 일곱

명의 주교가 이주하여 일곱 개의 도시를 세웠다는 이베리아반도 서부의 군도였다. 브라질은 때때로 아일랜드와 마데이라의 해변으로 밀려오는 희귀한 나무가 자란다는 환상의 섬이었다.

포르투갈인들은 아프리카 식민지 확장을 시도하기 전부터 이미 여러 차례 안틸리아에 도달하고자 시도했었다. 실제로 다녀왔다는 이야기도 있었는데, 포르투산투에서 출발한 원정대의 유일한 생존자인 외눈박이 선원 알론소 산체스(Alonso Sanchez)는 크리스토퍼의 처가에서 발견한 내용을 확인해주지는 못했다. 안틸리아는 1434년에 제노바의 우주지학자 베데르(Bedaire)가 제작한 지도에 '새로 발견된 섬(Isola novo scoperta)'이라는 이름으로 등장했다. 더 재미있는 점은 이 섬이 2년 후 이탈리아인 안드레아 비앙코(Andrea Bianco)의 지도에 '이곳은 에스파냐의 바다(Questo he mar di Spagna)'라는 새로운 문구와 함께 다시 등장했다는 점이다.*

이런 당시의 분위기 속에서 크리스토퍼의 의지가 결정화되는 과정을 찾아볼 수 있다. 그의 항로는 인도와 안틸리아로 나뉜다. 그를 움직이는 원동력은 때로는 금이고 때로는 영예였지만, 때로는 놀랍게도 다른 것도 아닌 지상낙원이었다.

그는 처가 식구들을 통해 비교적 쉽게 포르투갈 왕 주앙 2세와 만날 수 있었다. 사회 고위층을 대하는 그의 모습을 보면 그가 얼마나 대단한 설득의 대가였는지 알 수 있다. 큰 키에 금발인 그는

---

* 마데이라섬이 공식적으로 발견되기 50년 전인 1351년에 제작된 이탈리아 지도에 이미 '나무 섬'이라고 번역되는 이름으로 표시되어 있었는데, 이 사실을 앞서 언급한 대규모 무역 회사들의 '비밀 개척'과 연관하여 참고하라.

조금 일찍 흰 머리가 났고 주근깨가 있는 얼굴은 불그스름했으며 몸짓은 느리고 격식을 차렸다. 말은 많았으나 억양이나 전달에 있어 특별한 방식을 사용하여 수다스럽다는 인상을 주지 않았다. 침착하게 상대방과 눈을 맞추고 침묵이 필요한 때에는 말을 아끼는 위풍당당한 신사를 의심의 눈초리로 바라보기는 쉽지 않았을 것이다.

그런데 이상하게도 그의 이런 매력이 하층 계급에는 전혀 통하지 않았던 것 같다. 그의 항해 일지에 기록된 많은 사건에서 알 수 있듯이 선원들은 그를 싫어하고 경멸했다. 그러나 왕들에게 그는 저항할 수 없는 매력을 가진 인물이었다. 주앙 2세는 그에게 큰 관심을 보이며 그의 말을 경청했다. 이제는 서쪽으로 계획된 탐험에 대한 조건만 남았다.

콜럼버스가 제시한 조건들은 이 이야기의 초석이자 필수적인 부분이며 모든 사소한 망설임을 일소하는 핵심이었다. 그는 대서양 제독이라는 직위, 발견된 모든 땅에 대한 종신 부왕 임명, 새 영토에서 발생하는 수익의 10퍼센트를 받을 권리, 지역 총독을 지명할 수 있는 권리, 이 모든 것을 영구히 세습할 수 있는 권리를 요구 조건으로 내세웠는데, 이는 주앙 2세에게도, 에스파냐의 고관대작들에게도, 이사벨 여왕에게도 똑같이 제시된 조건이었다. 이 같은 항해 계획이 아주 선례가 없는 것은 아니었지만, 탐험의 역사를 통틀어 보아도 그의 요구 조건은 과도한 것이었다.

베네치아와 같이 법률에 따라 위대한 가문의 구성원만이 독점적으로 원정대를 꾸릴 수 있었던 당시의 분위기에 비추어 상대적으로 미천한 신분인 그에게 원정 수행을 맡기기에는 전체적으로 자질이 부족해 보였다. 그럼에도 콜롬버스가 성공 시 국가 자체를 뒤흔들 수 있는 권력을 보상으로 요구했다는 사실에서 그의 대담함을 엿볼 수 있다. 그는 이때뿐만 아니라 모든 상황이 자신의 사업을 가로막아 절망에 빠졌을 때도, 그를 믿는 모든 고귀한 친구들의 주장과 간청에도, 이 요구 조건의 토씨 하나 바꾸지 않았다. 그렇다. 이렇듯 탐욕에도 영웅적 기질이 작용할 수 있는 것이다.

당시 주앙 2세는 정중하고 조심스럽게 그의 제안을 거절했다. 콜럼버스가 흔들림 없는 과도한 요구를 통해 자신의 평범한 계획을 당시의 주요 해양 강국조차 선뜻 진행하기 어려운 위엄을 가진 계획으로 끌어올렸다는 사실에 주목하라. 그리고 운명의 여신은 이제 그를 우습게 보지 않게 되었다. 이 위대한 남자가 운명의 여신을 뒤쫓고 있었다.

1484년에 아내가 죽자, 그는 어린 아들 디에고를 데리고 에스파냐로 향했다. 이후 7년은 이 전설에 가장 많은 영향을 끼친 시기이다. 여러 어리석은 왕들과 무지한 귀족들과 질투하는 신하들이 그를 거부하고 조롱하는 동안 남루한 옷을 걸치고 사랑하는 아이의 손을 잡은 콜럼버스의 모습은 많은 예술가들에게 영감을 주었고, 여러 지역의 미술관들이 그 모습을 주제로 한 예술품들을 보관하고 있다.

그런데 여기서 현대 역사학자들이 약간 수정해야 할 부분이 있다. 우선 우리는 콜럼버스가 리스본을 떠난 이유를 알 수 없다. 왕이 그의 조건을 거절했다고 해서 떠난 것은 아닐 것이다. 왜냐하면 콜럼버스는 한 번의 거절로 포기할 인물이 아니기 때문이다. 특정 징후로 볼 때 진짜 이유가 미지급 부채라는 의혹도 있다. 어쩌면 그가 에스파냐에서 지내던 때에 주앙 2세로부터 받은 편지가 암시하듯이 더 나쁜 일이 있었을 수도 있다. 왕은 다음과 같은 기묘한 조건으로 그에게 안전한 여행을 제안한다.

"당신에게 걸려 있는 어떤 문제 때문에 당신이 우리 법정을 두려워할 수도 있겠지만, 우리는 이 서한을 통해서 당신의 방문, 체류, 귀환 시 민사상이든 형사상이든 그 성격이 무엇이든 관계없이 당신이 체포, 투옥, 고발, 소환 또는 기소되지 않을 것임을 보장합니다."

더욱이 스스로 떠난 순교자의 길과는 달리 그는 에스파냐에 도착한 후부터 탐험이 시작될 때까지 오랜 기간을 굶주림에 시달리거나 손가락질당하지 않았다. 오히려 매번 재정 지원을 받으며 공작, 성직자, 재무장관과 같은 영향력 있는 친구들을 만났다. 장남 디에고는 에스파냐에 도착한 그달 팔로스에 있는 고위층 자제들이 다니는 프란치스코회 수도원에 맡겨졌다.

모든 예술적 성공과 마찬가지로 에스파냐에서 자신을 잘 포장하여 판매한 콜럼버스의 성공 뒤에는 점진적인 구성, 행운의 축적, 그리고 이것들을 이어주는 노력과 좋은 기술이 있었다. 나는 특히 후자, 즉 영업 기술의 최고봉인 자기 최면이라는 핵심과 과묵함을 능숙하게 사용하는 능력에 감명받았다. 그는 서로를 보호하는 세 개의 내부 요새를 가지고 있었다. 그는 결코 자신의 요구를 줄이지 않았고, 자신의 계획을 설명하지 않았으며, 자신의 출생 배경을 밝히지 않았다.

그가 펼친 작전의 첫 번째 단계는 신앙심, 대화, 가식으로 팔로스의 열성적인 수도사들로부터 동정심을 얻는 것이었다. 콜럼버스는 삶이 위기에 처하자 성 프란치스코 3회(평신도)의 예복과 허리띠를 걸쳤다. 그는 이 차림으로 에스파냐에 도착했다. 이사벨 1세의 고해 신부인 팔로스의 수도원장을 통해 콜럼버스는 곧장 궁정의 성당으로 들어갈 수 있었고, 왕국에서 가장 부유한 지주이자 고귀한 애국자인 메디나 시도니아 공작을 만날 수 있었다. 공작은 당시 그라나다에서 무어인과의 전쟁이 끝나지 않는 한 다른 사업에 신경 쓸 수 없다며 그의 계획을 거절했다. 그러나 그는 이 설득력 있는 이방인을 자신의 급여 명부에 올리고 그를 친구이자 사촌인 메디나 셀리 공작에게 보냈다. 이 고관은 즉시 콜럼버스의 계획을 승인했고 곧바로 그를 위해 함대를 준비하도록 했다.

그런데 이때도 역시 이 모험가의 요구사항이 걸림돌이 되었다. 메디나 셀리 공작조차 그가 요구하는 조건들을 맞춰줄 수 없었다. 이 만남이 있던 해는 1485년이었고, 콜럼버스는 1487년까지 공작의 지원으로 공작의 궁전에서 지냈다. 또한 1487년 1월부터 그의 친구들은 여왕의 시민 명단에 그를 올려 보조금을 받게 해주었다.

이런 강력한 친구들을 교묘히 활용하는 동안 그는 『세계상』과 존 맨더빌 경의 책을 꼼꼼히 읽었으며, 좋은 가문 출신이지만 가난한 여성 베아트리스 엔리케스 데 아라나(Beatriz Enriquez de Arana)를 만나 훗날 그의 전기 작가이자 찬양가가 되는 둘째 아들 페르난도를 얻는다.

여자관계에 있어 크리스토퍼를 자유분방한 카사노바와 비교할 바는 아니다. 그의 인생에서 확인할 수 있는 여성은 세 명뿐이다. 첫 번째 여성인 그의 아내는 그에게 어느 정도 재산을 가져다주었으나 그와 관련된 수많은 기록 문서에서 그녀에 대한 언급은 별로 나타나지 않는다. 두 번째 여성인 가난한 베아트리스는 그가 부자가 되었을 때도 여전히 가난하게 지냈다. 세 번째 여성은 카스티야의 여왕 이사벨 1세라는 무시무시한 존재였다. 당연히 이 세 번째 여성과는 엄격하게 정신적인 관계였으며, 순결이 이 사업 후원자가 펼친 최선의 정책이었기 때문에 그에게 가장 많은 이익을 가져다주었다.

여왕 이사벨 1세는 그라나다에서 무어족을 몰아내고 종교재판을 강화하기 위해 토르케마다(Tomás de Torquemada, 잔학한 처벌로 악명 높은 에스파냐의 초대 종교 재판장-옮긴이)를 임명하고 170만 유대인 가족을 추방하고 그들의 재산을 압수했으며, 아우토다페(auto da fé, 에스파냐의 종교재판에 의한 화형-옮긴이)를 국가 제도로 정착시킨 인물이다. 이처럼 토르케마다의 조언을 받는 이사벨 여왕과 그녀의 남편 페르난도 2세와 같이 다루기 어려운 상대를 콜럼버스는 첫 만남의 순간에 모두 정복했다. 그러나 탐험에 있어서는 이번에도 역시 그의 요구 조건이 걸림돌이 되었다.

그 후 몇 년 동안 이 영웅은 공작과 함께 지내면서 무리한 요구 조건을 들고 에스파냐 궁정에 새로운 면담을 요청하곤 했다. '에스파냐의 제3의 왕' 멘도사(Mendoza) 추기경, 혹은 토르케마다조차도 함부로 건드리지 못했던 재무관 루이스 산탄헬, 그리고 마침내 성 프란치스코 수도회도 그를 위해 중재하며 여왕에게 조건 수락을 종용했다. 그는 궁정에 가지 않을 때는 팔로스항으로 돌아와 수도 원에 머물며 도서관에서 다음 면담에 사용할 고대 문헌의 인용문을 찾곤 했다.

그러는 동안 그는 마르틴 알론소 핀손(Martin Alonzo Pinzon)을 만나게 된다. 팔로스항에는 선주이자 항해사인 핀손 가족이 있었는데, 마르틴은 삼형제 중 맏이일 뿐만 아니라 가장 부유하고 사회적으로 명망 있는 인물이었다. 탐사 계획이 있었던 마르틴은 로마에 방문하여 가장 유명한 우주지학자들과 상의한 후 안틸리아가 표시된 귀중한 지도를 가지고 돌아왔다. 그의 계획은 안틸리아에 당도해 그곳에서 식량을 보급한 후 마르코폴로가 말한 지팡구(일본)까지 항해하는 것이었다.

『동방견문록』에는 "그곳에는 금이 넘쳐나지만, 그곳의 군주가 금의 수출을 허락하지 않았다. 그곳에 다녀온 사람들에게 들은 바에 따르면, 군주의 궁전은 놀랍도록 풍요롭고 지붕 전체가 금으로 덮여 있다."고 기록되어 있다. 마르틴은 콜럼버스를 만나기 전에 (이익이 나든 손실이 나든 자신의 자금으로) 이미 항해를 결정했던 것 같다.

수도사들은 영향력 있고 신비한 이방인과 이 고집 센 지역 거물의 만남을 주선했다. 그들은 합의에 도달했는데, 그 합의 조건에 대해서는 알려진 바가 없다. 우리는 훗날 콜럼버스가 주장한 모호한 비난과 콜럼버스 사후 그의 재산 처분에 대한 소송에서 나온 두

증인의 증언을 통해 그 전모를 조금 엿볼 수 있다. 첫 번째 증인인 마르틴의 아들 아리아스 핀손(Arias Pinzon)은 이렇게 말했다. "그는 그 합의를 통해 여왕이 줄 수 있는 모든 혜택을 이등분하려고 했다. 마르틴 알론소는 콜럼버스에게 해당 문서(안틸리아가 표기된 이탈리아 지도)를 보여주며 격려했다. 그들은 합의에 이르렀고 마르틴 알론소는 콜럼버스가 궁정으로 가는 여행 비용을 마련해주었다." 두 번째 증인인 우엘바 출신의 선원 알론소 가예고(Alonzo Gallego)는 다음과 같이 말했다. "콜럼버스가 핀손에게 '핀손씨, 함께 항해합시다. 우리가 하나님의 뜻에 따라 땅을 찾는 데 성공하면 나는 그 땅을 형제처럼 당신과 나누겠다고 왕실의 왕관을 걸고 약속합니다'라고 하는 것을 확실히 들었다." 이 말이 사실인지, 크리스토퍼가 핀손에게 어떤 이득을 가져다주었는지를 누군가가 묻는다면, 나는 그것이 바로 그가 모든 협상에서 보여준 영업 기술의 신비이자 비합리성이라고 답할 것이다.

1492년 1월, 에스파냐에 남아 있던 무어인의 마지막 요새 그라나다가 함락되면서 기독교의 꿈이 이루어졌다. 이사벨 1세는 이전 문명의 흔적을 서둘러 지우고 싶었고 콜럼버스는 이 순간을 적절히 활용했다. 콜럼버스는 프랑스 왕과 접촉하는 척하면서 동시에 주변 인물들을 활용하여 결국 에스파냐 왕실과 계약을 맺을 수 있었다. 그는 1,000,000마라베디(maravedi)를 받았는데, 대처(Thatcher)는 이를 6,000달러가 조금 넘는 금액으로 보았다. 전체 탐험 비용인 1,167,542마라베디, 즉 7,200달러는 아메리카 대륙이 유럽에 진

기본적인 부채였다. 이 금액을 우습게 생각하지 않기를 바란다. 7년의 고생은 헛된 것이 아니었다. (어떤 법률가가 계약서에 교묘한 문구를 삽입하여 완전히 물거품이 되기는 하였으나) 새로운 제독이 요구한 바에 따라 에스파냐령 아메리카 전체가 그의 상속자들에게 10퍼센트의 세금을 내야 했을 수도 있고, 황제에 버금가는 콜럼버스 왕조를 섬겨야 했을 수도 있는 터무니없는 조건이 받아들여진 것이다.

크리스토퍼는 이 엄청난 계약 문서를 가지고 팔로스항으로 돌아왔다. 지원 자금과 선박 징발권을 얻었으니 이제 다음 단계는 자연스럽게도 마르틴 알론소 핀손을 내치는 일이었다. 사업가의 방식은 도덕률 자체만큼이나 변하지 않는다. 그러나 마르틴 알론소는 이 작은 마을에서는 잘 알려진 존경받는 인물이었고, 따라서 사업에서 그를 배제하자 생각지도 못했던 어려움이 발생했다. 팔로스항의 선원들은 콜럼버스를 사기꾼, 바다를 전혀 모르는 자, 허풍쟁이로 간주하여 그의 탐험에 동참하려 하지 않았다. 콜럼버스가 선원들 앞에서는 왕립 전문가 위원회 앞에서만큼 설득력 있게 주장을 펼치지 못했는지 지원자가 한 명도 나타나지 않았다.

선박은 구했으나 선원 모집에 어려움을 겪게 되자, 그는 어쩔 수 없이 최고의 모집책인 핀손 형제들과 계약을 맺을 수밖에 없었다. 그들은 즉시 가장 좋은 배 두 척, 산타 마리아호와 니냐호를 준비했고 또 한 척의 배 핀타호를 구했다.

그중 가장 큰 것은 기함인 산타 마리아호였는데, 제독이 이 배에 오르고 핀손 형제의 친구이자 유명한 항해사인 후안 데 라 코사(Juan de la Cosa)를 선장으로 삼았다. 마르틴은 동생 프란시스코와 함께 핀타호에 올랐고, 가장 작은 니냐호는 막내인 비센테가 맡았다. 선원 90명과 기록을 관리할 여왕의 사환들, 그리고 그들이 위대한 칸, 즉 중국 황제의 나라에 도착했을 때 중개자 역할을 하게 될 루이스 데 토레스(Luis de Torrez)라는 유대인 통역사가 이들과 함께 했다.

이렇게 탐험을 준비하는 과정을 보다 보면 제독의 목표 지점이 애매하다는 사실을 알 수 있다. 그가 향하는 곳은 어디인가? 목적지는 안틸리아인가, 인도인가, 위대한 칸이 다스리는 제국인가, 아니면 핀손이 언급한 지팡구인가? 목적지가 안틸리아라면 통역사가 무슨 소용이 있겠는가? 인도나 위대한 칸의 제국으로 간다면 겨우 선원 90명이 위협한다고 해서 칭기즈 칸의 후계자가 합병을 허락하리라고는 상상할 수 없었을 텐데. 그렇다면 과연 부왕의 지위가 그에게 어떤 이득이 되는 것일까?

아마 제독 자신도 목적지가 어디인지 몰랐을 가능성이 있다. 비록 모순이 있기는 했으나 어찌 되었든 서부 항로 개척을 향한 의지는 확고했다. 아마도 제이의 마데이라를 발견하리라는 강한 믿음이 있었을 것이다. 그렇지 않다면 지난 7년간 끈질기게 부왕 지위를 요구한 게 그저 정신병에 지나지 않았다고 말하는 수밖에 설명할 길이 없다.

어쨌든 그들은 1492년 8월 3일 아침 8시에 출항했고, 정서(正西)가 아니라 카나리아 제도를 향해 남서쪽으로 방향을 틀었다. 그의 목적지가 어디든 그곳은 위도 28도 부근 어딘가에 있을 것이었기에, 그는 상쾌한 공기를 마시며 선원들에게 서쪽으로 정확히

700리그(약 3,381km-옮긴이) 거리에 목적지가 있다는 확신을 심어주었다.

불행히도 그의 항해 일지 원본은 소실되어 전해지지 않지만, 라스 카사스(Las Casas) 신부가 발췌하여 엮은 필사본에 나오는 그의 글들은 현존하는 탐사 자료 중 가장 아름다운 문학 작품이다. 이런 이유로 나는 콜럼버스를 시인이라고 칭한다. 그의 항해 일지가 완전히 사라졌다고 해도 속물근성, 특히 자신마저도 속일 수 있는 능력과 무모함, 그리고 냉혹한 사업가의 성질과는 전혀 다른 외부인의 특성은 숨길 수가 없다. 운명의 여신이 아메리카 대륙 발견이라는 포상을 내린 인물은 다른 사람도 아니고 바로 시인이었다. 항해 일지에 남긴 시인 콜럼버스의 기록을 잠시 읽어보자.

9월 11일 "초저녁 무렵에 우리 배에서 4~5리그쯤 떨어진 곳에서 놀랍게도 나뭇가지 모양의 불꽃이 하늘에서 떨어지는 모습을 보았다."

9월 18일 "오늘은 바다가 세비야의 강을 지나는 듯 고요하고 조용했다."

9월 29일 "바람이 부드럽고 매우 쾌적했다. 단지 꾀꼬리의 노랫소리가 있었으면 더할 나위가 없었겠지만, 바다는 강처럼 잔잔했다."

10월 8일 "오늘의 공기는 너무 향기로워서 숨 쉬는 것이 즐거웠다."

10월 9일 "밤새도록 새들이 날아가는 소리가 들렸다."

항해 과정에서는 다음의 세 가지 특징을 설명할 필요가 있겠다.

먼저, '선원들이 낙심하지 않도록 얼마나 멀리 왔는지 모르게' 제독이 매일 일지를 조작했다는 이야기는 율리시스의 계략과 맞먹을 정도로 영리한 작전이었다며 여러 세대의 역사가들에게 찬사를 받았다. 그런데 이런 항정 조작설은 신빙성이 떨어지는 이야기이며, 그저 배를 타보지 않은 이들의 상상 속 이야기라고 여기면 충분할 것이다. 크리스토퍼는 그런 계산을 하지 않았고 할 수도 없었다. 만약 그런 속셈이었더라도 선원들은 속지 않았을 것이다. 또한 그가 선원들에게 "700리그에 도달한 후에는 밤에 항해하지 말라"고 지시했다고 하는 이야기와는 모순되기도 한다.

두 번째는 선원들의 반란이 일어나자 삼 일만 더 항해하면 육지를 찾을 것이라고 약속했다는 전설적인 이야기이다. 그의 일지에서 이와 관련된 유일한 구절은 다음과 같다. "10월 10일, 이날 선원들은 기나긴 항해에 대해 불평했고 더 이상 항해를 계속하려고 하지 않았다. 하지만 (그는 자신을 3인칭으로 칭했기에) 제독은 그들에게 앞으로 얻게 될 이익을 얘기하며 최선을 다해 선원들을 달랬다." 이것이 제독이 언급한 선원들의 사기 저하와 관련된 일화 중 마지막이었다. 그러나 이런 불평은 산타 마리아호에서만 나왔고 다른 두 척의 배는 처음부터 끝까지 아무런 불평 없이 평화로웠다. 선원들이 남긴 증거도 있다. 제독을 좋아하지 않는 선원 중 한 명인 프란시스코 바예호(Francisco Vallejo)가 남긴 증거에 따르면 제독은 마르틴 핀손의 배가 가까이 다가오자 그에게 불만을 토로했다고 한다. 그러자 선주이자 선장인 핀손은 단호하게 대답했다. "제가 탄 배와 니냐호에서는 아무런 불평이 나오지 않았습니다. 계속 어려움을 겪으신다면 부하 선원 대여섯 명을 교수형에 처하십시오. 원하시면 저희 형제가 그리 건너가 대신 처리해드리겠습니다."

세 번째 문제는 좀 더 특이하다. 같은 날, 같은 증인에 따르면 10일이 아닌 6일에 콜럼버스가 항해사 마르틴 알론소에게 항로에 대해 의견을 구했다. 콜럼버스는 낙담하고 있었을까? 그들은 700리그의 거리를 항해해왔으나 육지는 보이지 않았다. 마르틴은 탐험대가 안틸리아를 지나친 것이 틀림없고, 지팡구로 가기 위해서는 남서쪽으로 방향을 틀어야 한다고 주장하며 다음과 같이 말했다. "그런데 그곳은 훨씬 더 멀리 가야 합니다." 제독은 항로의 방향에 대해서는 그의 의견에 동의했지만 (자신의 이론에 따르면 안틸리아는 중국 해안에서 멀지 않았기 때문에) 몇 리그만 더 가면 될 것이라며 항해 거리에 대해서는 자신의 의견을 굽히지 않았다.

1492년 10월 12일 새벽 2시, 핀타호 망루에 올라 있던 선원 로드리고는 달빛 아래 하얀 모래톱을 감지했다. 그는 육지를 발견했다고 소리치며 준비된 대포를 쏘아 산타 마리아호에 이 사실을 알렸다. 그들은 날이 밝을 무렵 뭍에 닿아 돛을 감아올렸다. 이렇게 아메리카 대륙이 발견되었다.

시적 표현이 많은 콜럼버스의 항해 일지에는 그곳이 어디인지 나오지 않지만, 그들이 도착한 곳은 바하마 제도 중 한 곳이었고, 여러 정황상 와틀링섬(Watling Island, 산살바도르섬. 이곳은 해적 와틀링의 근거지가 되어 1925년까지 와틀링섬으로 불렸다-옮긴이)이었을 것이다. 이곳에 대한 제독의 설명을 들어보자.

"처음에는 산처럼 그 섬을 완전히 둘러싸고 있는 거대한 암초가 보여서 두려웠다. 암초와 해안 사이는 유럽의 모든 선박이 정박할 수 있을 정도로 넓어서 항구로 쓸 수 있기는 했으나 그 입구가 매우 좁았다. 이 천연 방파제에는 물이 깊어 보이는 곳이 몇 군데보이지만 바다는 우물 안보다도 더 움직임이 없이 고요했다."

그는 또 이렇게 적고 있다. "거기에는 내가 살면서 본 것 중 가장 아름다운 풀밭이 있었고 달콤한 물도 풍부했다." 바하마 제도의 주민이라면 시적 감상에 젖은 제독이 그토록 감명받은 곳이 어디인지 알 수 있을 것이다.

탐험대는 그가 '산살바도르'라고 이름붙인 이 섬을 떠나 주변의 몇몇 섬들을 발견했지만, 신기한 원주민, 앵무새, 해먹 같은 것들만 있을 뿐 그 어디에도 금과 향신료는 없었다.

10월 28일, 마침내 쿠바섬에 도착한 콜럼버스는 매우 당혹스러웠다. 처음에는 그곳을 지팡구라고 생각했기 때문에 그는 "섬 반대편에 금으로 덮인 궁전이 있을 것이다."라고 말했다. 그러나 나중에는 다음과 같이 썼다. "내 생각에 이 지역들은 모두 중국의 위대한 칸과 전쟁 중인 땅에 불과하다. 지금 내가 와 있는 이곳, 원주민들이 쿠바라고 부르는 이곳은 마르코 폴로가 말한 킨사이(Quinsay, 현 항저우)와 자이톤(Zayton, 현 취안저우)에서 각각 100리그씩 떨어져 있는 곳임이 분명하다. 지금까지와는 다른 바다의 흐름을 보면 이를 알 수 있다."

이같이 생각한 그는 여왕이 중국 황제에게 보내는 서한을 전달하기 위해 박식한 유대인 루이스 데 토레스를 보냈다. 식민화의 계보를 좋아하는 사람이라면 여기에서 영국인이나 독일인이 아니라 유대인이 등장한다는 사실을 기억하라. 그는 황제를 찾느라 섬 속 정글을 한참 헤맸으나 끝내 임무를 완수하지 못하고 돌아와 질책을 당했다. 그러나 제독이 다시 생각해보니 이 쿠바라는 곳이 일본이나 중국이 아니라 인도임이 틀림없었다. 인도의 군주는 위대한 칸보다는 엄격하지 않은 것으로 알려져 있었다. 그래서 그는 이제부터 조금 다른 방식으로 금을 찾기 시작했다.

탐험대는 만나는 모든 원주민에게 손짓으로 금광에 관해 물어보았는데, 그들은 한결같이 멀리 떨어진 곳에 큰 광산이 하나 있다고 답했다. 한 원주민은 손짓을 통해 인근에 섬 전체가 순금으로 이뤄진 곳이 있다는 사실을 전해주었지만, 정확한 방향에 대해서는 알 수가 없었다. 평화로운 카리브인들은 탐험가들을 신으로 여겼고, 유리구슬과 거울을 선물로 받고는 기쁨의 눈물을 흘리기도 했다. 제독은 이 사실에 기뻐하며 '그들이 매우 온순하고 설득하기 쉬웠기 때문에' 영광스러운 가톨릭 선교 사업을 펼 수 있었다고 보고했다.

한편 핀손은 콜럼버스에게 알리지 않은 채 핀타호를 타고 사라져버렸다. 핀타호가 보이지 않은 지 삼 일째가 되자 제독은 핀손이 자신을 배신하고 새로운 항로 발견의 영광을 독차지하기 위해 에스파냐로 돌아갔을까 봐 전전긍긍했다. 그러나 얼마 지나지 않아 핀타호는 산타 마리아호가 보이는 곳으로 다시 돌아왔다. 핀타호의 선주는 미리 알리지 못하고 항해한 점에 대해 사과하며 안틸리아를 찾았다고 보고했다. 탐험대는 핀손을 따라 아이티섬에 상륙했다. 그런데 이곳 해안에서 제독의 기함인 산타 마리아호가 좌초되어 다시는 배를 띄울 수 없게 되었다. 여러 가지 방법을 시도했으나 그들은 결국 배를 해체하고 잔해를 이용해 원주민 마을 옆에 나비다드(Navidad, 성탄절-옮긴이)라는 이름의 요새를 세웠다. 이곳의 원주민들도 매우 우호적이고 유순했기 때문에 제독과 나머지 사람들이 새로운 탐험을 준비하기 위해 에스파냐로 돌아가 있는 동안 요새 수비대를 지원한 40여 명이 이곳에 머무르기로 했다.

탐험대는 돌아가는 도중에 카나리아 제도에서 큰 폭풍을 만났다. 이때 마르틴 핀손이 타고 있던 핀타호는 제독의 시야에서 사라져버렸다. 그러자 그는 또다시 핀손을 의심하기 시작했다.

콜럼버스가 탄 니냐호는 폭풍을 이겨냈고 마침내 리스본을 지나 7개월의 항해 끝에 1493년 3월 15일 팔로스항에 귀항했다. 그는 팔로스항에서부터 에스파냐를 가로질러 궁정이 있는 바르셀로나까지 행렬을 조직했다. 행렬의 가장 높은 곳에는 수염이 덥수룩하고 갑옷을 입은 선원들에 둘러싸인 크리스토퍼가 있었다. 큰 키에 머리가 희끗희끗한 그는 프란치스코 수도회의 옷을 걸친 채 무표정한 얼굴을 하고 있었다. 큰 대나무와 악어가죽을 든 사람들이 그의 뒤를 따랐다. 다음으로는 앵무새를 가둔 새장을 들고는 미소를 지으며 십자 성호를 긋는 인디오 무리가 지나갔다. 이들은 지나는 도중에 교회가 있으면 들어갔고, 길가에 십자가가 있으면 멈춰서 기도 했다.

그렇게 궁정에 도착하자 이사벨 1세와 페르난도 2세는 콜럼버스를 그들의 오른편에 앉히고, 그에게 탐험 이야기를 자세히 들려달라고 했다. 이 과정에서 그는 여왕이 육지를 처음으로 발견한 사람에게 제안한 종신 연금을 언급했다. 선원 로드리고*의 주장은 묵살한 채 제독은 자신이 가장 먼저 육지를 발견했다고 주장했고, 그 연금이 아들 페르난도의 어머니인 베아트리스에게 돌아가도록 했는데, 이것이 그녀가 그에게서 받은 전부였다.

　　마르틴 알론소 핀손은 콜럼버스보다 2~3일 늦게 갈리시아의 어느 항구에 도착했다. 그러나 불행히도 그동안의 여독으로 그는 귀항한 지 며칠 지나지 않아 세상을 떠났다. 따라서 그는 별다른 항의나 변론의 여지 없이 콜럼버스의 전설 속에서 악역을 맡게 되었다.

　　궁정의 재무부 관리들이 탐험대의 손익을 따져보자 실망이 이만저만이 아니었다. 가져온 것은 고작 녹색 앵무새 40마리, 얇은 금으로 만든 코걸이 몇 점, 이사벨 여왕이 통치하는 에스파냐에서 만든 것보다도 조악한 옷감들, 말 잘 듣는 야만인 여섯 명, 제대로 갖추지 못한 여러 가지 박제 수집품들, 그리고 대나무뿐이었다. 더욱이 제독이 어디에 상륙했는지조차 확실하지 않았다. 그는 지팡구, 안틸리아, 중국을 언급했으나 결국은 인도에 도착한 것으로 보여서 왕실 기록관은 인도의 일부 지역(en la parte de las Indias)이라고 적었다.

　　그러나 여왕은 만족했다. 그녀는 여성 특유의 감성을 발휘하여

＊　이런 상황에 염증을 느낀 로드리고는 모로코로 건너가 이슬람으로 개종했다고 전해진다.

(실제로 백만 명에 이르는) 아이티 사람들을 가톨릭으로 개종시키고 값싼 노동력으로 사용하도록 했다. 당시에도 이후에도 여왕은 그들을 노예로 수출하려 한 크리스토퍼의 제안을 거절했다. 제독을 위한 문장(紋章)도 수여되었다.

새로운 탐험이 시작되었다. 여왕은 이번에는 숙련된 우주지학자를 보내야 한다고 주장했다. 그녀는 이전에 그에게 다음과 같은 편지를 보낸 적이 있다. "그대의 기록을 더 잘 이해하기 위해 우리는 그대가 발견한 섬과 육지의 위치뿐만 아니라 그대의 항로가 지나는 위도에 대한 정보가 있어야 하니, 이것들을 지도와 함께 보내주기를 바라오."

제2차 탐험에서 제독은 상당한 규모의 함대를 책임졌다. 승조원은 1,500명이었고, 그들 중에는 기술공과 농학자, 일부 까다로운 귀족 모험가들이 포함되었다. 지원 자금은 메디나 시도니아 지역 공작의 후원금과 유대인 추방 과정에서 몰수한 노획품으로 충당했다.

1493년 9월 25일에 그는 전과 같은 항로를 따라 항해하다가 길을 잃어 앤틸리스 제도에 닿았고, 금을 찾기 위해 그곳에서 잠시 머물렀다. 11월 22일에는 드디어 나비다드 요새에 도착했다. 그런데 예포 사격으로 도착을 알렸으나 답포가 없었다. 섬에 상륙한 이들은 불타서 폐허가 된 요새와 훼손된 채 여기저기 흩어져 있는 수비대의 사체를 발견했다. 이런 끔찍한 일을 설명할 생존자는 없었지만 왜 이런 일이 발생했는지 추측하기는 어렵지 않았다. 새로 온 사람들도 기존에 머물던 사람들과 같은 일을 자행했기 때문이다. 이들 대부분은 해변에 도착하자마자 제독이 심어놓은 존경과 규율을 버리고 섬에서 약탈자로 살기 시작했다. 연대기 작가인 수도사는 다음과 같이 기록해놓았다. "그들은 원주민의 머리뼈가 너무 단단해서 자신들의 칼날이 무뎌지고 있다며 불평하곤 했다." 나머지 부류인 '하늘에서 온 사람들'도 크게 다르지 않았다. 원주민들은 강에 넘쳐나는 악어보다 살벌하고 위험한 것에는 익숙하지 않았다. 반세기 후 이곳의 원주민과 인근 섬의 원주민들 대다수는 절멸하는 운명을 겪는다.

콜럼버스는 이곳에서 3년을 보냈는데, 추가로 탐험을 진행하거나 금을 찾는 무리를 지휘했으며 나머지 시간은 왕실의 관리로 활동하며 보냈다. 부하들이 그를 일컫는 칭호는 조금씩 달랐지만, 그가 가장 높은 직위에 올랐던 때가 바로 이 시기였다. 그는 계속해서 금을 찾는 데 실패하자 이를 노예무역으로 보상하고자 했다.

1495년에 그는 카리브 여성 500명을 노예로 팔기 위해 '이 땅에 태어날 때와 같이 알몸으로(Como andaban en su tierra, como nacieron)' 세비야로 보냈다. 왕실의 명령으로 중단되긴 했지만, 그가 통치하는 섬들에서는 모든 부족이 노예의 대상이 되었다. 제독은 자신의 인생 궤적 정점에 있었다. 그가 공표한 법에 따라 모든 유럽 정착민은 자신들이 도착한 쿠바가 섬이 아니라 인도 대륙이며 만약 이런 내용과 다른 사실을 발설하는 자는 누구든지 혀를 자르겠다는 각서에 서명해야만 했다. 이 모험가는 이렇게 간단한 방법으로 '인도를 발견했으며 이제 남은 것은 탄탄한 조직뿐'이라고 선언했다.

이 조직은 그의 천재성이 빛을 발한 영역이 아니었다. 작은 공동체의 한복판에서는 자주 끔찍한 싸움이 일어났고, 절망에 빠진 원주민들은 기회가 날 때마다 덤불 속으로 도망쳤으며 화살과 교묘하게 숨겨놓은 함정으로 추격자를 없애려 했다. 그런데 파괴자들, 유럽의 선봉대, 그리고 이후 모든 세대의 유럽인들에 대한 원주민들의 복수는 이상하고 엉뚱한 방식으로 이루어졌다. 아이티의 카리브인들에게 만연했던 풍토성 성병은 원주민들에게는 큰 영향을 미치지 않았지만 원주민 여성 노예를 통해 감염된 유럽인 주인들을 죽음에 이르게 할 정도로 치명적이었다. 시필리스(Syphilis, 매독)*라는 시적인 이름으로 알려지게 되는 이 전염병은 유럽에 심각한 영향을 미쳤다. 최후의 카리브인이 죽고 얼마 지나지 않아 유럽 전역이 매독에 시달리게 되었다.

잘 알려진 자제력 덕분에 다행히 이런 천형을 피한 콜럼버스는 1495년 말에 그 섬을 떠나 에스파냐로 향했다. 하지만 예상했던 금을 발견하지 못했기 때문에 빈손으로 카디스항에 도착했다. 에스파냐에서는 이미 콜럼버스가 새로운 땅에서 벌인 그간의 행적을 비난하는 이들이 목소리를 내고 있었다. 왕실 또한 그가 도착했다는 소식을 듣고도 차가운 반응을 보였다. 상황이 이러했음에도 벌거벗은 채 깃털로 된 머리 장식을 쓰고 1월의 추위에 떠는 인디오 15명을 앞세우고, 제독 자신은 프란치스코 수도회 의상을 입고는 왕실에 경의를 표하기 위해 다시 한번 에스파냐를 가로지르는 행

✢ 이 병명은 이탈리아의 의사이자 시인인 프라카스트로(Fracastro)의 시극에 등장하는 인물 '시필리스'에서 따왔다.

렬을 시도했다. 그러나 이 희망을 잃은 원주민들과 의식적으로 엄숙한 모습을 연출한 남자의 행렬은 목표 지점에서 멀리 떨어진 안달루시아에서 중단되었다.

이 장면에서 우리는 잠시 멈추고 분노해야 한다. 운명의 여신이 유럽인에게 커다란 선물을 선사하기 위해 오만하고 무능한 거짓말쟁이이자 전혀 어울리지도 않는 직물 상인을 선택했다는 사실도 수치스러운데 이제는 그에게 이런 끔찍한 장난을 치고 있는 모습을 보고 있자면 화가 나지 않을 수 없다. 우리는 우리의 신들이 최소한 성숙한 어른이기를 바라기 때문에, 누군가를 바보로 만들며 낄낄거리는 철없는 아이들 같은 이런 운명의 장난은 웃기기는커녕 우리에게 깊은 공포심을 선사한다. 콜럼버스의 마지막 행보는 인간의 존엄성과 연관되어 있고, 따라서 우리는 리어왕이 내뱉은 다음의 대사처럼 불만을 토로할 수 있다. "신들에게 우리는 짓궂은 아이들에게 붙잡힌 파리 같은 존재에 불과하며, 신들은 우리 인간을 장난삼아 죽인다네."

이제는 운명의 여신이 이 모험가를 어떻게 대했는지 좀 더 자세히 살펴보도록 하자. 우리는 이 가엾은 악인을 통해 운명의 여신이 시인을 사랑하고, 멋대로 무자격자를 선택하고, 모든 자격을 갖춘 인물 마르틴 핀손을 쉽게 죽여버리고, 해도조차 읽지 못하는 외부인 크리스토퍼 콜럼버스에게 모든 행운을 선사했다는 사실을 알게 되었다. 운명의 여신은 온화하고 선량한 카리브인들이 순수하고 행복하다는 이유만으로 몰살당하게 했고, 그 이후에는 사악한 에스파냐인뿐만 아니라 독일인과 영국인, 프랑스인에게까지 무정한 방식으로 고통을 안겨주었다.

알렉산드로스와 카사노바의 인생을 살펴본 우리는 콜럼버스가 이제는 인도를 발견했으니 공식적으로 모험을 끝내려고 했다는 사실을 유추할 수 있다. 그리고 분개한 운명의 여신이 제독의 습관적인 허세와 망상, 부족한 자질과 기만술 등 그의 약점을 이용하자 사람들은 그에게 야유와 조롱을 퍼부었다. 이제 그는 에스파냐의 심장부에서 수백 리그 떨어진 곳, 가엾은 인디오가 있는 곳으로 가야 했다. 인류 역사상 가장 큰 위업을 이룬 인물의 끝이 이런 식이라면 이것은 명백한 불의(不義)일 것이다.

그러나 이 불의가 바로 모험의 진짜 모습이라면 어떨까? 도박판에 돈을 건 사람이라면 그 돈이 불어나기를 바랄 뿐, 정의를 원하지는 않는다. 크리스토퍼에게 어울리는 정의라고 한다면 제노바에 있는 작은 상점이나 사기성 파산으로 투옥될 포르투갈 감옥, 혹은 카나리아 제도에서 몇 리그 떨어진 바다 밑바닥 진흙 구덩이일 수도 있다. 알렉산드로스에게 어울리는 정의는 그의 아버지와 마찬가지로 단검에 찔려 죽음에 이르는 것일 테고, 카사노바에게는 채찍질, 또는 평생토록 갚아야 할 위자료일 것이다.

이런 관점에서 보면, 모험이란 결국 불의를 향한 호소이며, 모험가의 기도문은 '우리에게 주어진 것보다 더 많이 받게 해주소서'가 된다. 마르틴 핀손 형제도 자신들의 권리를 위해 기도했을 수 있지만. 콜럼버스는 핀손처럼 자격을 갖춘 자, 선주 등 사회적 피라미드를 이루고 있는 동료들에 비하면 오만한 외부인일 뿐이었다. 그는 관리도 아니었고 깡패 집단에 속하지도 않았다. 이 외롭고 불경한 숭배자가 섬기는 신은 문학 교수가 절대로 위대한 시인이 될 수 없도록 하고, 학업 성취도가 높은 학생이 인생에서는 성공을 이루지 못하게 하며, 최고의 부를 가진 여성이 아름다움은 갖지 못하게 하고, 우생학 법칙에 따라 태어난 사람이라도 세상의 온갖 재미와 건강을 독점하지는 못하도록 다스리는 불의의 신이다. 그 신은 어떠한 채무도 인정하지 않는 헤아릴 수 없는 악의적 힘이며, 웃음을 끌어내기는 쉽지만 절대 눈물 한 방울 흘리지 않으며, 원하는 곳에 비를 내리고 갑자기 바람이 불게 하는 영혼이다.

콜럼버스의 이야기는 여기서 끝나지 않는다. 제3차 항해 도중 아이티에서 내부 반란이 발생했는데, 이것이 문제가 되어 에스파냐 왕실은 진상 조사를 위해 프란시스코 데 보바디야(Francisco de Bobadilla)를 조사관으로 파견하였다. 법률 고문 보바디야는 전권을 가지고 아이티에 도착했다. 그가 처음 본 광경은 교수형에 처한 사람들이 항구 위에 늘어서 있는 모습이었다.

그는 제독의 행정적 무능과 폭정을 왕실에 대한 반역으로 여겨 곧장 그를 체포하고 그의 총독 지위를 박탈했다. 그렇게 콜럼버스는 쇠사슬에 묶인 채 본국으로 압송되는 굴욕을 겪는다. 그를 태운 배가 육지에서 보이지 않게 되자 선장은 이 가여운 늙은이가 갑판에서는 자유롭게 지낼 수 있도록 해주려 했으나 크리스토퍼는 거절했다. 그의 자존심도 쇠사슬에 묶여버렸던 것이다. 이후로 평생 그는 그 쇠사슬을 잊지 않았다.

여왕은 본국으로 돌아온 그를 따뜻하게 맞이하고 그에게 사과의 말을 전했다. 그러나 보바디야에게는 사과하라고 명하지 않았으며, 친절한 태도를 보였지만 한쪽을 복직시키거나 다른 한쪽을 처벌하는 등의 조치도 취하지 않았다. 콜럼버스에게 아무런 잘못이 없었다면 보바디야는 문책당했을 테지만 그렇지 않은 것을 보면 콜럼버스의 편을 들 수 없었던 것 같다. 콜럼버스는 이후 다시는 아이티에 발을 들이지 못했다.

이런 일이 있는 동안에도 제독은 펜을 놓지 않았다. 1502년 5월 11일, 그는 카디스항을 출발하여 제4차 항해를 시작했다. 이번에는 이사벨 1세에게 코친차이나(Cochin-China, 베트남 최남단 지역-옮긴이)에 있다는 황금 반도를 약속했다. 그가 배를 기다리는 동안 여왕을 위해 집필한 『예언서』에는 '1650년에 세상이 멸망할 것이며 여왕이 성지를 정복하고 주님을 위해 모든 준비를 마칠 시간을 확보하도록 서둘러 금을 찾아야 한다'는 내용이 적혀 있다.

또, 그는 바스쿠 다가마(Vasco de Gama)가 희망봉을 돌아 인도로 가는 항로를 발견했다는 소식을 터무니없는 이야기로 치부했다. 인도를 발견한 사람은 바로 자신이고, 배반이나 사탄의 소행이 없었다면 자신이 이미 금을 발견했을 것이기 때문이었다. 그는 환상 속에서 예수 그리스도가 그에게 나타나 7년이 지나면 금을 얻게 될 것이며, 그 후에는 훗날 대성전에서 봉사하게 될 기독교인들이 거주하는 북극으로 갈 것이라는 등의 얘기를 전했다고 한다. 미쳤다고 해야 할까? 전혀 그렇지는 않았다. 그저 말이 많았다고 해야 할 것 같다.

제4차 항해는 여러 고난과 실망의 연속이었다. 그는 아메리고 베스푸치(Amerigo Vespucci)를 포함해 금을 찾던 다른 유럽인들보다 몇 년 앞서 남아메리카 대륙에 도달했고 지도를 작성했다. 하지만 그곳을 그저 '하찮은 몇몇 섬들'이라고만 적었다. 그의 선원들은 굶주림과 갈증으로 고생했고, 엄청나게 끔찍한 풍랑을 만나기도 했고, 배가 좌초되어 구조를 기다리는 시기도 있었다. 노예로 팔려고 포획한 인디오들이 반란을 일으키는 바람에 콜럼버스도 죽임을 당할 뻔했다. 심지어 갠지스강, 유프라테스강, 티그리스강, 나일강 사이의 산 위에 있으며 사방이 불타는 벽으로 둘러싸여 있다고 맨더빌 경이 언급한 지상낙원에 가까이 다가왔다고 생각되자 그는 항해사의 해도를 빼앗아 자신 외에는 아무도 그곳의 상황을 알 수 없게 만들기도 했다.

마침내 제4차 항해를 마지막으로 그의 항해는 끝났다. 이제 그가 할 수 있는 거라곤 기다리는 것뿐이었다. 그러나 그가 돌아온 후 며칠 지나지 않아 이사벨 1세가 콜럼버스의 탐험 뒷부분을 마저 듣지 못하고 세상을 떠났다. 후원자가 사라진 그는 더 이상 궁정을 괴롭히지 않았다. 2년 후 그는 세인의 무관심 속에서 눈을 감았고, 당대의 연대기 작가들은 그의 죽음조차 언급하지 않았다. 그의 당부대로 굴욕의 쇠사슬이 시신과 함께 묻혔다.

유일하고 역사적이며 진정한 아메리카 대륙의 발견자이자 행운아 크리스토퍼 콜럼버스의 인생은 이렇게 쓸쓸하게 막을 내렸다. 그가 죽은 지 60년이 지나고 그의 마지막 후손도 세상을 떠났다. 가문의 재산은 크리스토퍼 콜럼버스 자신이 말한 대로 쿠카로 성주인 콜롬보 가문에게 귀속되었다.

제4장

무함마드

"신이시여, 저는 준비가 되었습니다."

—◆—

Muhammad

(570년~632년 6월)

이슬람의 창시자. 아라비아 반도의 제부족을 이슬람의 기치하
에 통합함으로써 이슬람 정복의 초석을 세운 상징적 인물이다.

콜럼버스가 보여주었듯이 '지리'라는 분야는 모험의 사냥감이 매우 풍부한 구역이라서 총을 든 포수라면 때에 맞춰 사냥을 기대할 수 있다. 그러나 접근하기 좀 더 어려운 구역, 즉 '영혼'이라는 사막과 숲에는 가장 대담한 사냥꾼들을 위한 큰 사냥감의 흔적이 있다. 이 종교적인 모험가는 포획 사냥용 가방을 가득 채워 돌아오는 경우가 그리 많지는 않으나, 대신 신비로움과 함께 지내며 야영한다. 설혹 그를 따르는 제자가 없을지라도 그의 말에 귀 기울이는 청중은 많았다. 이 위대한 인물은 콜럼버스보다 더 멀리, 존 맨더빌 경이나 레뮤엘 걸리버보다 더 멀리 여행을 떠났으며, 천국과 지옥을 오간 웅장한 단테의 순례길을 완성했다. 그는 섬처럼 작은 이 땅에서 살았고 밤이면 칠흑 같은 어둠의 소음을 쫓기 위해 불을 지폈다. 그는 초자연적인 탐험을 하는 동안 상당히 제정신을 유지했고, 그토록 강한 정신력을 갖고 있었던 만큼 그의 인생의 경로와 그에게 일어난 사건들은 명확하고 극적이었다.

그는 바로 세계의 여러 황제와 군주들에게 '신의 사도 무함마드'라고 적힌 봉인된 서한을 보낸 것으로 유명한 무함마드다. 그는 구세계인 아라비아의 교외를 통과하는 무역로 중간에 있으나 경제적으로 무너져가고 있던 카라반 도시 메카의 강력한 씨족의 가난한 친척이었다. 현대의 아라비아는 열정과 자유, 대추야자의 낙원으로 유명하지만, 무함마드가 태어난 서기 570년에는 상황이 그리 좋지 못했다. 유럽, 아시아, 아프리카 사이를 잇는 거대한 육로가 교차하여 전략적으로 중요한 위치를 차지하는 이 지역에서 기존의 셈족이라는 이름은 사라지고, 유대인, 바빌로니아인, 이스마엘의 후손인 아랍인 등 다양한 이름들이 베두인주의(Bedawinism)라는 모호한 개념으로 연결되어 있었고, 뛰어난 재능으로 지어진 황홀한 시만이 오직 그들의 찬란했던 과거의 영광을 기억하고 있었다. 이제 웅장한 바빌론에 남은 것은 페르시아의 권력에 붙어 용역을 제공하는 알 히라(Al Hirah) 지역의 도적 무리뿐이었다. 이들은 시리아 북부에서 비잔티움과 거래하며 다양한 기독교 삼위일체를 섬겼다.

한편 유대인들은 로마 황제 티투스의 탄압에 맹렬히 저항했으나 진압당한 이후로 일부는 무리 지어 남쪽으로 이동하였고 일부는 광활한 유럽 대륙을 떠돌기 시작했다. 사막의 모든 주요 오아시스 주변에는 고대의 '행복한 아라비아' 예멘을 포함해 작고 강력한 왕국들이 여럿 있었다. 그런 왕국들은 내륙의 대초원 옆으로 난 큰 길을 따라 산맥과 홍해 사이에 특히 많이 자리 잡고 있었다.

당시 대부분 지역의 아랍인들은 내세울 것이 별로 없었다. 그들 중 일부는 무역로 중간 지점이나 창고가 들어선 지역에 살면서 여행객을 상대로 숙박업이나 요식업에 종사하거나 도둑질로 생계를 꾸렸다. 또 어떤 이들은 쇠퇴한 육로 운송 산업에 종사하며 다마스쿠스와 아덴만 사이의 카라반을 안내하는 일을 맡아서 했다. 나머지 사람들은 가끔 이런 일들에 참여하던지 천막에서 굶주리고 있다가 부족 간 전쟁이 발발하면 무리를 지어 큰길을 지켰다. 다시 말하면 비옥한 예멘 지역을 제외한 아라비아 전체는 대륙 횡단 무역로에 의존하여 살고 있었다. 그러나 상인들을 상대로 일어나는 강도와 살인에 지친 그리스 출신의 이집트 지배자 프톨레마이오스가 아비시니아와 인도로 가는 바닷길을 열면서부터, 상대적으로 비싸고 위험한 아랍의 육로는 경쟁력을 잃었다. 그래서 무함마드의 시대에는 아라비아반도 북부의 부유한 카라반 도시들은 아무도 찾지 않는 폐허가 되어 있었다. '축복받은 아라비아'인 남부의 아라비아 펠릭스(Arabia Felix)와 '암벽의 아라비아'인 북부의 아라비아 페트라이아(Arabia Petraea) 사이에 있는 메디나와 메카는 여전히 살기 어려운 지역들이었다.

홍해 연안을 접하는 계곡의 주요 통로에 있는 이 메카라는 곳은 수천 명의 시민이 거주하는 도시였다. 이곳의 땅은 모두 소금기를 머금고 있어서 농사를 지을 수 없는 불모지였고, 추위와 폭염을 견딜 수 있는 유일한 식물인 대추야자조차 그곳에서는 자라지 않았다. 세 대륙의 재물이 이 혹독한 도시에 끊임없이 쏟아져 들어오던 시기가 지나자, 정원은 사라졌고 사막의 덤불만 남게 되었다.

전설에 따르면 아득한 옛날에 이 계곡에 돌 하나가 하늘에서 떨어졌다고 한다. 그것은 높이 6인치, 너비 8인치인 타원형의 불그스름한 검은색 돌인데, 오늘날에는 숭배자들이 얼마나 많이 입 맞추고 손으로 만졌는지 광택이 날 정도로 반들거린다. 그러나 여전히 그 표면에는 최초의 숭배자들에게 나타났던, 하늘에서 내려준

신들의 알 수 없는 문자로 된 이름과 메시지가 녹아내린 주름으로 남아 있다. 알렉산드로스 이전, 어쩌면 그보다 더 앞선 람세스 이전에 발견되었을 이 '검은 돌'은 정육면체 사원인 카바 신전의 한 모퉁이에 신성하게 모셔졌고, 어느 것이 먼저인지 알 수 없으나 시장에 온 사람들이 그것을 숭배하게 되었거나 혹은 숭배자들이 그곳에 와서 시장을 열기 시작했다. 아라비아에서는 성스러운 돌들이 드물지 않았지만, 이 '검은 돌'은 좀 더 특별했다. 맹목적인 숭배자들은 이 돌을 보기 위해 긴 순례길을 떠났다.

정육면체 사원인 카바 신전은 무함마드가 펼치는 모험의 중심지이다. 완전한 정육면체 구조물을 만들 수는 없었기 때문에 이 사원은 약간 비뚤어진 사각형의 형태를 유지하고 있다. 이 사원은 높이 약 13미터에 크고 넓으며, 문은 지상 2미터 높이에 있어서 사다리를 이용해야만 닿을 수 있다. 이렇게 높은 곳에 문이 있는 이유는 아마도 해마다 일어나는 자연재해인 홍수의 피해를 피하기 위함일 것이다. 무함마드의 시대에는 이 카바 신전 내부가 다양한 성상들로 장식되어 있었는데, 그중에서도 보물 저장 공간에 서 있던 후발이라는 우상의 성상이 가장 컸다. 또 다른 우상 중에는 알라혹은 알라트라는 이름도 있었다.

이 카바 신전에서 20미터 정도 떨어진 곳에는 잠잠의 샘이 있었다. 샘물은 약간 짭조름하고 미지근했다. 무함마드의 조부 압드 알 무탈리브(Abd al-Muttalib)가 그곳을 재발견하면서 수백 년 전 그곳에 거주했던 고대 주르훔(Jurhum) 왕조가 샘을 메울 때 묻어놓았던 황금 가젤 두 마리와 온전한 갑옷 몇 벌을 찾아냈다. 압드 알 무탈리브는 씨족의 우두머리였고, 쿠라이시 부족 내에서도 도시 내 정치를 좌지우지하는 중요한 인물이었다. 그가 죽기 8년 전 메카는 큰 재앙을 겪었다. 당시 기독교도였던 아비시니아의 왕은 같은 종교를 가진 비잔티움 제국 황제의 요청에 따라 (아마도 유대인 부족에 의해 벌어졌을) 선교사 박해에 대한 복수를 하고자 후발, 알라, 카바 신전, 검은 돌, 그리고 메카를 파괴할 목적으로 전투 코끼리까지 동원하여 원정대를 파견했다. 그러나 산악지대를 지나던 중 병사들 사이에서 천연두가 퍼지는 바람에 원정대는 승리하지 못하고 금세 회군해야만 했다. 이 사건이 바로 무함마드 전설에 필수적으로 등장하는 코끼리 전쟁이다.

전쟁 이후 도시의 관광 산업이 큰 타격을 입고 수입은 줄어들었지만 오래된 성소라는 명성이 널리 퍼지게 되는 긍정적인 결과를 얻었다. 잠잠의 샘을 발견한 압드 알 무탈리브는 이런 상황을 잘 이용했다. 그와 그의 가족은 성수를 공급하면서 수입이 늘었고 순례자들에게 음식을 제공하는 사업을 독점적으로 펼쳤다.

전쟁 당시 코끼리를 처음 본 메카인들은 그 모습이 너무나 신기했던 나머지 그해를 '코끼리의 해'라고 불렀고, 바로 그해에 무함마드가 태어났다. 그의 아버지 압둘라는 그가 태어나기 전에 세상을 떠났고 남긴 재산도 거의 없었다. 할아버지 압드 알 무탈리브는 인근의 우호적인 베두인 부족에게 이 갓난아이를 맡겼다. 그의 어린 시절에 대한 전설은 믿을 만하지도 않고 흥미롭지도 않다. 그는 염소를 돌보았으며 때때로 일종의 뇌전증(간질) 발작을 일으켰다.

여섯 살이 된 그는 메카로 돌아왔지만, 같은 해에 그의 어머니가 세상을 떠난다. 그의 할아버지 압드 알 무탈리브 역시 곧 숨을 거두었다. 어린 무함마드는 두 명의 삼촌, 가난하고 고귀한 아부 탈리브와 부자이자 아둔한 알 압바스에게 맡겨졌다. 아부 탈리브는 어린 무함마드와 함께 카라반에 합류하여 다마스쿠스로 떠났다. 그 여행은 분명히 소년에게 교육적인 면에서 좋은 영향을 미쳤을 테지만, 재정적으로는 큰 손실을 안겨주었다.

메카 시민들에게는 아직 발전된 형태의 정부 조직이 없었다. 모든 부족민이 참석할 권리가 있는 토론회가 열리면 그들 중 가장 부유하거나 가장 힘이 센 사람이 우선적인 발언권을 차지하곤 했다. 또한 이들은 원한을 반드시 되갚아야 한다는 오래된 보복 제도를 따르고 있었다. 이탈리아인, 코르시카인, 그리고 기타 후진적 인종들 사이에 남아 있는 이런 앙갚음 제도는 무질서한 시민 정치를 뜻하기도 하지만, 질서 체계가 없는 문명 초기에 아랍인이나 앵글로색슨족 등 일부 민족들에게는 꼭 필요한 정책이었다. '집단 보복'이라는 용어를 사용하면 아마도 좀 더 쉽게 이해할 수 있을 것이다.

메카를 구성하는 부족은 쿠자아 부족과 쿠라이시 부족이었다. 이 부족들은 하부의 여러 씨족으로 구성되어 있었는데, 쿠라이시 부족에게 가장 중요한 두 씨족은 하심 씨족과 우마미야 씨족이었다. 이 둘은 밀접하게 관련되어 있으면서도 혈연과 역사로 분리되어 있었다. 무함마드는 하심 씨족 출신이었고 그의 할아버지 압드 알 무탈리브는 씨족장이었다. 도시 내 시민들은 모두 파벌 씨족 중 하나의 구성원이었는데, 모든 개인의 악행이나 잘못은 그가 속한 씨족의 전통, 관습 그리고 자존심 또는 허세와 강력하게 결부되었다. 당시 살인을 저지르고 남의 것을 빼앗고 싶은 본능을 억제하는 방법에는 두 가지가 있었다. 하나는 3대와 4대에 걸친 피의 복수라는 실질적인 공포였고, 다른 하나는 행위자뿐만 아니라 동료 씨족 구성원도 무차별적인 복수의 대상으로 만드는 폭력적인 구속력이었다.

옛 메카 사회는 성격과 분위기, 그리고 활동 내용 면에서 밀수와 갱단이 설치던 시카고와 닮은 구석이 있다. 그러나 메카 시민들이 겪은 상황은 더 광범위하고 가혹했기 때문에, 그들의 삶에서 고상함이라는 것은 찾아보기 힘들었다. 이러한 오래된 보복 제도가 남긴 한 가지 긍정적인 결과라고 한다면, 씨족은 구성원이 공격받을 때 어떤 이유로도 그 구성원에 대한 지원을 아끼지 말아야 한다는 문화가 생겨났다는 점이다. 이런 문화 덕분에 무함마드는 본격적으로 인기를 얻기 전에 씨족의 비호를 받을 수 있었다.

이런 무질서의 법칙 위에 경제적으로 어려운 시기까지 겹친 상황이 또 다른 평화의 단초가 되었다. 결국 메카인들은 지나가는 카라반의 수가 감소함에 따라 점점 더 순례자들에 의지해 살아야 했고, 아랍의 우상 숭배자들은 카바 신전에서 기도할 때 자신과 상관없는 분쟁으로 인해 피를 부르는 충돌이 발생하는 상황을 원치 않았다. 어떤 이유로든 유혈 사태가 발생하면 여행객을 끌어들이지 못하기 때문이었다.

쿠라이시 부족을 비롯한 메카인들은 수 세기에 걸친 논의 끝에 1년 중 4개월 동안은 이 도시 및 교외 지역에서 무기를 휴대할 수 없다는 보복 중단 기간을 정하고 공포했다. 이 4개월의 성월(聖月)이 처음에는 시장이 열리는 기간, 즉 대추야자 수확이 시작되고 먹을 것이 풍족해지는 가을과 일치했었다. 그러나 음력 달력의 특성으로 인해 이 시기는 점차 계절과 맞지 않게 되었고, 메카 사람들은 당혹스러워하면서도 해마다 성월이 점점 빨라지는 상황을 지켜봐야만 했다. 그리하여 결국 무함마드가 활동하던 시대에는 물조차 부족한 한여름에 성월이 찾아왔다.

무함마드가 스무 살이 되던 해에는 성월의 보복 중단 약속이 깨지면서 쿠란주의자들에게 '신성모독 전쟁(Sacrilegious War)'으로 알려진 분쟁이 발생했다. 사건의 발단은 쿠라이시 부족 일파에게 돈을 빌려준 채권자가 원숭이를 데리고 시장에 와서 소리치면서 시작되었다. 그는 "나에게 돈을 빌린 쿠라이시 사람을 이리로 데려오면 이 원숭이와 교환해드리겠소."라면서 채무자인 쿠라이시 부족 사람의 이름을 불러대며 모욕했다. 이에 화가 난 한 쿠라이시 사람이 칼을 들어 원숭이의 머리를 잘라버렸다. 이를 시작으로 양측은 모두 칼과 방패를 들고 서로에게 달려들었고 이 싸움은 밤늦게까지 계속되었다.

그해 성스러운 달은 일요일의 게토처럼 엉망이 되었다. 이 기간에 격렬한 전투가 몇 번 발생했는데, 무함마드도 그중 한 전투에 참여했다. 그러나 선지자는 전사가 아니었기에 "삼촌들과 함께 신성모독 전쟁에 참여했었고 적에게 화살을 몇 발 날렸지만 후회하지 않는다."라며 훗날 자신의 역할에 대해 가볍게 언급했다. 이 사건은 그동안 쌓아온 이 도시의 명성에도 타격을 주어 이후 20년 동안 메카는 경제적으로 어려움을 겪어야 했다.

　청년 무함마드는 농작물 판매점에서 일하게 되었으나 벌이가 시원치 않았다. 그는 자신을 카라반의 운전사로 고용한 부유한 과부가 청혼하자 기꺼이 받아들였다. 그녀는 쿠라이시 부족의 유명 인사 쿠와일리드의 딸 카디자였다. 이번이 세 번째 결혼이었던 그녀는 마흔 살이었고 무함마드는 스물다섯 살의 총각이었다.

　전해지는 초상화는 없지만 그의 외모에 관한 몇 가지 특징들은 신자들의 이야기를 통해 전해졌다. 그는 키가 작은 남자였지만 눈길을 끄는 인물이었다. 그는 대체로 과묵했고, 점점 더 환상과 환영에 시달렸던 것 같다. 그러나 그는 유쾌하고 다소 떠들썩한 사람이었을 수도 있다. 그는 누군가를 향해 말을 할 때 머리뿐만 아니라 몸 전체를 돌려서 말했다고 한다. 가끔 그가 웃을 때는 눈이 사라지고 악어처럼 커다란 입 속의 잇몸과 이빨이 모두 보였다. 사람을 꿰뚫어 보는 그의 눈은 늘 충혈되어 있었다. 속눈썹이 더 윤기 있어 보이도록 화장했고 수염은 염색했는데, 누군가는 그 색이 빨간색이라고 하고 또 누군가는 노란색이었다고 한다. 그는 비단은 혐오했지만, 요란한 색상의 린넨 의상은 좋아했다. 그는 분노와 환희를 모두 폭발적으로 표현할 수 있었다. 또한 굉장히 중요한 점은 그가 '보이지 않는 가파른 언덕을 내려가는 것 같은' 특이한 걸음걸이를 가졌다는 것이다.

　결혼 후 그는 중앙 광장과 카바 신전, 그리고 잠잠의 샘이 내려다보이는 유명한 지역의 높은 거택에 살았다. 카라반의 일원에서 여유 있는 자본가의 남편으로 신분이 바뀌자 도시 내 지도자들이 도시의 문제를 논의할 때 그에게 의견을 묻기 시작했다.

얼마 후 그의 위상이 크게 바뀌게 되는 흥미로운 사건이 발생한다. 이미 지어진 지 오래되었던 카바 신전은 극심한 홍수를 겪은 후 크게 훼손되었고, 이 지역 유력 인사들은 신성한 사원에 대한 금기를 감수하더라도 신전 재건이 필요하다고 의견을 모았다. 그러나 아무도 선뜻 나서지 못하던 가운데 어떤 용기 있는 자가 곡괭이를 들고 신전에 다가가 성스러운 벽을 내리치고는 도망쳤다. 사람들은 그 사람에게 무슨 일이 생겼는지 확인하기 위해 다음 날 아침까지 기다렸다. 그 사람이 여전히 살아 있다는 것을 확인하고서야 비로소 작업을 진행할 수 있었다.

하지만 검은 돌을 다시 봉인해야 하는 문제에 이르자 씨족들 모두가 자신들의 명예를 주장하며 격렬한 논쟁을 벌이게 되었다. 결국 그들은 이튿날 광장에 가장 먼저 나타난 사람의 결정을 따르기로 동의했는데, 그렇게 선택된 사람이 우연히도 무함마드였다.

무함마드는 자신의 생각을 매우 훌륭하게 전달했다. 먼저 그는 망토를 벗어 땅 위에 펼쳤다. 그 위에 돌을 올려놓고 입을 맞춘 후 네 개 씨족의 족장에게 각각 한 귀퉁이씩 잡고 적당한 높이까지 들어 올리라고 했다. 그리고 무함마드 자신이 그들을 안내해 검은 돌을 옮길 수 있었다.*

이날 이후부터 무함마드는 점차 자연스럽게 도시의 일들에 대

✻   이런 이유로 그는 '믿을 수 있는 자'라는 뜻의 '알 아민'이라는 칭호를 받았다.

해 생각하기 시작했다. 그는 순례객의 감소와 그 원인에 대해 걱정하며, 거리 모퉁이나 혹은 바람을 피해 카바 신전 아래에서 도시의 지도자들과 만나 해결책을 논의했다.

누군가는 동의할 수 없을지 모르겠으나, 무함마드의 모험, 좀 더 일반적인 표현으로 무함마드주의(Mahomedanism)의 기초는 이렇듯 고향 도시의 재산과 이익에 대한 그의 집착에서 시작되었다. 결국 무함마드는 '고향 도시의 후원자'였으며, 이 개념은 미묘한 신학적 고찰로 이어지는 그의 삶과 교리의 여러 가지 모호함을 해결해준다.

그가 가장 먼저 고민한 것은 '어떻게 하면 전 세계, 적어도 아라비아 전체 인구를 해마다 카바 신전으로 끌어들일 수 있을까?'라는 문제였다. 종교의 가장 큰 공통분모인 유일신이라는 이상은 그 문제에 대한 해결책이었지 그것 자체가 주요한 영감은 아니었다. 순례 도시인 메카의 문제는 종교적인 문제였기 때문에 사실상 무함마드주의는 종교라고 할 수 있다. 이 남자가 자신의 생각을 펼치기 위해 애쓰는 동안 보여준 격앙된 감정 표현, 즉 뇌전증 증상들은 도움이 되기도 하고 때로는 방해가 되기도 했다. 그는 자신의 도시를 위해 세계의 관심을 끌 수 있는 선전 문구를 생각하며 머리를 쥐어짰다.

이렇게 무함마드는 너무도 엄격하고 실질적인 나머지 산술에 가까울 정도의 현실주의를 바탕으로 세상에서 가장 위험한 사업인 종교의 기틀을 마련하기 시작했다. 콜럼버스가 세 척의 배를 타고 모험을 떠났듯이 무함마드는 열정, 꿈, 악몽이라는 세 가지 규칙을 가지고 모험을 떠났다. 이때부터 그는 혼자 걸으면서 허공을 향해 손짓하기도 하고, 밤에는 혼자만의 생각을 이해심 많은 아내 카디자에게 털어놓기 시작했다.

그는 수백만 명의 유대인과 그가 시리아에서 보았던 로마와 비잔티움에서 건너온 수많은 기독교인을 카바 신전으로 끌어모으겠다는 계획을 품고 있었고, 이를 공개적으로 말하기 10년 전부터 카디자에게 말해왔었다. 아브라함이 메카를 세웠고, 아브라함의 아내 사라의 핍박을 피하여 도망친 여종 하갈이 그의 아들 이스마엘과 함께 마실 물을 구하다가 이 잠잠의 샘을 발견했다고 하는 전설이 있다. 무함마드는 이것이 바로 메카의 진정한 시작이며 메카는 이런 전설 속 선조들 덕분에 번영할 것이라고 말했다.

기독교인과 유대인 모두 아브라함을 숭배한다. 그러나 메카에서 불특정 다수의 신들을 향한 터무니없고 비산술적이며 유치하고 사악한 숭배가 계속된다면 그들은 결코 아브라함의 사원과 그 아들의 요람을 방문하지 않을 것이었다. 무함마드는 유대인이든 기독교인이든 교육받은 사람들은 누구라도 하나님이 한 분뿐이라는 명백한 사실을 인정할 것이라며 악마 같은 우상들은 사라져야 하고 오로지 알라 이외에 다른 신은 없다고 얘기했다.

그 위대한 계획을 정교화하는 과정에서 도시의 소음이 몰입에 방해가 되었다. 그는 항상 천둥이나 분쟁 또는 오가는 사람들의 소리가 거슬렸다. 이런 소음을 피하고자 그는 아내 카디자와 함께 메카에서 3마일 떨어진 조용한 히라 산으로 올라가 긴 시간을 보냈다. 도시에 있을 때는 유대인들을 자주 만나며 많은 이야기를 나누었다. 또한 그의 종이자 친구인 자이드와도 문답을 나누었는데, 자이드는 키가 작고 낮은 코에 어두운 피부를 가졌으며 기독교인들 사이에서 노예로 생활하던 자였으나 훗날 무함마드는 그를 풀어주고 양자로 삼는다. 무함마드는 유대 신학과 그들의 음식 및 의약에 대한 계율을 잘 이해했으며, 무엇보다도 구원자 메시아를 향한 유대인들의 기대에 놀랐다. 이단적인 시리아 가족을 위해 일했던 자이드의 이야기를 들어보면 기독교인들 역시 어떤 선지자, 즉 신자를 보호하고 돌보아준다는 보혜사(Paraclete)를 기다리고 있었다.＊ 이 보혜사는 무함마드의 이름과 같은 의미인 '찬양받을 자'라는 뜻의 페리클루토스(Periklutos)로 잘못 알려지게 되었다.

이런 암시들이 자꾸 나타나면서 무함마드는 점차 통솔력을 갖게 되었다. 종교라는 개념에는 필연적으로 신만큼이나 그의 사제도 필요하기 마련인데, 무함마드의 경우에 대입하면 메카에는 유일한 신뿐만 아니라 유일한 선지자가 필요했다. 종교가 만들어지는 초기 단계에서 그는 사색에서 오는 자신의 격앙을 '시'라는 출구를 통해 분출했는데, 초기의 쿠란에 적힌 운문은 지적 긴장이 끝난 이후 따라오는 여러 진부한 산문과는 현저한 대조를 이루고 있다. 이마의 핏줄이 터질듯한 사색과 거기서 나오는 엄청난 흥분을 묘사하고, 특별한 맹세로 시작하는 이 기이하고 장엄한 작품에는 더 자세한 설명이 필요 없을 정도로 선지자의 계시가 자세히 담겨 있다.

＊ 다음의 요한복음 16장 7절을 참고하라. '그러나 내가 너희에게 실상을 말하노니 내가 떠나가는 것이 너희에게 유익이라 내가 떠나가지 아니하면 보혜사가 너희에게로 오시지 아니할 것이요 가면 내가 그를 너희에게로 보내리니.'

이 점에서 쿠란 100장의 내용을 살펴보자. (쿠란의 장을 수라라고 하는데, 그 번호는 계시받은 순서대로 편집된 것이 아니라서 무작위이다.)

숨 가쁘게 질주하는 말을 두고 맹세하노니

발굽에 불꽃을 튀기고

새벽에 공격하는 말을 두고

먼지를 일으키며

적 깊숙이 돌진할 때

진정으로 인간은 주님께 감사할 줄 모르더라

진정으로 주님께서 그것들을 모두 알고 계시더라.

그는 곧 경외심을 불러일으키는 심판의 날이라는 새로운 개념을 도입한다. 셈족은 신의 심판이라는 개념을 자연적으로 추론해내는 데에 시간이 걸렸던 것 같다. 죽음 이후에 대한 언급 자체를 구약성서에서 찾아보기 힘들고, 비록 무함마드 시대의 랍비 학파들이 신의 심판이라는 개념에 사로잡혀 있었다고 하더라도, 아마 당시 후발의 숭배자들은 모세나 호메로스가 활동하던 시대의 사람들만큼이나 이 개념에 대해 알지 못했을 것이다.

무함마드가 차용한 나머지 윤리들과는 달리 이런 강력한 교리에 도달할 수 있었던 데에는 이성이 아닌 감정의 힘이 컸다. 카바 신전 바닥의 녹색 현무암과 같이 그에게 무함마드주의라는 구조물을 떠받치게 될 거대한 징조가 드리워지기 시작했다. 이것은 쿠란에서도 가장 놀랍고 드문 수라이자 그가 품은 생각의 원동력을 그린 쿠란 101장에서 확인된다.

> 재앙!
>
> 재앙이란 무엇인가?
>
> 그리고 재앙이 무엇인지 그대에게 설명하는 것은 무엇인가?
>
> 인간이 흩날리는 나방처럼 되는 날
>
> 그리고 산들이 가지런한 양털처럼 되는 날
>
> 그때 선행의 저울이 무거운 자는
>
> 행복으로 충만하여 살 것이며
>
> 선행의 저울이 가벼운 자는
>
> 나락이 그의 거처가 될 것이다!
>
> 그리고 나락이 무엇인지 그대에게 설명하는 것은 무엇인가?
>
> 그것은 타오르는 불지옥이라.

그의 말을 들어주는 아내의 도움에도 불구하고 이러한 생각들은 그를 압도하기 시작했다. 어느 날인가는 천사 가브리엘이 그의 앞에 나타나 혼란스러울 정도로 방대한 양의 유대인 전설, 기독교 이단, 알아야 할 상식, 쿠라이시족의 철학적 역사를 털어놓았다. 결국 선지자는 그것이 악마일지도 모른다고 생각했다.* 그러자 아내 카디자는 그를 안심시키며 다음에 또 머릿속의 목소리가 말을 걸면 자신에게 알려달라고 당부했다. 다시 그 천사가 나타났다고 하

---

* 쿠란 해설가인 알타바리의 이야기에 따르면, 천사 가브리엘은 무서운 힘으로 선지자가 견딜 수 없을 만큼 목을 졸랐다고 한다.

자 그녀는 슈미즈를 벗고 무릎을 꿇고 앉아 욕정이 일어나도록 그를 애무하기 시작했다. 그러자 그 목소리가 사라졌다. 카디자는 그것이 음란하거나 사악한 영이었다면 계속 남아 있었을 테지만 사라진 것을 보니 천사 가브리엘이 맞는 것 같다고 말했다.

이 시점부터 그의 종교는 전도의 단계에 접어들었고, 이후 무함마드는 모든 수라의 서두에 "이르라" 또는 "말하라"라는 한 마디를 덧붙이게 된다. 한 가지 예로, 무함마드주의의 (역사적 출발점은 아니지만) 신학적 출발점인 쿠란 112장은 다음과 같이 적고 있다.

> 이르라, 하나님은 단 한 분이시다! 하나님은 영원하시다!
>
> 그분께서는 낳지도 않으시고 태어나지도 않으셨다!
>
> 그리고 그분과 대등한 것은 아무것도 없다.

그는 메카에 자신의 종교를 소개하고, 카바 신전에서 우상을 제거하고, 기독교인과 유대인에게 변화된 방침을 알리는 등 실질적인 포교 활동을 펼쳤다. 그의 주장대로라면 메카는 전성기를 되찾게 될 것이고, '보혜사'의 자비로운 통치 아래 평화와 질서 속에서 번영을 누릴 것이며, 팽배했던 보복 문화로 생긴 실질적인 문제들도 신자들 모두가 형제이며 서로 해치는 것을 금한다는 새로운 제도의 가르침으로 해결될 것이었다.

사랑하고, 소유하고, 정해진 모든 것들을 꿈과 교환하자며 메카인들에게 전한 무함마드의 제안은 사회를 향한 모험가의 위대한 외침이었다. 그는 마법사와 악마를 숭배하던 전통적인 방식을 버리고 공정한 자신 앞에 엎드려 경배하는 것은 놋쇠 램프를 버리고 금을 얻는 것과 같다고 설파했다. 그는 또한 사람들에게 대대로 믿고 있던 신들을 모두 불태우라고, 특권층에게는 직책을 포기하고 다시 군중의 일원이 되라고, 대를 이은 숙적과 맞붙어 싸우기 위해 복수의 칼날을 갈고 있는 씨족들에게는 상대에게 먼저 손을 내밀라고, 누구에게도 순종한 적 없었을 도시의 유력 인사들에게는 순진한 과부의 재산을 착취한 이 왜소하고 눈이 충혈된 남자에게 순종하라고 말하고 다녔다. 그의 얘기를 들은 사람들이 처음으로 보인 반응은 비웃음이었다. 이후 사람들은 그를 욕하기 시작했다.

무함마드는 이제 마흔네 살이 되었다. 천사를 알아본 아내 카디자, 기독교도이자 노예였던 자이드, 선지자의 사촌이자 선량한 아부 탈리브의 아들 알리, 가난한 사촌이자 수사인 와라카, 그리고 (나중에 이슬람의 첫 번째 칼리프가 되는) 이마가 튀어나오고 마른 잡초 같은 남자 아부 바크르 등 최초의 회심자들은 오늘날 수억 명의 기도문을 통해 기억되고 있다. 특히 카디자의 사업상 친구인 아부 바크르는 최초의 외부 개종자를 데려온 인물이기도 하다. 이들은 모두 이슬람 성인이 되었지만, 불신자의 눈에는 강력한 바리톤 목소리를 가진 아비시니아 출신 흑인 노예 빌랄을 제외하고는 그저 보잘 것없는 노예나 소년, 여자로만 보일 뿐이었다.

우리는 곧 이들을 기다리는 이상한 운명을 보게 될 것이다. 첫 4년 동안 약 40명이 개종했는데, 그들 대부분은 노예였고 쿠라이시 부족은 거의 없었다. 그러나 이미 이슬람교는 메카의 부족 분열을 뛰어넘었고 도시의 정치에 혼란을 주고 있었다.

처음에 그를 반대하던 사람들은 비웃음으로 만족했다. 몇 년 동안 무함마드는 저녁마다 카바 신전 주변에 모이는 호사가들에게 좋은 놀림감이 되었다. 그러나 그를 추종하는 노예들이 다른 신들에 대해 불경한 태도를 보이자 노예의 주인인 메카인들이 그들을 핍박하는 사례가 자주 발생하였다. 간혹 개종 노예들은 족쇄에 묶인 채 해가 질 때까지 뜨거운 태양 아래에서 갈증의 고통을 견디는 벌을 받기도 했다. 이런 가혹한 대우를 받으면서도 유일하게 물러서지 않은 인물은 흑인 노예 빌랄뿐이었다. 그는 하루 종일 '알라께서는 한 분이시다'라는 뜻의 '아카드, 아카드'만을 외쳤다고 한다. 이 장면은 이 새로운 종교의 단순성을 제대로 요약하여 보여준다. 아부 바크르는 빌랄의 우상 숭배자 주인에게 몸값을 치르고 그를 풀어주었다.

이러한 상황에서 무함마드는 여러 가지 계시들을 받으며 의기소침해 있던 신자들을 고무시키기 시작했다. 이 종교의 독특함을 보여주는 쿠란 15장의 한 구절이 고통받는 신자들을 구원하기 위해 등장한다.

(불신을 강요당했으나 믿음에 변함이 없는 이들은 제외하고) **믿음을 가진 후 알라를 불신하게 되는 이들은 알라의 분노를 사리라.**

전통주의자들은 이 구절과 관련된 일화를 기록해놓았다. 어느 날 무함마드는 고통받으며 신음하고 있는 암마르라는 노예를 만나서 우상 숭배자들로부터 고문을 당한 까닭을 물었다.

"오, 선지자시여, 저들은 제가 당신을 부정하고 저들의 신에 대해 좋게 말할 때까지는 저를 풀어주지 않을 것입니다."

이에 무함마드는 이렇게 말했다.

"하지만 그대의 마음은 어떠한가? 믿음을 굳건히 지키라. 저들이 계속해서 핍박할지라도, 그대 역시 계속해서 믿음을 지키라."

이 귀중한 규율 외에도, 신자들이 좀 더 인내할 수 있는 계기가 생겼다. 지금까지 그들은 지옥에 대한 두려움에 떨었지만, 이제는 신자들을 위한 낙원에 대한 소식도 듣게 되었기 때문이다. 천사 가브리엘이 가져온 기쁜 소식은 쿠란 78장에 등장한다.

진정으로 경외하는 자에게 낙원이 있나니
초록 동산과 포도원
가슴이 부풀어 오른 또래의 소녀들
그리고 넘치는 잔이 있도다.

포도주는 이들 세계에서 금지되었기 때문에 나중에는 '사향으로 밀봉하고 생강으로 맛을 낸' 음료로 묘사된다. 그리고 차차 매일의 기도인 쿠란 1장과 함께 수많은 유럽의 소설가들과 극작가들에 의해 소개되어 따뜻한 동방이라는 독특한 지역색을 풍기는 이슬람의 요소가 완성되어간다.

무함마드와 아부 바크르, 그리고 그와 합류한 메카의 자유 시민들은 이제 주의해야 할 대상이 되었지만, 그들이 폐지하고자 했던 보복 제도 덕분에 씨족의 보호를 받을 수 있었다. 상당한 권력자이면서 불굴의 우상 숭배자인 히샴이 무력으로 이슬람 세력을 진압하자고 제안하면서 했던 다음의 발언이 기록되어 있다.

"당신이 나의 부족 중 한 명을 죽이면 나는 그를 대신하여 당신들 중 가장 뛰어난 자를 죽여야 하니 명심하라."

이런 교착상태에서 선지자를 반대하는 이들은 그가 다른 종교를 표절했다고 비난했다. 그가 '유대인들을 통해, 그리고 전 기독교도인 자이드를 통해 다른 종교들의 생각을 훔친다'라는 조롱이 가장 흔했다. 무함마드가 기독교로부터 차용한 것이 많기는 하지만, 자기 종파의 가르침을 제대로 파악하지 못한 일부 기독교인들이 이단 단성론자(Monophysite, 예수 그리스도는 신성과 인성이 하나로 결합한 단성이라고 믿는 종파-옮긴이)라는 혼란스러운 이념을 무함마드에게 전하면서 왜곡이 일어난 것이기 때문에 표절 문제에서 벗어날 수 있었다.

훨씬 더 폭넓게 차용한 유대교에 대해 말하자면, 그의 출처가 유대교 경전 원본이 아니라 후기 탈무드의 전설이라는 점 외에도 그가 여기에 기발한 상상력으로 반전을 추가했다는 점을 감안하면 표절이라는 비난은 부당하다. 쿠란에는 이를 보여주는 일화들이 여럿 등장한다. 예를 들면 시나이산이 갑자기 공중으로 솟아올라 위협을 감지한 이스라엘 백성들이 율법을 받아들이게 되었다는 이야기, 다윗이 오르고 있던 산이 그의 숭고한 노래에 맞춰 신을 찬미했다는 이야기, 안식일을 지키지 않은 유대인들이 형벌로 갑자기 붉은 원숭이가 되어버렸다는 이야기, 잠시 잠이 들었던 에즈라가 눈을 떠보니 백 년이 지나갔다는 이야기 등이 여러 장에 걸쳐 소개된다.

그러나 여전히 씨족의 보호를 받지 못하는 이방인 개종자들의 문제는 해결되지 않은 상태였고, 노예 개종자를 박해하는 주인들이 몸값으로 터무니없는 가격을 요구하면서 카디자와 아부 바크르의 재산이 점차 줄어드는 상황이어서 노예 개종자들의 문제 역시 해결되지 않았다. 이들 중 일부는 인자한 기독교 흑인 왕이 통치하던 아비시니아 왕국으로 이주하기 시작했는데, 이를 '최초의 이주'라고 한다. 쉰 살이 되어가는 무함마드는 계시에 따라 이들의 이주를 지원했다.

이 최초의 이주자 중에는 우상 숭배자들의 사당 근처에 사는 것을 참을 수 없었던 열광적인 신자들도 있었는데, 무함마드는 그들이 안도하며 떠나는 뒷모습을 보아야 했다. 모험의 신이 그를 짓눌렀으나 그는 행복한 결말에 도달할 수 있다고 믿을 만한 이유가 있었다. 메카의 지도자들은 그가 다신교를 옹호하면 합의가 가능하다는 사실을 알려주었다.

개종자들이 피난을 떠난 어느 날, 마침 카바 신전에 모든 씨족장이 모여 있는 것을 보고 그가 큰 소리로 다음의 시 한 구절을 낭송하기 시작했다.

나는 가브리엘을 또 한 번 보았노라.
그는 저 멀리 세상 끝에 서 있는 나무 옆
편안한 낙원이 가까운 곳에 있었으니
나의 시선은 흩어지지 않고

실로 하나님의 가장 훌륭한 경이를 보았노라.

그는 이야기를 이어간다.

(내가 물었다) 당신은 알라트와 알웃자를 어떻게 생각하십니까?
마나트는 또 어떻습니까?

이들은 카바 신전에 모셔진 여신들이었다. 가브리엘은 이렇게
대답했다.

그들은 고귀한 여성들이며
알라와 인간 사이의 중보자로 경배할 수 있노라.

이 시를 들은 쿠라이시 부족은 모두가 기뻐하며 그를 인정하고
신전을 향해 절하며 숭배했다.

무함마드의 인생 궤적은 모든 현실주의의 위대한 목적지인 타
협으로 그를 안전하게 인도했다. 바람을 막아주는 카바 신전의 벽
아래에서 쿠라이시 부족과 타협하는 이 행복하고 합리적인 장면
은 무함마드가 자신의 힘으로 이뤄낸 성과였다. 메카 방문을 독려
하는 구호를 생각해낸 이 기발한 기획자이자 도시의 홍보대사는
그동안 사색하며 고난을 겪었던 시기를 보상받고자 했고, 모험의
신들에게 자신을 내려놓으라는 신호를 보냈다.

사실 이것은 우리가 앞서 살펴본 모험가들을 통해서 알게 된

치명적인 전환점, 즉 모험에서 하락이 시작되는 순간이다. 우리가 지금껏 살펴본 모든 경우에서 파멸은 그들 자신의 성격, 즉 원동력의 과열과 '욕구'와 '소유' 사이의 균형 변화로 인해 발생했으며, 그 결과 그들은 불명예, 고통, 조롱 속에 쓰러졌다. 그가 단순한 지리학이나 단순한 역사 속을 여행하고 있었다면 의심할 여지 없이 그의 이야기는 '그리고 그는 그 이후로 불행하게 살았다'라는 결말로 마치게 될 것이다.

이 모호한 도시의 이론가는 어쩌면 몇 달 동안 인기를 얻고 몇 년 동안 영향력을 행사한 이후, 그가 최선을 다해 없애고자 했고 지금까지 자신의 안전을 보장해준 보복 제도의 역효과로 무대에서 쫓겨났을 수도 있었다. 그러나 그의 성격이 아무리 엉망이라 할지라도 이 초자연적인 상인은 어둠과 싸웠고, 인간의 마음 깊은 곳 거대하고 알 수 없는 바다를 건너고 있었다. 마치 그가 간신히 불러낸 어떤 힘이 그의 목덜미를 잡고 하늘 위로 던져 올려 보편적인 인류애를 외치게 된 것처럼, 이제 그의 앞에는 저항할 수 없는 엄청난 반동이 기다리고 있었다.

사실 그가 경배한 것은 알라도 아니었고, 가브리엘, 아즈라엘, 에블리스는 더욱 아니었다. 오히려 전에는 아무도 숭배하지 않았고 감히 인간의 얼굴을 한 적도 없으며 작은 우상조차 만들어진 적이 없는 인과 관계라는 방대한 산술이 숭배의 대상이었다. 몸짓으로 말하는 이 왜소한 선지자의 깃발은 이제 세계 정복이라는 저항할 수 없는 흐름으로 향하고 있었다. 좀 더 짧게 말하자면, 무함마드와 그의 종교를 위한 시간이 다가온 것이다.

아라비아의 주민들은 기아에 시달리고 있었고, 배고픔으로 약해지는 단계를 넘어 분노하는 단계에 있었다. 무역과 관련된 요인 탓도 있지만, 수 세기 동안 건조해진 기후 탓도 있었다. 바빌론의 기름진 평원은 황폐해진 지 오래였고 수로는 바람에 밀려온 모래로 막혔으며 도시들은 언덕에 묻혔다. 수 세기 전에 중앙아시아 지역으로 진출한 셈족에게는 무리 짓는 본능이 있었는데, 이것은 바위투성이 협곡을 뚫고 길을 찾는 새로운 강줄기처럼 무수한 부족들의 질투심과 두려움에 맞서 필사적으로 싸우는 과정에서 생긴 것이었다. 이 작은 선지자 뒤로 역사가 쌓이고 있었고 그는 그 무게를 완강히 버텼다.

요약하면 무함마드는 부족을 초월한 통합, 복잡하고 믿을 수 없게 된 부족의 신들을 대체할 산술적 신학, 낙원이라는 목적지와 지옥이라는 공포, 기도 문구, 심지어 종교가 아니라면 생각하기 어려운 금식 기간까지 포함해 인간이 요구하는 모든 요소를 다루는 윤리 원칙을 만들어냈다. 그는 그때까지 아라비아 전사들을 주저하게 했던 죽음에 대한 두려움을 제거했으며, 이것은 그들의 약탈 본능을 더욱 강화하는 요인이 되었다.

무함마드가 메카인들과 타협했다는 소식을 들은 추종자들은 서둘러 아비시아니에서 메카로 돌아왔고 이제는 그의 든든한 지원군이 되었다. 이후 무함마드는 새로운 계시에 따라 다신교를 인정했던 '사탄의 계시'를 취소하는데, 이로써 평화는 사라지고 더욱 치열한 갈등의 단계로 접어들게 된다.

분노한 쿠라이시 부족은 그의 씨족에서 무함마드를 파버리기 위해 부족 내 원로인 아부 탈리브에게 조카인 무함마드를 확실하게 떼어내라고 요구했다. 아부 탈리브는 여전히 이슬람에 적대적이었지만 쿠라이시 부족의 요구를 거절했다. 그리고 그는 씨족 중에서 선택된 젊은이들을 데리고 카바 신전으로 가서 그들에게 다음과 같이 명령했다. "외투 안에 숨기고 있는 것을 꺼내라." 그러자 그들이 무기를 꺼내 들었다. 그런 다음 쿠라이시 부족에게 이렇게 외쳤다. "후발과 알라트, 그리고 마나트에게 맹세하건대, 만약 그를 죽이면 한 사람도 살아남지 못할 것이다."

이런 씨족의 보호 속에 무함마드는 압드 알 무탈리브의 또 다른 아들 함자와 마을의 큰 골칫거리였던 우마르, 이렇게 두 명의 주목할 만한 개종자를 얻었다. 유혈 사태를 두려워한 쿠라이시 부족은 이슬람교 불신자와 신자를 가리지 않고 하심 씨족 전체에 대한 엄숙한 봉쇄를 선언했다. 이에 따라 쿠라이시족은 하심 씨족의 여자들과 결혼하지도 않았고 그들에게 시집 보내지도 않았으며 그들에게 아무것도 팔지 않았고 그들에게서 아무것도 사지 않았다. 이제는 보이지 않는 벽이 하심 씨족을 막게 되었다.

사건이 전개될 때마다 내적 추진력이 증가했던 무함마드는 이제 외부의 논리로 압박받게 되자 새로운 방법을 찾았다. 지금까지 그의 메시지가 메카인들을 대상으로 했다면, 이제 그는 시장에서 만나는 순례자들, 특히 유대인 상인들에게 설교하기 시작했다. 그러나 이 복음 전도자가 나타나는 곳마다 적대적인 쿠라이시 부족이 따라다니며 야유하고 위협했다. 특히 눈을 가늘게 뜨고 양쪽으로 살이 흘러내린 뚱뚱하고 고급 아덴의 옷을 입은 남자가 그를 끈질기게 쫓아다니며 "그를 믿지 마시오. 그는 거짓을 전하는 배신자요!"라고 외쳤다. 이 사람은 바로 그의 또 다른 숙부 압드 알 우조 아부 라합이었다.

그 후 2~3년 동안 신자들은 이런 박해를 받으며 지냈다. 그 사이에 무함마드의 사랑하는 아내 카디자가 세상을 떠나고 무함마드와 그의 우상들 모두에게 끝까지 충실했던 선한 삼촌 아부 탈리브도 숨을 거두었다.

새로운 포교 단계에서 선지자는 대단한 에너지를 보여주었다. 그는 포교를 위해 다음 마을인 알 타이프로 갔으나 그곳 주민들이 그에게 돌을 던지고 흙을 뿌리는 바람에 어쩔 수 없이 그곳을 떠나야 했다. 그러나 북쪽으로 11일 동안 낙타를 타고 가야 도착하는 메카의 경쟁 도시 메디나에서 온 사람들에게 종교를 전파하는 데에는 성공을 거두었다. 상당히 많은 수의 메디나 순례자들이 그에게 마음을 열었다. 메디나의 유대인들은 매우 강력하고 수가 많았으며, 일종의 비공식 개종자인 무함마드에게 굉장히 호의적이었다. 서기 621년의 순례에서 이 메디나 사람 중 12명이 실제로 선지자와 아카바 서약이라고 하는 혈맹 서약을 맺었다.

이 아카바 서약은 이슬람교 역사의 전환점이 되었다. 이제 무함마드는 심리적으로 메카를 버리고 아라비아 여러 지역을 돌아다니며 다음과 같은 말을 했다. "신 외에는 아무것도 없다. 너희는 그에 따라 아라비아반도 전부와 알 아잠(Al-Ajam, 이국의 땅)을 통치할 것이며 너희가 죽을 때 너희는 낙원에서 왕처럼 살게 될 것이다."

그의 포교 정책을 주시하고 있었으나 그것이 완전히 성공할 때까지 알아차리지 못했던 쿠라이시 부족은 이슬람 신자들을 더욱 핍박했다. 신자들은 메디나로 넘어가기 시작했고, 집 문을 잠그고 밤에 메카를 떠나는 가정이 늘어났다.

메디나를 향한 조용한 이주가 꾸준히 진행되자 그의 적들은 이 상황을 위험한 경보로 받아들였다. 무함마드 추종자들의 메디나 이주는 가족 단위로 비밀리에 진행되었고 마치 전염병이 도는 것처럼 문이 잠긴 집이 점점 더 많아졌다. 어느 순간이 되자 무함마드와 아부 바크르만이 적대적인 도시 메카에 남아서 꾸준히 포교 사업을 펼치고 있었다. 쿠라이시 부족은 비밀 집회를 열어 이 모든 문제의 원인인 두 인물을 처치하자는 데에 동의하고 자객을 보내 암살 계획을 세웠다. 무함마드와 아부 바크르도 이런 소문이 돌고 있다는 사실을 알게 되었고, 이제는 오래전부터 계획했던 탈출을 서둘러야 했다.

이들의 메카 탈출, 즉 성천(聖遷) 헤지라(Hegira)에 관한 수많은 신화가 있지만 여기서는 몇 줄로 요약하겠다. 전체적인 개요는 실제로 매우 간단하다. 메디나로 가는 길이 메카인들에 의해 막혀서 이들은 감시가 소홀해질 때까지 도시 외곽에 숨어 있기로 했다. 무함마드는 예전에 카디자와 여행 다닐 때 보았던 메카에서 약 1시간 30분 거리에 있는 싸우르 산 정상에 있는 동굴을 은신처로 떠올렸다. 저녁이 되자 두 사람은 무함마드의 집 뒤쪽 창문을 통해 조심히 빠져나와 메디나가 있는 북쪽이 아니라 반대 방향인 남쪽으로 향했다. 그들이 지나간 길은 꽤 가파르고 험난한 산길인데, 현대의 이슬람 순례자들에게는 매우 가치 있는 순례길이 되었다.

한밤중에 무함마드의 집을 습격한 쿠라이시족 암살단은 두 사람이 이미 떠났다는 사실을 알게 되었다. 그들은 도망자들을 추격하기 위해 즉시 발 빠른 낙타를 타고 메디나로 향했고, 사람들을 풀어 주변 곳곳을 뒤졌다. 두 사람은 동굴 입구에 거미가 거미줄을 치고 야생 비둘기 두 마리가 입구 위에 둥지를 트는 등 천사의 도움으로 발각되지 않을 수 있었다. 며칠 후 쿠라이시족의 감시가 느슨해진 틈을 타 두 사람은 도시 내 공모자들이 준비해준 낙타를 타고 메디나로 향했다. 그들이 메디나로 이주한 날인 서기 622년 6월 20일은 이슬람력의 시작이 되었다. 당시 무함마드는 쉰세 살이었다.

모험의 새로운 중심지인 메디나는 그가 떠나온 메카보다 크고 비교할 수 없을 정도로 더 살기 좋은 곳이었다. 비옥한 계곡이 있고, 대추야자와 숲과 정원으로 둘러싸여 있으며, 메카와 마찬가지로 이곳도 카라반이 지나는 곳이었지만 명성과 규모 면에서 메카를 능가하는 도시였다. 그곳에 도착한 무함마드와 아부 바크르는 그들을 반기며 환호하는 추종자들을 만났다. 그리고 곧 거처 문제가 제기되었는데, 이 문제를 해결하려면 약간의 기지가 필요했다.

잠들지 않는 현실 감각을 가진 무함마드는 선지자를 서로 자신의 집으로 모시겠다는 추종자들 사이에 질투심이 생길 수 있음을 감지했다. 그는 유명한 그의 낙타 알 카스와에게 결정권을 주는 방안을 떠올렸고, 사람들에게 낙타가 걸음을 멈추는 곳에 거처를 마련하겠다고 말했다. 말다툼을 벌이던 신자들은 이 낙타가 지나갈 수 있도록 길을 열어주었고, 반은 신학적이고 반은 장난 같은 이 방법이 요구하는 대로 모두가 조용히 그 뒤를 따랐다. 알 카스와는 느긋했다. 이 암낙타는 붐비는 시장 한가운데를 거닐며 주요 거리를 따라 내려갔고, 이따금 놀리듯이 열린 관문에서 코를 훌쩍이며 잠시 머뭇거렸으나 결국 도시를 완전히 빠져나와 교외의 황량한 지역에 도달할 때까지 걸음을 멈추지 않았다.

버려진 채 방치된 어느 별장에 도착한 이 낙타는 겁에 질려 당황해하는 회중이 지켜보는 가운데 먼지투성이인 안뜰로 들어가 쪼그려 앉았다. 즉시 (오랫동안 낙타를 묶어두는 마당으로 사용되었던) 그곳을 구매하기 위한 준비가 이루어졌고, 이렇게 선택된 자리에는 곧 최초의 이슬람 사원이 세워졌다. 무함마드는 이곳 주변에서 여생을 보냈고 이곳에서 숨을 거두었으며, 초대 칼리프 아부 바크르와 2대 칼리프 우마르의 무덤 옆에 묻혔다.

메디나 시대에 무함마드의 역사는 전통이라는 독특한 덩어리로 가려지고 장식되어 있으며, 이슬람의 도덕과 관습 및 법률 등 불변하는 부분만 최소한으로 기록되어 있다. 이 성인에 대한 기록들 대부분은 심리적으로 흥미롭지만, 사탄의 계시와 헤지라에 이르기까지 관찰되는 그의 성격 자체는 전체적으로 변하지 않았다.

그러나 이제는 그의 지위에 따라 영향력도 달라졌다. 요컨대 이 메디나의 선지자는 이제 한 사람이 아니라 하나의 조직처럼 행동했다. 장엄하고 불가피한 역사적 논리로 전개되는 그의 모험 속에서 그는 모든 면에서 단순한 도구나 명제에 불과했다. 한 가지 예외가 있다면 그가 탐닉한 여성에 대한 취향이었다. 이제 그는 카디자 대신에 아부 바크르의 열두 살짜리 딸 아이샤를 은혜로운 모임의 핵심으로 취할 수 있었다. 그의 어린 아내 아이샤는 "선지자께서는 여자, 향수, 음식, 이렇게 세 가지를 좋아했지만, 그중에서 가장 좋아하는 것은 여자였다"고 증언하기도 했다. 그의 세력이 빠르게 확장함에 따라 그는 기회가 있을 때마다 새로운 여성을 아내로 추가했다. 추종자인 남편의 죽음으로 홀로 남게 된 여성들이 주요 대상이었다.

그의 인생 후반부는 크게 '유대인과의 관계'와 '메카인들과의 전투'라는 두 가지로 나눌 수 있다. 기이한 미로 같던 인생 초반에 유대인이 원했다면, 혹은 (무함마드가 말했듯이) 유대인이 분별력이 있었다면, 그들이 이슬람을 전유할 수도 있었다는 사실을 깨닫는 순간 그는 소름 끼치게 놀랄 것이다. 우리가 이렇게 축약된 이야기만 들어도 무함마드는 유대인들의 제자이자 모방자였으며, 그가 메디나에 머무르기 시작했을 때는 거의 그들의 창조물이나 마찬가지였다.

추종자들의 세력이 너무 작고 가난하여 씨족 지도자들의 의사결정에 아무런 영향을 미치지 못하던 시기에 그에게 피난처를 제공한 사람도 바누 나디르, 바누 아미르 같은 유대인 부족들과 메디나의 부유하고 호전적이며 정치적인 히브리인들이었다. 초기에 이 선지자와 그의 신도들은 유대인의 거룩한 도시 예루살렘을 향해 기도를 시작했고, 그들과 영구적인 동맹을 약속한 문서가 존재한다. 유대인이 놓쳐버린 (또는 의심할 바 없이 거부한) 기회에 대한 이

유서 깊은 기념물은 '공동의 전쟁과 평화'를 제공하고 '유대인 씨족은 신자와 한 민족'이며 '유대인 중 누구라도 우리의 원정을 따르는 자는 지원과 구원을 받을 것'임을 보장한다.

이 모든 것의 기저를 살펴보면 무함마드는 확실히 그들의 구세주가 될 자격이 있었다. 유대인의 특정 분파는 그를 지지했을 것이고, 열렬한 일신론자, 탈무드주의자이자 토라의 완전성에 대한 증언자인 무함마드보다 더 이사야의 예언을 충족하는 인물은 없을 것이다. 무함마드야말로 현실주의자들이 요구하는 군사력을 실현할 수 있는 인물이라며 동료 유대인들과 논쟁했을 가능성이 있다. 놀랍게도 무함마드와 그의 지지자들이 메디나의 유대인들과 논쟁을 벌인 주제는 그에게 초자연적 요소라고 부를 만한 것이 부족하다거나 그의 주장을 뒷받침할 만한 독특한 분위기가 없다는 것이 아니었다. 예언이 (유대인들이 주장한 대로) 다윗의 자손에게 적용되는지, 혹은 그저 아브라함의 아들이자 최초의 아랍인인 이스마엘에게 적용되는지에 관한 것이었다. 이 논쟁에서 결국 다윗주의자들이 승리했고, 이로써 세계는 가장 찬란한 문명사를 보여주었던 셈족의 위대한 재결합을 볼 수 없게 되었다.

무함마드는 분노에 휩싸였고 그를 거부하는 이들에게 대가를 치르게 하겠다는 생각에 이르렀다. 이런 단절을 상징적으로 보여주는 사건이 모스크(이슬람 예배당)의 방향을 뜻하는 키블라(이슬람에서 무슬림이 예배하는 방향)의 갑작스러운 변화이다. 선지자는 메디나에 도착한 지 약 2년 후에 두 개의 키블라 모스크라는 이름을 받게 되는 사원에서 신자들의 기도를 인도하고 있었다. 이미 예루살렘을 향해 두 번 엎드려 기도한 상태였지만 분노가 목까지 차오른 그는 갑자기 메카와 카바 신전 방향으로 몸을 돌렸다. 숭배자들은 모두 그를 따라 기도의 방향을 바꾸었고, 그 이후로 유대교와 이슬람교는 갈라졌다. 그와 동시에, 그는 기독교가 종소리를 사용하고 유대교가 숫양의 뿔로 만든 나팔을 사용하듯, 이제는 그의 추종자들에게 예배를 알리는 독특한 신호가 필요하다고 느꼈다.

무함마드는 넓게 퍼지는 우렁찬 목소리를 가진 아프리카 출신 빌랄에게 새벽에 미나레트(첨탑이 있는 이슬람 예배당-옮긴이)에 올라 아잔(이슬람식 예배를 올리기 전에 내는 외침-옮긴이)을 외치게 했다. 아잔에는 다음과 같은 내용이 들어 있다. "기도는 잠보다 더 이롭다. 증언컨대 알라 외에 다른 신은 없도다."

이후 무함마드는 설득, 배신, 책략 등 모든 형태의 정치적 수완을 동원하여 메디나의 주인이라는 확고한 입지를 다졌다. 이 힘으로 그는 메카인들을 향한 복수를 시작했다. 휴전의 성월에도 요새를 지나는 메카인들의 카라반을 공격했고 거기서 나온 전리품을 8 대 2라는 신성한 비율로 그의 추종자들과 나누어 가졌다. 이 무장 강도 사건은 놀랍도록 다양하고 극적이며, 아라비아의 이야기꾼들을 통해 천 년 동안 이어져 내려오고 있다.

이후 무함마드는 점차 전리품을 탐하고 포로들을 잔인하게 대하기 시작했으며, 가장 예쁜 소녀들에게만 자비를 베풀었다. 바드르 전투와 우후드 전투라는 두 가지 주요 사건 이후 몇 년 동안 유대인에게 배반 혐의를 씌워 그들을 학살하고 메디나에서 추방하는 일이 수시로 일어났다. 이제 무함마드는 도시에 거주하는 사람들에 대한 복수에 만족하지 않고 사막에 있는 유대인 정착촌까지 침공하기 시작했다. 유대인들이 대거 거주했던 카이바르 지역에서 신자들은 위대한 검은 깃발, 즉 아이샤의 슈미즈인 '독수리' 아래에 모여 싸웠다.

카이바르에서 승리를 거둔 무함마드는 아름답다고 소문난 유대인 여성 샤피아를 자신의 전리품으로 취하기 위해 빌랄을 보냈다. 빌랄은 '그녀가 공포에 질리도록' 돌아오는 길에 의도적으로 그녀의 아버지가 전사한 전투 현장을 거쳐왔으나, 이런 잔인함에도 그녀는 기꺼이 무함마드의 하렘에 합류했다. 그러나 또 다른 유대인 여성 자이나브는 그렇게 호의적이지 않았다. 자이나브는 잔치 음식으로 양고기를 준비했다. 무함마드가 어깨 부위를 좋아한다는 사실을 알고 있던 그녀는 특히 어깨 부위에 더 많은 독을 발랐고, 그 고기가 담긴 접시를 무함마드 앞에 가져다 놓았다. 무함마드는 고기를 몇 입 베어 먹다가 맛이 이상했는지 먹던 음식을 뱉어버렸다. 그러나 그의 옆에서 같이 고기를 먹던 친구는 결국 죽고 말았다. 자이나브는 망자의 친척들에게 넘겨진 후 고문을 받다 죽었다. 선지자는 이 사건 이후 제대로 회복하지 못했고 결국에는 그것이 원인이 되어 사망한 것으로 추정되는데, 이로써 유대인들은 그를 죽였다는 비난을 받게 되었다.

헤지라 7년 후, 무함마드는 쿠라이시 부족과 후다이비야 평화협정을 맺고 추종자들을 멀리 떨어진 출발점이자 순례지인 메카로 인도했다. 메카의 불신자들은 그들에게 도시를 내어주고 언덕

위로 올라가 그들을 지켜보았다. 말을 타고 도시에 들어온 순례자 2,000명은 '라바이크, 라바이크!(Labbeik, '신이시여 저는 준비가 되었습니다'라는 뜻-옮긴이)'라고 외쳤다. 순례자 무리의 선두에 선 선지자는 카바 신전으로 다가가 그의 참모들과 함께 경건하게 검은 돌을 만졌다. 카바 신전은 아직 후발을 비롯한 다양한 우상들이 서 있는 다신교 신앙의 중심이었지만, 빌랄은 벽에 올라 기도를 알리는 소리를 외쳤다. 사흘이 지난 후 신도들은 메카에 있는 자신들의 집 문을 잠그고 다시 메디나로 돌아갔다.

그로부터 2년 후에 벌어진 메카 정복은 전반적으로 순조롭게 진행되었다. 이슬람 세력은 이미 쿠라이시족 세력보다 규모 면에서 압도적으로 커졌고 메카도 내부 폭동으로 혼란스러웠던 터라 마침내 무함마드가 나타났을 때 메카는 거의 제대로 저항도 하지 못하고 무너졌다. 반대파였던 아부 수피안도 새로운 신앙을 받아들이고 신자가 되었다.

무함마드는 카바 신전을 일곱 바퀴 돌고 난 후 신전에서 꺼내온 우상들을 지팡이로 가리켰다. "이제 진리가 찾아왔도다!" 그가 이렇게 외치자, 한 흑인이 도끼를 들고 신비로운 기도의 대상이었던 고대 아라비아의 우상들을 완전히 파괴했다.

한때는 꿈도 꾸지 못했던 이 승리에도 불구하고 그를 이끄는 힘은 한순간도 흔들리지 않았다. 그가 잠잠의 샘물을 순례자들에게 팔 수 있는 독점권을 숙부 중 한 명에게 주었다는 기록이 있으나, 그에게는 지상 세계의 여러 왕과 성주에게 자신을 알리는 일이 훨씬 중요했다. 주권자들은 봉인되지 않은 서신은 받지 않는다고 말한 추종자의 조언에 따라 무함마드는 은으로 인장을 만들어 고대 아랍 문자로 '신의 사도 무함마드'라고 새겼다. 그는 신이 다시 인간사에 개입하게 되었음을 알리는 서신을 작성하고 인장을 이용해 봉인한 후 비잔티움의 황제, 페르시아의 황제, 이집트의 총독, 시리아의 태수에게 발송했다.

그의 호위병 중 간택된 특별 사절들이 이 서신을 운반했다. 그들은 각자 목적지에 도착했는데 콘스탄티노플에서는 미로 같이 복잡한 절차 때문에 서신이 황제에게 닿기 전에 사라져버렸다고 하고, 페르시아로 전해진 서신은 그곳의 황제가 갈기갈기 찢어버렸다. (이 소식을 들은 무함마드는 이렇게 말했다. "하나님, 그의 왕국을 찢어내어 주소서.") 이집트에서는 애매한 답신과 함께 아름다운 콥트 출신 소녀 노예 두 명을 선물로 보냈다. 그중 한 명인 마르야는 노년의 무함마드에게 기쁨과 슬픔을 동시에 주었다. 그녀가 무함마드의 아들 이브라힘을 낳았으나 그 아들이 어린 나이에 죽어버렸기 때문이다.

그러나 모험가 무함마드는 이제 공개적으로 자신의 성격과 별개가 되어버린 모험에 휘말려버렸다. 모험은 이제 순례 여행을 넘어 여러 왕과 민족, 모든 문명과 종교를 회복할 수 없는 망각으로 끌고 가는 운명의 눈사태로 자라고 있었다. 그가 노년에도 여전히 쏟아내고 있던 종잡을 수 없는 글과 저주, 이야기*를 넘어 하렘 내

---

* 압드 알 라흐만은 메카 근처에서 순례자들이 낙타를 몰고 가는 것을 보았다고 한다. 그들은 "선지자에게 영감이 임했다"라고 외치고 있었는데, 그가 가까이 다가가서 보니 무함마드가 암낙타에 타고 있었고, 그 암낙타는 흥분한 듯 앉았다가 일어서고 다리를 꼿꼿이 뻗었다가 벌렸다 하는 등 기이한 행동을 하고 있었다. 선지자가 쿠란을 낭송하고 있던 것이었다.

부의 갈등에서 비롯했을 새로운 법률들을 보면 그의 계획이 어렴풋이 보인다.

이 노인이 세운 계획의 종착지는 신도 모두를 하나로 묶어 전 세계를 조직적으로 약탈하는 강도 국가라고 하는 거대한 조직이었다. 새로운 종교는 작은 불씨가 강풍을 만나 퍼지듯 사막 지역을 휘감았다. 굶주리고 야윈 사막의 거주민들과 폐허가 된 도시의 거주민들은 이슬람을 상징하는 흑기(黑旗)를 향해 스스로 달려가거나 혹은 그가 보낸 저항할 수 없는 무리와 힘을 합쳤다.

아랍인들은 마침내 세상을 뒤흔드는 강력한 모래폭풍으로 바뀌었다. 무함마드는 모든 이들에게 전리품을 나누어주었는데, 그 중 5분의 1은 고아와 가난한 자와 여행자를 위한 것이라고 정했다. 기독교인이나 유대인과는 공유하지 않았는데, 그것이 그들이 받아야 하는 벌이라고 했다.

632년 6월, 그가 사망할 당시에 무함마드는 원동력을 잃고 기묘하게 조각되고 색이 더해진 인물이 되었다. 그는 아이샤의 품에 안긴 채 눈을 감으면서, 그의 늙은 삼촌 알 아바스를 제외한 방에 있는 모든 사람이 자신의 약을 나누어 먹어야 한다고 장엄하게 주장했다. "당신이 나에게 약을 주셨듯이 여기 모든 이가 다 같이 약을 나눠 먹게 하소서."

그의 뒤를 아부 바크르가 계승했고, 이후 우마르가 다시 그 뒤를 이었다. 무함마드가 죽은 지 3년째 되는 해에 그의 추종자들은 다마스쿠스를 정복했다. 이들은 1년 후에 비잔티움의 황제를 시리아에서 몰아내고, 5년 후에는 이집트와 페르시아를 장악했다. 어린 시절에 무함마드를 보았던 사람이라면 성인이 되어서는 서쪽의 피레네산맥과 동쪽의 중국을 경계로 삼을 정도로 확장된 이슬람 세력을 볼 수 있었다. 그가 죽은 지 정확히 100년 후에 이슬람교의 물결은 프랑스의 투르까지 퍼져갔고, 당시 프랑크 왕국 카롤루스 마르텔의 기병이 이들을 막지 못했다면 그다음 해에는 영국까지 넘어왔을 것이다.

제5장

롤라 몬테즈

"사람들이 원한다면 나를 헐뜯게 놔두되
어쨌거나 사람들의 입에 계속 오르게 하라."

◆

Lola Montez
(1821년 2월~1861년 1월)

◆

아일랜드 출신의 무용가이자 연극 배우. 바이에른 왕국의 국왕
루트비히 1세의 정부가 되어 국정에 간섭하고 막강한 권력을
휘둘렀다.

　이쯤에서 더 이상 여성 모험가에 대한 소개가 늦어지면 안 될 것 같다. 이제 첫 번째 여성 모험가인 롤라 몬테즈(Lola Montez)를 소개하고자 한다. 관능적인 무어인들이 정한 미의 기준에 따르면 미인은 하얀 피부와 치아와 손, 검은 눈과 속눈썹과 눈썹, 붉은 입술과 뺨과 손톱, 기다란 몸과 머리카락과 손가락, 짧은 귀와 치아와 턱, 넓은 가슴과 이마와 미간, 좁은 허리와 손과 발, 가느다란 손가락과 발목과 콧구멍, 통통한 입술과 팔과 엉덩이를 갖춰야 했다. 검은 눈 대신 푸른 눈을 한 롤라는 이 27개 항목 중에서 26개를 충족한 여인이었다.

　일반적으로 모험가와 여성의 관계는 대부분 남성 중심이어서 그들에게 여성은 기질에 따라 형성되는 거대한 욕망의 탐구 대상이며, 탐식할 원천이거나 희소성을 가진 사냥감이자, 빼앗고 숭배하는 난초 또는 보석과 같은 존재이다. 그러나 우리가 이미 살펴본 바와 같이 이런 성적인 방향이 모험가를 정의하는 요인은 아니다. 알렉산드로스와 콜럼버스는 삶의 궤적에서 욕정이라고 하는 중력과도 같은 힘을 벗어났으며, 그들의 모험은 욕정으로 인해 식거나 약해지지 않았다. 다시 말하면 남성이 펼치는 모험의 법칙에서 사랑은 금이나 명성과 마찬가지로 매혹적인 별자리를 비춰주는 수

평선의 반짝임에 지나지 않는다.

그러나 이 여성 모험가의 모든 것은 사랑 또는 증오와 연결되어 있다. 그녀의 모험 대상은 남성이고, 그녀의 역할은 탐사자가 아니라 창부이다. 그녀의 모험은 합법적인 결혼제도와의 추격전으로 발전하는 일종의 도피였고, 도덕, 법률, 이해관계, 질투, 허영심과 공포로 얽힌 강력하고 유기적인 사회라는 단일체는 필연적으로 그녀를 거부했다. 그녀는 토끼처럼 방어하고 고독한 호랑이처럼 반격해야만 했다. 모든 모험은 불법이며 모험가들 자체가 여성 모험가의 적이다. 롤라 몬테즈의 모험은 규모 면에서 우리가 살펴본 다른 인물들과는 비교할 수 없으나, 그 외의 비교에 대해서는 독자 여러분의 판단에 맡기겠다.

그녀는 1818년에 약간은 애매한 사회 계층의 가정에서 태어났다. 이런 계층에서 살아남기 위해 가장 먼저 필요한 것은 뛰어난 상상력과 누구나 인정할 만한 확고한 재능이었다. 그녀의 아버지 에드워드 길버트는 영국 육군 보병 연대의 장교 출신으로 중위까지 오른 군인이었다. 재산이 많지 않은 명목상의 귀족이다 보니 열악한 군사 도시의 연병장과 기혼 장교용 숙소에서 봉급을 받는 협객처럼 살아야 했다. 제복 안에 받쳐 입은 셔츠처럼 그의 삶은 누추하고 지루했는데, 그의 딸 돌로레스 일라이자(Dolores-Eliza)는 이런 상황에 정신적으로 영향을 받으며 자랐다. 멋진 군복을 입고 있지만 그의 삶은 그저 초라한 상류층이었다.

그는 훗날 롤라가 자주 사용하게 되는 '올리버 성'의 올리버 양과 결혼했는데, 그녀는 무모함과 가난 그리고 아름다움이라는 지역색을 가진 아일랜드의 매력적인 토착 상류층 중 한 명이었다. 그 당시 에스파냐는 고전과 낭만을 간직한 환상의 대상이었는데, 길버트 부인인 올리버에게는 멋진 드레스에 어울리는 에스파냐 조상들이 있었다.

올리버는 딸 돌로레스 일라이자, 즉 롤라에게 이름을 물려주었을 뿐만 아니라 '우리의 인생이 꿈은 아니지만 꿈이 되어야 하고 어쩌면 그렇게 될 수 있다'*고 말한 노발리스(Novalis, 독일 낭만파의 대표적 시인이자 철학자-옮긴이)의 사색도 물려주었다. 또한 롤라가 미인의 기준 26개 항목에 부합했던 것은 황홀할 정도로 아름다운 어머니의 유전자를 물려받은 덕분이었다.

이 가족은 리머릭(Limerick, 아일랜드 최남단 지역-옮긴이)에서 4년을 살다가 1822년 영국 중산층의 낙원이었던 인도로 발령받아 주거지를 옮긴다. 그곳에서는 살림살이가 좀 나아지고 모두가 푸카 사히브(Pukka sahib, '위대한 주인 나으리'라는 뜻의 힌디어로 주로 인도에 있는 유럽계 백인을 부르는 호칭-옮긴이)가 되어 하인들을 싼 가격에 부릴 수 있으며, 1년에 한 번씩은 심라(영국령 인도 제국의 여름 수도이자 대표적인 피서지였던 인도 북부 도시-옮긴이)로 여행할 수도 있었다.

우리는 마치 정원사가 어떤 목적을 가지고 묘목을 옮겨 심는 일과 마찬가지로 인간의 성장에 있어서 어린 시절의 정신적 이식이 얼마나 큰 영향을 미치는지 잘 알고 있다. 각각의 역사에서 특정 국가나 인종의 부상, 개인의 성장뿐만 아니라 문명 자체의 성장

＊ "우리의 삶은 꿈이 아니지만 꿈이 되어야 하고 어쩌면 그렇게 될 수 있다(Unser Leben ist kein Traum, aber es soll und wird vielleicht einer werden.)."

과 관련하여 유사한 사건들이 주기적으로 일어나는 것을 보면 이런 현상에는 보편적인 생물학적 법칙이 있는 것 같다. 리머릭의 군인 가족 숙소라는 폐쇄적인 장소에서 벗어나, 열대림 아래에서 썩어가는 초목의 깊고 풍부한 발효 지층처럼 무성하고 기이한 동방의 자연환경과 거리의 부유함과 불결함마저 치열하고 다채롭게 나타나는 광대한 제국으로 이주하게 되면서 이 작은 소녀는 육체적으로나 정신적으로나 엄청난 대조를 경험했고, 이것은 그녀의 상상력에 큰 영향을 미쳤다. 어떤 방식으로든 유년 시절에 새겨진 인상은 호감과 혐오, 동기 혹은 욕망이라는 신비로운 비밀, 즉 성격을 이루는 원소가 된다. 롤라의 경우에 우리가 다루지 못할 유일한 비밀은 이 원소의 첫 번째 변성 작용에서 그녀의 잠재의식에 뿌리를 둔 꿈의 세계이다. 나머지는 논리적으로 극적이고 단순하다.

인도에 도착한 지 얼마 지나지 않아 길버트는 디나푸르(인도 동북부 지역-옮긴이)에서 콜레라에 걸려 이틀 만에 사망했다. 그의 친구인 크레이기 중위는 친구의 죽음에 애도를 표하면서도 기꺼이 친구의 부인을 아내로 받아들였다. 크레이기는 상당히 수완이 있는 인물이었다. 그는 한두 해 뒤에 대령으로 진급하였고, 길버트 부인은 인도 내 영국인들 사이에서 여왕 같은 존재가 되었다. 그리고 그녀의 딸 롤라는 식민지의 연대, 보충대, 더 나아가 인도 식민지 전체의 작고 아리따운 우상이 되었다.

그러나 인도의 영국인 지배자들은 자녀들을 식민지가 아니라 영국으로 돌려보내는 관습을 가지고 있었다. 롤라 역시 크레이기의 지인이자 스코틀랜드 동부 도시 몬트로즈(Montrose)의 엄격한 칼뱅주의자인 상인들에게 보내졌다. 그렇다고 이들 때문에 롤라가 우울해했다거나 분개했다고 생각해선 안 된다. 그들은 롤라처럼 전혀 다른 유형의 사람들도 배척하지 않는 분위기를 가진 종파였기 때문이다. 그녀는 엉뚱한 모험을 벌이면서도 평생 자신이 타락한 칼뱅주의자라는 입장을 숨기지 않았다. 한편으로 이런 상황은 그녀를 더욱 용맹하게 만들었다. 코앞에서 지옥불 냄새가 나는데 무슨 정신으로 그보다 덜 위험한 것에 대해 걱정하겠는가? 이런 환경 변화는 그녀의 숭배자들을 홀리는 특별한 향수의 역할을 하여 그녀가 사실 에스파냐가 아니라 스코틀랜드 출신이라는 점을 잊게 했다. 롤라는 디나푸르에서처럼 몬트로즈에서도 제멋대로 행동했으며 그녀의 성격은 의심할 여지 없이 더욱 거칠어졌다.

몇 년 후 그녀는 부유하며 다혈질인 퇴역 장군 재스퍼 니콜스 경에게 맡겨졌고 그의 딸들과 함께 파리에 있는 한 고급 기숙학교에 들어가게 되었다. 이곳에서 그녀는 낯선 교리를 접하고 받아들이면서 결혼은 관습이지만 사랑은 목적이자 자신의 처지로는 상당히 실행하기 어려운 기술이라는 생각을 갖게 된다.

딸을 부유한 집안에 시집보내고 싶었던 어머니는 그녀가 잘 아는 권세가 중 한 명을 딸의 배필로 선택했다. 여성이 큰돈을 벌 수 있는 유일한 방법인 '결혼'을 위해서는 파리 기숙학교에서는 배울 수 없는 다른 섬세한 훈련이 필요했다. (아름다운 외모와 젊음이라는 당연한 선결 조건을 제외하고) 가장 중요한 조건은 싸구려 시장에서 수년간의 경험을 쌓은 늙은 행상꾼만이 가질 수 있는 엄격한 사업 원칙을 내적으로 수용할 수 있는 상업적 감각이다. 나이 차가 많이 나는 남편을 맞는 대가로 상금을 꿈꾸며, 싸구려를 혐오하고, 관대함조차 버려야 하며, 희미한 미소에도 큰 가치를 두는 등 가식적으로 행동할 줄 알아야 했다.

그러나 이 모든 것이 18세의 소녀에게는 말할 수 없이 부담스러운 일이었기에 결국 롤라는 엉뚱한 짓을 저질렀다. 혼수 준비를 위해 어머니와 함께 파리를 돌아다니던 중, 그녀는 제임스라는 무일푼의 젊은 소위와 함께 도망쳐버렸다. 그리고 경솔하게도 그와 결혼했다. 이때부터 그녀의 인생 궤적은 유감스럽게도 경제학자와 천문학자에게 친숙한 힘의 악순환이라는 고리를 이루고 말았다. 제임스 부인이 된 롤라의 삶은 길버트 부인이었던 어머니의 삶과 비슷했는데, 아일랜드 수비대 마을에서 비참하고 곤궁하게 살다가 인도로 가는 경로까지도 닮았다. 비슷한 짝을 만나듯 제임스 중위도 롤라의 아버지를 닮았다. 다만 제임스가 술을 좀 더 많이 마셨고, 영국 특유의 화가 난 듯하면서도 잘생긴 얼굴이었다.

콜레라 같은 풍토병이 시기적절하게 등장해 제임스 중위가 죽었다면, 아마도 그녀는 어머니처럼 성공해서 다시 한번 용서받고 환대받으며 비극의 굴레에서 벗어날 수 있었을지 모른다. 롤라 역시 남편을 잃기는 했는데, 남편이 병에 걸려 죽어서가 아니라 그가 동료 장교의 아내와 도망쳐버렸기 때문이었다. 합법적 별거라는 끔찍한 상황에서 여생을 보내게 하려는 듯 롤라의 어머니는 그녀를 다시 몬트로즈로 돌려보냈다. 때는 1841년이었다.

그러나 마치 체스의 달인이 졸(卒)을 앞세우고 그 뒤에서 힘을

173

비축하듯이, 영국으로 향하던 그녀는 피할 수 없는 새로운 여정으로 향하게 되었다. 이제 우리는 돌로레스 일라이자를 제임스 부인이 아니라 롤라 몬테즈라는 이름으로 불러야 한다. 짝짓기를 마치고 나면 수컷을 잡아먹는 암컷 거미처럼 그녀는 영국으로 향하는 배가 적도를 지나는 동안 귀족 가문 출신의 장교를 만나 염문을 뿌리고 다니며 그를 도구로 이용했다. 그녀가 사회적으로 매장되지 않고 법의 테두리 안에서 보호받을 수 있도록 그녀의 가족과 친구들은 그녀에게 돌이킬 수 없는 행동을 하지 말라고 조언했으나 롤라는 결국 배에서 만난 그 남자와 동거를 시작했다.

이후 롤라는 어머니의 소식을 듣지 못했고 다시는 외가의 친척 중 누구와도 연락하지 않았다. 법적 남편인 제임스가 소송을 제기하자 그녀의 연인은 떠나버렸고, 그녀는 그렇게 홀로 런던에 남게 되었다. 이때부터 롤라는 에스파냐 출신의 무희로 변신을 시도했다.

1842년, 당시의 런던에서는 맹렬하고 의기양양한 청교도주의를 배경으로 태어난 잔혹하고 살벌한 근대성이 완전하게 자리 잡고 있었다. 런던에서 노동자들은 밤 10시 30분이 지나서야 잠자리에 들 수 있었고, 빅토리아 시대의 열악했던 보육원들은 악명 높았다. 요즘 같이 법의 통제가 꼼꼼하고 완벽한 좋은 시절에 태어난 젊은이들은 당시의 잔혹한 현실 중 기껏해야 일부만을 상상할 수 있을 것이다. 1842년은 데이비드 리카도의 자유방임주의 이론을 근거로 자유경쟁과 이윤 추구의 원리를 주장하는 과격한 맨체스터학파가 위세를 떨치며 모든 제한을 철폐하자는 운동이 광적으로 퍼져나가던, 무법 상태인 시기였다.

이런 광포한 자유는 영국인의 필사적인 기질이며, 이런 기질은 자칫 탐욕으로 이어져 사회적 불균형과 폭력적인 번영을 낳고 결국에는 어떤 재앙적인 광란, 집단적인 폭동으로 끝을 맺을 수도 있었다. 이 점에서 영국인은 진정으로 독창적인 민족이라 할 수 있다. 그러나 진정으로 본능적인 민족이기도 한 영국인들에게 어울리는 사회적 본능의 발현이라고 할 수 있는 적절한 성장이 나타나면서, 매우 중상주의적인 계급들로부터 사회학적 신뢰가 생겨났고 이런 야수성을 잠재울 수 있었다. 이는 본질적으로 비관적이며 따라서 파괴적인 알비주아파(Albigensism, 극단적인 금욕주의가 특징이며 카타리파로도 불리는 기독교 분파-옮긴이), 재세례파(Anabaptism), 성상파괴주의(Iconoclasticism) 등 금욕주의를 향한 끔찍한 움직임 중 하나였다.

그렇다고 빅토리아 시대의 경건함을 신비주의로 포장하거나 혹은 그것이 너무 틀에 박혔고 소심했다고 생각하면 오산이다. 1840년의 청교도는 어쩔 수 없이 절제해야 했으며 당시의 예술은 야만적인 의도를 배제해야 했다. 또한 성에 대한 최소한의 언급조차 금지되었는데, 그것이 자극적이라서가 아니라 혐오와 분노를 유발했기 때문이었다. 바지와 속바지를 이용하는 위험을 무릅쓴 선 넘은 파괴자는 1917년에 루시타니아호의 침몰(제1차 세계 대전 당시 독일군의 공격을 받아 1915년 5월 7일 침몰한 영국 여객선 루시타니아호는 1917년 미국이 참전을 선포하는 구실이 되었다-옮긴이)을 지지하는 사회 부적응자와 똑같은 대우를 받았기 때문에 언제나 폭력의 대상이 될 위험을 감수해야 했다. 롤라는 도덕과 파격 사이에 교묘히 서 있었다.

한편으로 그녀는 선량하고 순결한 사람들에게 끊이지 않고 자행되는 사회적 박해에 그대로 노출되어 있었다. 따라서 그녀는 단순한 비난 정도가 아니라 예상치 못한 곳에서 공개적으로 수모를 당하거나 하인과 가구상의 무례함을 참아야 하는 등 일상생활의 모든 영역에서 공격을 받았다. 도시 전역에서 그녀를 세입자 또는 투숙객으로 받기를 꺼려하다 보니 숙소를 구할 때는 다른 이들보다 비싼 값을 치러야 했다.

도시에 새로 나타난 미모의 여성은 공공장소에 나타날 때마다 비웃음과 수군거림의 대상이 되었고, 어수룩하고 여자를 밝히는 남정네들의 헤벌레하는 모습을 견뎌내야 했다. 그러나 그녀가 생각보다 훨씬 더 나쁜 여자고, 사랑을 사랑한 것일 뿐 자신들을 사랑한 것이 아니라는 사실을 깨닫자 남자들은 야수성을 드러냈다.

롤라는 왕립 극장에서 에스파냐 망명 귀족의 딸이라고 신분을 속인 채 무용수로서 활동할 기회를 얻었는데, 그녀에게 구혼했다가 거절당한 라넬라 경과 그의 친구들이 공연 첫날 밤에 몰려와 그녀의 신분이 거짓이라며 야유를 보내고 소란을 피우는 일이 발생했다. 분노한 그녀는 공연이 끝나기도 전에 무대를 박차고 나와버렸다. 그리고 다음 날 아침 바로 브뤼셀로 떠났다.

롤라는 첫 무대에서 말을 갈아탔다. 첫 공연은 망쳤지만 그녀는 무대에서 춤추는 일을 직업으로 선택했고 유럽 대륙 여러 도시를 거쳐 파리로 향했다. 지나는 도시마다 사람들의 비난이 이어졌지만, 그것은 말하자면 온 마음을 다해 위험에 뛰어들기로 결정을 내

리기에 앞서 출정의 잔을 드는 의식과 같아서 이 여성 모험가에게
는 절망과 흥분에 반응하는 자극제를 투여하듯이 그저 일상적인
일이 되었다. 당시 여성 모험가가 직면해야 하는 위험을 보여주는
고단한 현실이었다. 그러나 한편으로 여성을 대하는 남성들의 감
성과 심리와는 달리 적대적인 군중과 대치하는 상황은 강장제와
도 같이 강력하면서도 자극적이었다. '사람들이 원한다면 나를 헐
뜯게 놔두되 어쨌거나 사람들의 입에는 계속 오르게 하라'는 사라
베르나르(Sarah Bernhardt, 프랑스 여배우-옮긴이)의 말은 광고 심리만큼
이나 성 심리에도 적용된다.

　무대 위에서 롤라는 처음으로 군중의 감정적 중심이 되었다. 그
들 대부분이 그녀에게 호의적이지 않고 적대적이었다는 사실은
중요하지 않았다. 그런 것에 겁먹을 롤라가 아니었다. 그것은 그녀
를 무감각하게 하는 것이 아니라 흥미진진하게 만들었다. 오히려
무관심이 그녀를 파괴할 수도 있었는데, 귀가 먹먹할 정도로 시끄
럽고 열렬한 관심의 함성이 아니라 마지못해 손뼉을 마주치는 박
수 소리를 들어야 했다면 그녀는 유럽 대륙이 아니라 몬트로즈로
돌아갔을 것이다.

　유럽식 헤지라(박해를 받던 예언자 무함마드가 신도와 함께 메디나로 이주
한 일)는 여성의 모험에서도 변함없이 나타난다. 집을 떠나는 것이
야말로 모든 모험가의 본능이나 마찬가지이다. 굳은 땅과 미지의
세계를 오가는 범선에 오른 여성에게 있어 파리로의 첫 호출은 신
혼여행처럼 없어서는 안 될 중요한 행사였다. 파리, 무대, 춤, 이것
들은 예리한 계산의 산물이 아니라 그녀의 모험 궤적을 연장할 수

있는 적합하고 유일한 수단들이다. 파리, 혹은 그녀가 선택한 브뤼셀과 같은 도시들은 그녀가 힘을 최대로 쏟아부을 수 있는 유리한 전장이었고, 무대는 아름다움을 펼치는 요새였으며, 춤은 힘과 기동성을 잃지 않고 공격하는 전개 방식이었다. 춤에서 아름다움은 면밀한 조사가 필요하지 않기 때문에 몸짓과 리듬은 훌륭한 드레스가 된다.

회고록에서 밝히길, 브뤼셀에서 그녀는 거리에서 노래하는 가수로 전락했다고 한다. 애석하게도 롤라의 노래 실력은 그녀의 어설픈 춤 실력만큼도 되지 못했는데, 노래를 향한 마음은 열정적이었지만 제대로 배우지 못한 탓이었다. 이 노래가 낭만적인 완곡어법이었는지 아니었는지는 알 수 없지만, 남성 영웅이라면 부당한 비난을 감수해야 하는 것처럼 여성 영웅은 거리에서 노래를 불러야 한다.

어쨌든 그녀는 가난하지만 여러 언어를 구사할 줄 아는 독일 남성을 만나 이 상황을 벗어났고, 이 상냥한 학자는 그녀를 바르샤바(폴란드의 도시)로 데려갔다. 이 일을 통해 롤라 몬테즈에게는 돌로레스 일라이자 길버트나 제임스 부인, 그리고 먼 옛날부터 기록된 다른 여성들과는 구별되는 고상한 특징이 있다는 점을 알 수 있다. 그녀는 학문과 천재성을 사랑했다. 이런 특징은 어떤 계산에 의해서가 아니라 확고한 취향에 따른 것으로, 그녀를 폄훼하고 싶어 하는 이들을 더욱 화나게 하는 반전 매력이었다.

바르샤바에서 그녀는 성공적인 자기표현의 시기를 맞이했고, 처음으로 자신의 마음을 들여다보며 확실한 선과 방향을 발견할 수 있었다. 성공은 그 자체로 획일적이며, 실패는 단지 잘못된 시작의 무의미한 연속이기 때문에, 어지간히 고집 센 이들이 아니고서야 실패할 수가 없다. 마침내 그녀의 시간이 다가왔고, 이제 그녀는 본능이나 지성이 정의 내릴 수 없는 어떤 대상을 향해 분투한다.

그녀는 그 대상이 낭만적인 사랑이라는 점이 다를 뿐, 알렉산드로스나 우리가 앞서 논의한 다른 영웅들처럼 진심으로 그 대상을 추구했다. 신중함과 비겁함, 검약과 탐욕, 성을 쟁취하기 위한 경쟁과 그 원초적인 천박함, 단순한 허영심으로 전락한 미학적 열망 등 다양한 모습으로 포장된 여성 중에서 롤라와 같은 소망을 품고 있지 않은 이가 어디에 있는가? 그러나 이것들은 사회 구조와 떼려야 뗄 수 없을 정도로 복잡하게 얽혀 있으며, 법이라는 날실과 교차하여 사회라는 천을 만들어내는 씨실이다. 그녀는 여성 모험가라는 비극적인 자유의 저주를 받아 바람에 실려 날아가는 종잡을 수 없는 한 가닥의 실이다. 그녀에게 사회적 지위나 안전, 자녀 등은 꿈도 꾸지 못할 것들이었지만, 사랑을 추구하는 그녀는 자신만의 길을 나아갈 수 있다.

1844년, 폴란드군의 11월 봉기가 발생한 지 몇 년 지나지 않았던 상황에 그녀는 오페라 무대 공연 참가자에 이름을 올렸다. 저열한 박해에 대한 항거로 일어난 이 봉기는 수적 열세와 지도부의 부재로 인해 목적을 달성하지 못한 채 끝이 났고, 그 결과로 러시아의 파스케비치 장군이 폴란드 총독 자리를 맡게 되었다. 당시 바르샤바에 살던 사람들과 마찬가지로 이 암울한 통치자도 롤라가 춤추는 광경을 보았다. 그녀의 미모가 최고조에 달하던 시기였기에, 당시 그녀가 춤추는 모습을 본 남자들은 모두 그녀에게 빠져들고 말았다. 롤라야말로 미녀는 똑똑하지 않다는 오래된 통념을 깨고 두뇌와 심장, 이 두 가지를 모두 가진 여성이었다. 그런 그녀를 원했던 파스케비치 장군은 그녀에게 사람을 보냈다. 그는 예순 살의 나이에 키도 작고 자만심이 강하며 잔인하고 결과적으로 따분한 사람이었다. 그런 그가 이 무일푼인 불법 체류 여성에게는 재산과 지위를 제안하며 경이로울 정도로 헌신적인 사랑을 바쳤다. 롤라는 부드럽게 응대했으나, 점차 절박해진 그가 위협적으로 변하자 그를 피하기 시작했다.

마침내 파스케비치 장군은 그녀의 마음을 얻기 위해 오페라 감독과 경찰서장까지 동원했다. 화를 참지 못하는 롤라는 인생의 중요한 순간마다 항상 그랬던 것처럼 그들에게 채찍을 휘두르며 나가라고 소리쳤다. 그날 밤 그녀는 다시 한번 무대를 향해 야유를 퍼붓는 무리를 만난다. 그러나 이번에는 이 광폭한 여인이 쉽게 물러나지 않았다. 그녀가 무대 끝까지 달려가 자신이 받았던 제안과 위협에 대해 폭로하자 그곳에 있던 폴란드인 관객들은 그녀의 편에 서게 되었다. 그녀에게 야유를 보냈던 이들은 쫓겨났고, 폴란드 군중들은 헬레네를 방어하는 트로이인처럼 경찰을 막아서며 그녀를 에워싸고 집까지 호위했다.

그녀는 『회고록』에서 자신에게 호의적인 신문 기사를 인용했는데, 왜곡된 부분이 있기는 하지만 당시 상황을 자세히 담고 있다. 이 사건을 다룬 기사는 다음과 같이 전한다.

그리하여 그녀는 기대하지도 않고 의도하지도 않았으나 자신이 여주인공이 되었음을 알게 되었다. 분노의 순간에 그녀는 진실을 모두 말했고 바르샤바 사람들은 모두 귀를 쫑긋 세우고 그녀의 말을 경청했다. 이것은 폴란드인들이 그동안 통렬히 느끼고 있던 통치 정부에 대한 반감을 드러낼 수 있는 좋은 계기가 되었고, 24시간이 채 지나지 않아 바르샤바의 여론은 들끓기 시작했고 혁명이 일어날 낌새를 보였다. 롤라 몬테즈는 자신이 체포 대상이 된 사실을 알고는 문을 걸어 잠갔다. 경찰이 도착했을 때 그녀는 문 뒤에 앉아 권총을 겨누며 쳐들어오는 자는 총으로 쏘겠다고 엄포를 놓았다. 겁에 질린 경찰은 누가 먼저 순직자가 되어야 할지 결정하지 못해 우왕좌왕했고, 자신들이 상대해야 하는 괴수가 어떤 사람인지 알지 못해 뒤로 물러섰다. 그러는 동안 프랑스 영사가 용감하게 앞으로 나서 롤라 몬테즈가 프랑스 신민임을 주장하며 체포되지 않도록 도와주었으나, 결국 그녀는 바르샤바를 떠나야 했다.

그녀의 대담성과 폭력성은 그녀가 첫 번째 성공을 거둔 지점에서 시작된 것일 수 있지만, 나중에는 그녀의 가장 유명한 특질이 되었다. 뚜렷한 증거는 없으나 상트페테르부르크로 넘어간 그녀가 러시아 차르(제정 러시아 때 황제의 칭호)와도 비슷한 만남을 가졌다는 소식이 바르샤바에 전해졌다.

베를린에서는 차르를 추모하는 행사가 진행되는 동안 그녀가 기마 헌병과 난투극을 벌이는 사건이 벌어졌다. 롤라는 말을 타고 왕실 울타리 안으로 뛰어 들어갔고, 그녀를 막아선 기마 헌병을 향해 채찍을 휘둘렀다고 한다. 바르샤바에서는 이런 류의 무용담이 무성한 소문을 만들어냈고, 유럽 각국의 도시들에서 그녀의 이름이 알려지기 시작했다. 이런 유명세를 등에 업고 그녀는 위대한 피아니스트 프란츠 리스트(Franz Liszt)의 연인이 된다.

롤라와 마찬가지로 당시 전성기를 누리고 있던 리스트는 훤칠한 외모에 감각적이고 열정적인 남성이었다. 어떤 이들은 그를 천재라고 말하기도 했다. 오늘날에도 그의 젊은 시절 모습을 담은 초상화는 여성들의 마음을 사로잡는다. 롤라의 모험에 어떤 문제가 있었다고 한다면 그것은 바로 리스트였는데, 결혼 생활에 만족하지 못했던 이 피아니스트는 마치 구원의 밧줄인 양 그녀를 붙들었다. 그들이 연인이 되어 함께 지낸 기간이 얼마나 되는지는 아무도 모르지만 어떤 경우라도 겨우 몇 달을 넘지는 않았을 것이다.

1844년 겨울에 그들은 드레스덴(독일의 도시)에 있었고 그곳에서 리스트는 큰 성공을 거두었다. 이듬해 봄에 그들은 파리에 도착했다. 롤라 때문에 리스트는 아내와도 헤어졌지만 파리 방문 직후에 그들은 결별했다. 온갖 세상일에 대해 떠들고 다니는 사람들이 여러 가지 이야기들을 퍼뜨렸지만, 롤라와 리스트의 만남과 헤어짐에 대해 정확히 알려진 사실은 없다.

이 현실로의 여행을 마친 후 우리의 주인공은 곧 파리를 배경으로 불바르극(Boulevard劇, 대중희극-옮긴이) 같은 모험에 빠르게 빠져들었다. 나폴레옹 3세가 파리를 세계적인 도시로 만들기 이전에,

전설적인 전성기에 접어든 루이 필리프 1세가 이미 파리를 문명 세계에서 가장 큰 도시로 만들었다. 파리 시민들은 이 도시의 대로, 즉 불바르에서 문화를 즐겼고 그곳에서 영리한 젊은이들은 활발히 교류했고 소녀들은 세련되고 아름다웠다. 음식과 포도주의 가격은 저렴했고, 숙박은 사실상 무료였으며, 요리는 지금도 그렇지만 당시에도 예술의 경지여서 행복한 시인들은 적극적으로 활동했다. 카페는 문학과 연극의 역사에 등장하는 뛰어난 작가들로 붐볐고, 너무 바빠서 자주 모습을 드러내지는 못했지만 오노레 드 발자크, 빅토르 위고, 알프레드 드 뮈세와 같은 위대한 작가들도 나타났다.

그녀는 상류 사회에서 잘나가던 젊은 신문사 편집장 뒤자리에(Dujarier)를 선택했고, 그와 연인 관계가 되면서 유명해졌다. 그러나 요령 없는 이 젊은 남성은 그녀의 명예를 위한 결투를 벌이다가 목숨을 잃고 말았다. 뒤자리에는 그녀에게 약간의 돈을 남겨주었고 그녀는 독일로 떠났다. 모험의 자연스러운 결말이 그녀의 뒤를 바짝 뒤따르고 있었다.

이제 스물일곱 살이 된 그녀는 의기소침해졌다. 뒤자리에의 사건에 연루되어 있다는 사실 때문에 그녀는 추진력을 잃고 점점 더 땅으로 떨어지고 있었다. 모험가들에게 필요한 연료인 행운이 그녀에게는 아직 나타나지 않았는데, 이 상태가 좀 더 지속되었다면 그녀는 조용한 독신녀보다는 전문 창부의 길로 강제로 내몰렸을 것이다.

알렉산드로스가 소아시아 지역 이곳저곳을 휘젓고 돌아다녔던 것처럼 걱정 속에서 그녀는 독일 내 여러 지역을 돌아다녔으나 곳곳에서 패배를 맛보았고 가끔은 망신살이 뻗치기도 했다. 그녀가 로이스(Reuss) 가문의 문주 하인리히와 열애 중이라는 염문도 퍼졌는데, 그와 관련된 이야기 속에서 그녀는 성미가 매우 고약한 것으로 그려진다.

우리가 처음으로 만난 여성 모험가의 이야기가 순전히 운이 부족하다는 이유로 이렇게 빨리 끝나버린다면 어처구니가 없는 일일 것이다. 혼자서 폭풍 속으로 뛰어든 지금까지 그녀는 제대로 대접받지 못했다. 그러나 마침내 그녀를 비극으로부터가 아니라 진부함으로부터 꺼내줄 구원의 손길이 나타난다.

그 손의 주인공은 바로 바이에른 왕국의 왕 루트비히 1세였다. 그는 머리가 희끗희끗한 예순한 살의 남성으로, 슬프지만 부덕하지 않았고, 롤라가 처음에 그랬듯이 여러 가지 꿈과 환상을 마음에 품고 있었다. 나폴레옹, 애국심, 기사도, 민주주의가 인기를 얻던 시대에서 살아남은 그는 이제 몇 명 남지 않은 유럽의 왕 중 한 명이었고, 낭만주의적인 요소를 모두 갖추고 있었으며, 전체적으로 봤을 때 유럽에서 가장 문명화된 사람이었다. 롤라와 마찬가지로 그도 설명할 수 없는 삶의 아름다움을 나름의 방식으로 추구했다. 또, 그녀와 마찬가지로 그의 이상은 꽤 실재적이면서도 공상적이었다. 그는 훌륭한 군주의 통치 아래 예술이 번성하고, 거리는 음악으로 가득 차고, 모든 농민의 판잣집 굴뚝에 햄이 매달려 있는 행복하고 번영된 왕국을 꿈꿨다.

롤라가 코라 펄(Cora Pearl, 프랑스 제2제국 사교계의 저명한 고급 창부-옮긴이) 같은 조잡하고 우울한 요부가 되기 위해 변신이 필요하다고 깨닫던 그 순간에 루트비히 1세는 파산한 자신의 신기루를 포기하고 잃어버린 희망의 영원한 상속자인 교회의 구제를 받고자 거룩한 천상이라는 차선책을 선택했다. 따라서 음유시인 대신 사제를, 박람회 대신 교회 종을, 보편적 선의 대신 성직자를 중심으로 하는 교권주의를 받아들였다. 타호강에서 볼가강에 이르기까지 유럽 전역에서 새로운 유럽 정신과 전투를 벌이고 있던 교황 지상주의(Ultramontane party)가 바이에른 왕국에서 승리를 거두었고, 열렬한 그리스도의 군대인 예수회가 바이에른 왕국으로 밀려 들어왔다. 루트비히 1세는 지난 40년 동안 그토록 숭배해온 제우스와 오딘을 내동댕이쳐버렸다.

이 순간 두 선이 한 곳에서 교차하는 사건이 일어난다. 롤라는 뮌헨 왕립 극장에 공연을 신청했는데 기독교 회중의 뜻을 따라야 하는 이곳 담당 관리가 이를 거절했다. 루트비히 1세가 추구한 피렌체 계획의 일환으로 건설된 이 극장은 이제 교화를 사명으로 하는 '수호자'가 되었고, 따라서 롤라도 그녀의 춤도 이곳에는 전혀 어울리지 않게 되었다. 하지만 그녀는 거절을 받아들이지 않았다. 앞서 말했듯이, 그녀는 상당히 저속하고 물불 가리지 않는 무지막지한 사람이 되어 있었다. 그녀는 왕의 보좌관인 레흐베르크 백작을 이용하여 루트비히 1세와의 접견을 시도했다. 운명적인 첫 만남이 대개 그렇듯이, 이 만남도 어렵게 성사되었다. "짐이 모든 무희의 공연을 봐야 하는가?"라며 왕이 선뜻 시간을 내주지 않았기 때문이다. 그러나 이 질문에 대한 대답으로 백작은 이렇게 얘기했다. "이 무희는 꼭 보셔야 합니다."

왕이 굳은 표정으로 망설이는 동안 롤라가 대기실의 문을 밀치고 들어왔고, 놀라움에 이은 침묵 속에서 그들은 서로를 마주했다. 장차 뗄 수 없는 관계가 될 운명에 놓인 두 사람은 서로의 시선에서 일종의 친숙함을 발견했다. 그들은 마치 전에 만났던 사람들처럼 이야기를 나누기 시작했고, 만남의 주선자는 두 사람을 위해 조용히 자리를 비켜주었다. 여자를 워낙 좋아하던 왕은 롤라의 미모에 감탄하며 곧장 찬사를 보냈다. 그녀는 그가 그녀의 아름다운 몸매를 의심의 눈초리로 바라보자 상의를 풀어 헤쳐 그에게 가슴을 보여주었다.

이날부터 무미건조하던 나날들에 쏟아지는 한 줄기 빛처럼 묘하고 감동적인 인연이 시작됐다. 의회에서 왕은 경악하고 분개한 장관들에게 이런 말을 전했다. "뭔가에 홀린 듯 어찌할 바를 모르겠소." 두 사람은 장소를 가리지 않고 만남을 가졌다. 첫 만남부터 롤라에게 루트비히 1세는 리어왕이었고, 그에게 롤라는 감옥에 갇힌 코델리아였다. 이 두 사람은 생각을 나누고 서로를 격려해주는 특별한 협력관계를 맺었다.

마침내 동맹을 만나게 된 왕은 열정을 되찾았다. 이제 롤라는 진흙투성이가 된 덮개를 걷어버리듯 천박함과 두려움을 벗어버리고 어엿한 왕의 여자가 되었다. 그녀는 그의 정부(情婦)이자 그의 딸이자 무엇보다도 그의 동맹자이며 구세주였다. 구애 기간이 없어서였는지 그들에게는 미묘한 말다툼과 같이 애정 관계를 약하게 하는 기운 빠지는 의식들이 생기지 않았다. 그 시간에 그들은 입 맞추고 껴안으며 루트비히가 포기했다고 생각했던 희망과 권리를 되찾기 위한 전투에 나섰다.

19세기 정부 형태 중 가장 기이하고 동정 어린 실험 중 하나인 롤라 정권(Lola Regime)은 이렇게 시작되었다. 처음에는 일반 검열 정책으로 시작하여 마음 약한 루트비히가 낙심한 상태에서 허용했던 주요 성직자의 교수권에 이르기까지 반동주의의 결과로 생겨난 반자유주의적 제도들이 하나씩 폐지되었다.

롤라는 자유주의를 어디서 배웠을까? 아마 어디에서도 배운 적이 없을 것이다. 프리메이슨과 관련되어 있다거나 파머스턴 (Palmerston, 본명은 헨리 존 템플이며 당시의 영국 총리를 지낸 인물-옮긴이)이 그녀에게 특별한 임무를 맡겼다는 등의 소문들은 모든 정치 관련 사안들을 음모론으로 옭아매려는 흔한 대륙식 험담이라고 할 수 있는데, 이는 "은밀한 속사정이 있는 게로군."이라고 하는 노파의 주절거림이나 다름없다.

그녀의 정치는 바로 루트비히의 꿈이었다. 그녀는 열정, 지성, 용기를 가지고 그의 꿈을 위해 싸울 준비가 되어 있었다. 왕의 정적들은 어디선가 갑자기 나타난 이 여성의 대담함에 당황했고 그녀에게 막대한 연금을 지급하는 왕의 우둔함에 놀랐다. 오스트리아 재상 메테르니히는 그녀에게 바이에른을 떠나는 조건으로 연간 10,000달러의 연금을 제공하겠다는 제안을 하기도 했다. 그러나 그녀는 여느 때와 달리 침착하게 그 제안을 거절했다.

그의 정적들은 곧 힘을 모았다. 당시 바이에른은 국제 정세의 요충지였다. 옆 나라 스위스에서는 가톨릭을 믿는 일곱 개 주가 존더분트(Sonderbund) 동맹을 결성하여 독립을 요구하는 과정에서 내전이 발발하였다. 이런 반동주의를 반대하는 세력들은 격렬하고 맹렬한 영국의 정치가 파머스턴을 중심으로 뭉쳤고, 보수적인 메테르니히와 교황 지상주의파가 지배하던 가톨릭교회 추종 세력을 제압했다. 다만 영국의 뜨거운 주먹맛을 보기에는 너무 거리가 먼 바이에른은 이런 제압의 대상이 아니었다. 제국과 교회 등 여러 세력들이 힘을 겨루는 국제 정세 속에서도 롤라는 채찍을 휘두르며 자신의 아름다움을 이용하여 애정행각을 벌였고, 루트비히는 역사상 가장 불편한 위치에 있었으면서도 자신의 오래된 감수성을 발휘했다.

이런 상황에 대한 불만들이 생겨나자, '꼬리에 왕관을 묶어놓은 멍청이 수캐'라는 등 벌거벗은 님프에 빠져버린 루트비히를 비난하는 선동적인 이야기들이 신문을 가득 메웠다. 뮌헨 사람들은 검열 정책을 반대하며 자유주의를 요구했고, 롤라와 루트비히를 다룬 풍자화는 점차 늘어났다. 자신을 향한 비난이 빗발치는 상황에서 루트비히는 움츠릴 수밖에 없었지만, 폭도들의 비난에 익숙한 롤라는 그의 옆에서 이 상황을 즐기라고 속삭였다.

1846년 12월 15일, 그들의 만남이 있은 지 몇 주 후, 왕은 기독교 형제회에게 양도했던 학교들을 비종교적이고 현대적인 체제로 되돌리는 왕실 칙령을 발표했다. 이 일로 타격을 받은 정적들은 당시 내각을 이끄는 총리이자 내무부 장관 아벨에게 상소문을 올리게 하여 이를 반대했다. 아벨은 롤라가 왕실의 존재 자체를 더럽히고 있으며, '현재 왕이 보이는 행보가 사랑받는 왕에게 어울리는 훌륭한 평판, 권력, 존경, 행복을 모두 망치고 있는 형국이다'라며 왕을 신랄하게 공격하는 내용의 상소문을 올렸다. 그리고 정적들은 조심스럽게 신문사에 상소문 사본 한 부를 보냈다.

　루트비히가 혼자였다면 이 사태를 그대로 두고 보았을지도 모른다. 그러나 롤라의 반격은 조준된 총알처럼 빠르고 정확했다. 만약 롤라가 연기한 왕비 역할의 8분의 1만이라도 마리 앙투아네트가 보여줄 수 있었다면 제3신분인 평민계급은 테니스 코트의 서약(Serment du Jeu de Paume, 루이 16세가 국민의회를 해산하려 하자 평민 대표들이 이를 거부하며 테니스 코트로 이동한 사건으로, 이후 프랑스 혁명의 도화선이 되었다-옮긴이)이 있던 그날 밤에 모두 처형당해 우리는 지금과 많이 다른 역사를 배우고 있을지도 모른다. 아벨은 입장을 철회할 수 있도록 주어진 24시간 이후에 즉시 해임되었고, 자유당원인 폰 셍크가 그의 후임으로 임명되었다. 내각 전체가 초조하게 다음 행보를 논의하는 사이, 롤라는 자신의 이름으로 내각의 집단 해임을 발표했다. 롤라는 란츠펠트 여백작 및 로젠탈 여남작 작위를 받아 귀족 신분이 되었고, 2만 크라운의 연금을 받게 되었다. 이런 행동은 자유주의 유럽의 지지를 얻었다. 「런던 타임스」는 진중한 지도자의 승리에 관한 기사를 내보냈고, 비스마르크를 비롯한 수천 명의 논객들도 열광적으로 그녀를 승인했다.

　그녀의 정적들은 정부라는 참호를 잃었으나 곧 대학이라는 중요한 요새를 발견했다. 학생과 교수 모두 롤라와 그녀에게 놀아나 새로운 피렌체 공국을 꿈꾸는 왕의 계획에 몹시 적대적이었다. 역사적으로 학생들은 좌파든 우파든, 혹은 사회주의자든 보수파 토리당이든 상관없이 항상 이전 세대에게 인기가 없던 대의에 이끌려 폭력에 가담하는 경향이 있기 마련이다. 이곳 뮌헨에서 학생들은 루트비히 1세가 젊은 시절에 꿈꾸던 이교적 민주주의에 반발했다. 그들에게 롤라는 '반기독교의 상징'이었기 때문에 치기 어린 잔인함과 교활함으로 그녀를 괴롭혔다. 그녀가 잉글리시 불독을 데리고 공공장소에 나타날 때면 학생들은 그녀에게 시비를 걸었다. 그러면 그녀는 급발적 분노를 표출했는데, 페크만 남작은 주먹질을 하다 땅에 쓰러졌고 어떤 이는 그녀가 휘두른 채찍에 뺨을 다치기도 했다. 이런 식의 감정 표출은 그녀의 인기를 해치는 가장 심각한 요인이었다.

더 중대한 사건은 해임된 카를 폰 아벨 총리를 겨냥해 신랄한 독설로 가득 찬 연설문을 작성했던 라소(Lassaulx) 교수가 마음을 바꿔 그녀를 배반한 일이었다. 롤라는 즉각 라소의 교수 자격을 박탈하였고, 불만을 품은 학생들은 그를 응원하기 위해 그의 집 창문 아래에 모였다. 그의 집은 롤라의 '요정 궁전'과 같은 구역에 있었기 때문에 자연스럽게 학생들은 "롤라를 타도하라!"를 외치며 그녀의 거소로 이동했다.

시위대가 도착하자 하인들이 시야에서 사라지고 퇴창의 커튼이 걷히고 뮌헨 수장의 여인이 샴페인 잔을 들고 폭도들에게 모습을 드러냈다. 시위대는 창을 향해 돌을 던졌다. 지도자들은 분노한 젊은이들을 조직해 정문으로 돌진할 계획을 짜고 있었다. 롤라는 탁자 위 상자에서 초콜릿을 꺼내 우적우적 씹으면서 군중의 사납고 어색한 전개 상황을 지켜보고 있었다. 왕은 멀리서 조련사 같은 그녀를 바라보다가 싫증이 나자 기마경찰에게 폭도 진압 명령을 내렸다. 저녁 늦게 다시 한번 시위가 일어났는데, 시위대는 기병대가 군도를 뽑은 후에야 해산했다.

롤라는 「런던 타임스」에 보낸 편지에서 이 사건을 다음과 같이 간략하게 설명했다.

> 지난주에 라소라는 이름의 예수회 철학 교수가 교수직에서 해임되었고, 성직자들이 돈을 풀어 폭도들을 끌어모아 나의 창문을 부수고 왕궁을 공격하는 사건이 일어났음을 밝히고자 합니다. 그러나 이를 반대하는 여러분의 호의와 폐하를 보위하는 군인들의 헌신 덕분에 이 모든 폭동이 실패로 돌아갔습니다.

이후 그녀는 대학을 개편하고, 학생들에게 판매가 허용된 책에 대한 검열을 없앴으며, 뮌헨 재창조를 위한 왕의 건축 계획을 적극 추진했다. 이 시기가 두 사람이 가진 권력과 상상력의 전성기였고, 뮌헨은 세계의 중심이 되기 시작했다.

1847년 11월, 스위스에서 가톨릭계 존더분트 동맹이 무너지면서 그곳에서 추방당한 예수회는 바이에른 국경으로 몰려들었다. 영국 풍자만화 잡지 〈펀치(Punch)〉는 바이에른의 동상을 표현하면서 '자유와 카추카(Freedom and the Cachuca)'라고 적힌 현수막을 들고 있는 롤라의 모습을 그렸다.

당시 유럽은 최초의 프랑스 대통령 선거가 이뤄진 영광스러운 1848년을 눈앞에 두고 있었다. 시인들은 정치인들을 위한 보호벽을 마련해주었는데, 이것은 전쟁을 끝내려던 새로운 예루살렘인 바이에른 왕국에게는 혁명이었다. 당시에는 단순하게 모든 왕은 나빴고 모든 공화주의자는 고귀하다고 여겨졌다. 롤라와 루트비히 1세가 탄 2인승 카누는 이러한 역사의 급류에 점차 다가가고 있었다.

학생들과의 갈등이 새로운 국면을 맞는 사건이 발생했다. 그녀의 춤 공연 중에 형제회인 팔츠 학군단의 학생들 일부가 독특한 모자를 쓰고 나타났다. 새벽 2시경에 롤라가 이들의 모자를 하나 낚아채서 썼는데, 다음 날 아침 형제회는 그 모자의 주인과 그의 친구들을 제명해버렸다. 화가 난 이들은 즉시 알레만니아라는 이름의 새로운 대학생군단을 조직했고, 왕은 이들의 특권을 인정하고 지원했다. 따라서 이들은 처음부터 롤라의 집을 지키고 모든 연회에 초대되는 등 롤라의 충성스러운 경호원이 될 수밖에 없었다.

1848년 1월 31일, 수천 명의 혁명당원이 수백 명의 성직자와 함께 집결했다. 롤라에게 적대적이었던 이들은 "롤라에게 죽음을!"이라는 구호를 외치며 그녀의 숙소를 향해 가두행진을 벌였다. 수적으로 열세였던 알레만니아는 쉽게 제압되었고, 훗날 사건에 참여했다는 이유로 군에서 해임된 알레만니아 조직원 히르슈베르크, 파이즈너, 라이빙거 백작과 누스바움 중위, 이렇게 네 명과 롤라는 추악한 폭도들과 맞서기 위해 거리로 나섰다. 뛰어난 실력을 갖춘 이 젊은이들은 그녀가 지날 수 있도록 길을 터주었고, 그녀는 날카롭게 소리치면서 채찍을 휘두르며 적들을 위협했다. 이런 노력 끝에 그녀는 적을 뚫고 지나갈 수 있을 것 같았다.

그러나 점차 힘에 부쳐 채찍을 휘두르기 어려워지고 그녀의 경호원들도 쓰러지자 그녀는 적들과 거리를 유지하면서 테아티노 교회의 문 앞까지 후퇴해야 했다. 다행히 그곳의 너그러운 사제가 이 작지만 당당한 칼뱅주의자를 교회 안으로 숨겨주어 그녀는 목숨을 건질 수 있었다. 남녀를 불문하고, 롤라의 경우는 성난 군중과 상대하면서도 사지 멀쩡히 목숨을 지킨 역사상 몇 안 되는 사례 중 하나이다.

노년의 왕은 흔들리기 시작했다. 그는 일단 대학을 폐쇄하고 일주일 후에 다시 열라고 명령했지만 적대 세력들은 이를 따르지 않았다. 또다시 시위가 벌어졌고 이번에는 시위대가 롤라의 궁전을 빈틈없이 포위해 그녀를 고립시켰다. 루트비히 1세는 비극을 피하고자 어쩔 수 없이 그의 코델리아를 버려야만 했다. 그는 지금 당장 필요한 평화를 얻기 위해 꿈, 사랑, 행복, 로맨스, 이 모든 것을 떠나보냈다.

그날 저녁, 그는 롤라를 체포하기 위해 경찰을 파견했다. 사람들은 이 흥미로운 결말을 보기 위해 몰려들었다. 먼저 그녀는 그녀를 위해 최후의 결전을 벌이려고 모인 젊은 누스바움과 그의 친구들이 또다시 다치는 모습을 보고 싶지 않았기 때문에 그들이 밖으로 나오지 못하게 문을 걸어 잠갔다. 그런 다음 겁에 질린 경찰이 그녀를 건드리지 못하게 하면서 스스로 걸어 나왔고, 군중은 그녀가 지나가도록 길을 터주었다. 문이 잠겨서 나오지 못했던 세 명의 알레만니아 조직원들은 창밖으로 뛰어내렸고 헐떡이며 달려와 기차역에서 그녀와 합류했다. 그날 밤 군중은 그녀의 궁전을 습격하고 약탈했는데, 이상하게도 왕은 현장에 방문했으면서도 이 폭력 사태를 막지 않았다.

이 사건은 놀라운 결과를 가져온다. 그녀는 왕에게 마지막 접견을 요청했지만, 고해 신부는 그녀에게 먼저 뮌헨 교외에 있는 유스티누스 케르너라는 시인이자 퇴마사를 찾아가 보라고 조언했다. 이 퇴마사는 서신을 통해 이렇게 전했다.

> 그저께 롤라 몬테즈가 세 명의 알레만니아 조직원들과 함께 이곳에 도착했다. 그녀를 나에게 보내야만 하는 국왕 폐하의 상황이 안타까우나, 그들이 말하길 그녀가 무언가에 홀려 있다고 하니 내가 도울 수밖에 없을 터이다. 마법과 최면술을 통해 본격적으로 그녀를 치료하기 전에 먼저 단식 요법을 시도하고 있으며, 나는 그녀에게 라즈베리 물 13방울과 제병(祭餠) 4분의 1조각만 허락하고 있다.

며칠 후 그녀는 스위스로 넘어갔고 다행히도 그곳에서 머물 곳을 구할 수 있었다. 한동안 알레만니아 추종자 3인도 그녀와 같이 지냈으나 곧 그들은 각자의 사정으로 제 갈 길을 찾아 떠났다.

루트비히 1세는 천상에서도, 지상에서도 용서받지 못할 잘못을 저질렀다. 사랑하는 여자를 버리고 충성심과 우정을 저버린 단순한 배신을 의미하는 것만은 아니다. 그는 인생의 목적과 자신의 의미를 버리고 평화와 안전을 얻기 위해 존재의 법칙 자체에 어긋나는 불법 거래를 자행했다. 결국 그는 사형 선고에서 실제 처형까지 걸리는 평균 시간인 6주가 지나기 전에 아들에게 왕위를 물려주며 불명예스럽게 퇴위했고 수도 뮌헨에서도 추방되었다.

롤라는 이제 별 볼 일 없는 인물이 되었다. 그녀는 비열한 관심의 대상이 될 뿐이었고, 그녀의 모습은 우리에 갇힌 채 혹사당하는 동물의 모습과 비슷했다.

1849년에 그녀는 연하의 영국 육군 장교를 만나 결혼하기에 이른다. 그러나 전남편인 제임스 중위와 이혼한 상태가 아니었기 때문에, 결혼 직후 그녀는 중혼죄로 체포되었다가 겨우 보석으로 풀려날 수 있었다. 1851년에는 뉴욕으로 건너가 그곳에서 춤도 추고 배우로 활동하며 약간의 성공을 거두었다. 그녀는 뉴올리언스로 갔다가 금광에 관한 얘기를 듣고 육로로 캘리포니아까지 갔다. 러셀이라는 허세 가득한 영국의 한 종군기자는 이런 그녀를 알아보고 다음과 같은 글을 남겼다.

때때로 일부 저명한 승객들은 라스크루시스 지역을 주기적으로 휩쓰는 난폭함과 비열함의 조류에 편승한다. 어느 날인가는 사악한 명성이 절정에 이른 롤라 몬테즈가 특이한 옷차림으로 캘리포니아로 향하고 있었다. 검은 모자를 쓰고 박차가 달린 반짝이는 부츠를 신었으며 화려한 셔츠와 프랑스식 바지에 벨벳 라

펠 코트를 걸친 그녀는 완벽한 남성 복장을 하고 단호한 행동을 보이는 아름답고 대담한 여성이었다. 그녀는 멋진 승마용 채찍을 손에 들고 있었는데…… 나는 다음 날 아침 그 불쾌한 여자가 기차에서 내려서 기뻤다.

이후로도 시시콜콜한 몇 번의 결혼과 불륜 이야기들이 떠돌았다. 1854년에 그녀는 시에라 네바다 산맥 기슭의 그래스밸리라는 도시에서 반은 농장이자 반은 동물원인 오두막에서 혼자 살고 있었다. 한 신문은 이렇게 기록했다.

지난 화요일에 롤라 몬테즈가 말 몇 마리가 끄는 임시 카우벨로 장식된 썰매를 타고 우리 사무실을 방문했다. 그녀는 눈송이와 무자비한 눈덩이 사이를 헤치고 유성처럼 잠깐 왔다가 곧 그래스밸리 쪽으로 사라졌다.

이후 그녀는 호주 밸러랫이란 곳에서 다시 금광을 찾고 있다가 그곳에서 호주 남자를 만났다. 모국인 영국의 사회 문명이 시들어 버린 식민지의 무분별한 천박함 때문에 여러 차례 어려움을 겪은 그녀는 결국 자신의 출발점인 아일랜드와 칼뱅주의로 돌아왔다. 현실에 정복당한 사람들이 가톨릭교회의 고상한 우울감이자 온화한 낭만주의로 도피하는 것이 '참회'의 기묘한 비밀이지만, 사랑, 모험, 삶에 싫증이 난 롤라 같은 사람들은 청교도가 된다. 종교에 기댄 그녀는 영성 일기에 경건한 설교, 깊어가는 빈곤, 예배 참석

과 기도에 대해 자세히 적어놓았는데, 그중 다음과 같은 글귀가 등
장한다.

하지만 이제 나의 마음속에서 모든 것이 놀랄 만큼 변하였고, 전
에는 사랑했던 것을 지금은 증오한다.

1861년, 그녀는 43세의 나이로 세상을 떠났다.

제6장

칼리오스트로와 세라피나

"대담하게 행동하고, 바라고, 침묵을 지켜라."

Alessandro di Cagliostro

(1743년 6월~1795년 8월)

이탈리아의 연금술사이자 사기꾼. 오컬트 신봉자이며 칼리오
스트로 백작이라 자칭했다.

이쯤에서 우리는 이제까지 보았던 모험가 중에서 카사노바를 만난 롤라, 혹은 페르시아의 록사나가 아닌 다른 여자 부족장을 만난 알렉산드로스처럼 가상의 짝을 이룬 조합을 상상해볼 수도 있을 것이다. 모험이라는 위험에서는 단순히 한 명보다 남녀가 한 쌍을 이룬다면 더 오래, 더 건강하게 살아남지 않았을까? 사람들은 모험의 법칙들, 또는 다소 역동적으로 변화하는 습성들을 찾으려는 경향이 있다.

그러나 인생의 법칙들은 논리를 따르기보다는 상황에 맞춰 조화를 이룰 확률이 높아서 복잡성을 띤다. 이런 복잡성은 거의 필연적으로 특정한 어느 모험에 국한되는 사례의 희소성 때문에 더욱 복잡해보인다. 만약에 알렉산드로스가 짝을 이루었다면 무엇을 할 수 있었을까? 또는 콜럼버스 부부였다면 무엇을 할 수 있었을까? 그들의 독립성은 결함이 아니라 그들이 움직이고 고통받는 구조적 질서 그 자체였고, 그렇지 않았더라면 그들의 인생은 무미건조한 동화나 삼류 소설로 전락하고 말았을 것이다.

따라서 2인조 모험가를 살펴보려면 사업가 중에서 찾아야 한다. 즉, 우리는 협잡과 무역이라는 상반된 우둔함 사이에서 방향을 잡아야 한다. 이런 점에서 나는 구시대의 유럽이 저물어가던 시기에 풍미한 칼리오스트로와 그의 아내 세라피나 외에는 다른 누구도 떠올릴 수 없었다.

우리가 살펴볼 남자 칼리오스트로의 진짜 이름은 주세페 발사모(Giuseppe Balsamo)였다. 우리는 모험가들이 수도원, 무대, 거리 등 각기 다른 장소에서 자신의 이름을 바꿔 사용했다는 사실에 익숙하다. 모험가들이 이름을 바꾸는 가장 일반적인 동기는 야망의 실현, 그리고 사회에서 자신이 속한 가문의 유대, 임무, 의무에 대한 상징적인 포기를 의미한다.

그가 태어난 1743년에 그의 아버지는 팔레르모에서 작은 가게를 운영하고 있었다. 애칭으로 베포(Beppo)라고 불리던 주세페는 뚱뚱하고 무뚝뚝한 얼굴에 대담하면서도 침착한 구석이 있어 이웃 주민들과 나약한 남자아이들의 골칫거리로 성장했다. 그는 빨랫줄을 끊고 개싸움을 붙이는가 하면 힘없고 소심한 아이들을 괴롭혔다. 또 노점상 수레를 공격하는 이들을 자신의 무리로 이끌었고, 낮이나 밤이나 시비와 흥정이 끊이지 않는 미로 같은 골목을 한층 더 시끄럽게 만들었다. 그는 열두 살이 되자 글씨를 배우기 위해 로코 신학교로 보내졌지만, 교사와 문지기들에게 흠씬 얻어맞고는 그곳을 도망쳐 나왔다.

아버지가 일찍 세상을 떠나자 그의 외삼촌은 그가 직업을 가질 수 있는 유일한 장소인 벤프라텔리 수도원에 입학시켰다. 이곳에서 그는 시설의 약제사로 파견되어 약병을 청소하고, 약초의 무게를 달고, 증류기를 관리하고, 바닥을 청소할 뿐만 아니라 가장 감각적이고 흥미진진한 과학인 화학의 여러 개념을 배운다. 화학 실험실은 현대 과학의 엄격함이 지배하는 곳이었지만, 강한 호기심과 후각을 소유한 운 좋은 사람들에게는 세상에서 가장 매력적인 곳이었다. 그에게 약물학은 일종의 아라비안나이트였다. 신비한 민간 전설의 약제 장치들과 비밀을 담고 있는 듯한 약병들로 가득한 18세기 시칠리아 수도원에서 베포는 한 줄기 빛을 발견했다.

이때 그는 '마법'을 처음으로 경험했다. 일을 쉽게 익혔기 때문에 그곳 주인은 그를 좋아했고, 이 둘이 수상한 토론과 작전 구상에 빠져 있는 동안 비천한 외래 환자들은 어두컴컴하고 약 냄새가 진동하는 지하실에서 물약을 기다려야 했다. 수도회 형제들은 베포를 영적으로 교정하려고 식사 시간에 책을 읽게 하는 임무를 맡겼다. 그들이 선호하는 책은 지루한 순교자 열전이었는데, 이는 이미 초자연적인 것과 거래하려는 열망으로 가득한 그의 상상력을 자극하는 또 하나의 강력한 자극제가 되었다.

사순절의 어느 날, 그는 여느 때처럼 악마를 물리친 주교들, 사자를 길들이는 처녀들, 불에 타지 않는 고행 수도자들, 불사신 같은 고해 사제들에 관한 이야기를 무미건조하게 읽고 있었다. 엄숙한 분위기에서 사제들이 수프를 먹는 모습을 보고 있자니 짓궂은 농담이 하고 싶어졌다. 그래서 책에 등장하는 성인들의 이름을 팔레르모에서 가장 유명한 창녀들의 이름으로 바꿔서 읽기 시작했다. 당연히 이 일로 그는 가죽 끈으로 매질을 당하고 수도원 공동체에서 쫓겨났다.

이런 뻔뻔한 행동을 한 그는 자신이 알아야 할 것보다 더 많은 것을 알고 있었음에 틀림없다. 아마도 수도원에서 추방당하기 전에도 틀림없이 탈선과 갈등에 관한 더 많은 이야기가 있었을 것이다.

그가 다음으로 택한 직업은 화가였는데, 주로 대리석이나 디스템퍼(distemper, 벽화나 무대 배경 제작에 사용되는 불투명한 그림-옮긴이) 작품 등을 위작했다. 그러나 당시에도 예술 분야는 밥벌이가 되지 않았다. 베포는 모든 사회에서 보호라는 명목으로 엄격하게 격리되어 있던 여성을 연결해주는 뚜쟁이라는 분야에 뛰어들어 부족한 돈을 채웠다. 그의 고객 중 한 명은 예쁜 사촌에게 빠진 남성이었는데, 그는 중간에서 편지를 전달하고 선물을 가로채기도 했다.

그런가 하면 그는 감탄스러울 만큼의 활력을 가지고 사람들에게 서명과 관련하여 맞춤형 위조 서비스를 제공했다. 한번은 그가 종교 공동체의 이익을 위해 유언장을 위조하여 로마에 있는 수도원장의 이름으로 수도사에게 출입증을 만들어주었다는 사실이 밝혀지기도 했다.

이 비열하고 영리한 능력으로 그는 실컷 먹을 수 있을 만큼 충분히 돈을 벌었다. 그는 엄청난 식욕을 갖고 있었는데, 에너지를 굉장히 많이 사용하는 정신 활동을 해야 했던 만큼 이해가 되는 부분이다. 근육질의 몸을 갖게 된 그는 선원들과 싸움을 벌이고, 야간 경비원을 때리는 등 동네 건달로도 이름을 날렸다.

그 후 몇 년 동안의 이야기는 그의 조력자이자 조종자인 세라피나와의 관계로 점철되어 있다. 그는 (평범한 사람과 구별되는) 모험심이 강한 모든 이탈리아인들에게 여전히 매력적인 옛 로마제국의 동쪽, 즉 소아시아 지역으로 떠났다. 그는 카이로, 바그다드, 스미르나(튀르키예 서해안의 도시인 이즈미르의 옛 이름-옮긴이), 알레포(시리아 서북부의 도시-옮긴이), 심지어 콘스탄티노플까지 방문했고, 자신의 이야기와 그림, 뚜쟁이질이나 속임수로 생계를 꾸렸다. 지금도 일주일 안에 수에즈 지역의 모든 도시를 돌아보는 수많은 이탈리아 관광객들처럼, 그 역시 어느 곳에서나 편히 지냈다. 그 후 로마에서는 소규모 사업에 종사하면서 펜과 잉크로 그린 그림, 말하자면 그림엽서의 전신인 일반적인 기념품을 중산층에게 종류별로 팔았다.

이렇듯 뚜렷한 실체가 없는 삶을 살던 그는 세라피나를 만나게 되는데, 그녀의 이름 역시 본명은 아니었다. 거들 제작자 또는 장갑 제조공이자 소상공인의 딸인 세라피나의 실제 이름은 로렌차 펠리치아니(Lorenza Feliciani)였다. 이 예쁘장한 소녀는 대부분의 사람들처럼 낭만적인 꿈을 꾸었으나, 그들과는 달리 그 꿈을 실행에 옮길 준비가 되어 있었다.

사실 남편인 칼리오스트로의 인생에서 그녀의 역할에 대한 기록이 더 많이 남아 있었더라면, 그녀는 역사상 가장 위대한 모험가 중 한 명으로 꼽혔을 것이다. 하지만 그녀의 의지는 오랫동안 주목받지 못했고, 그녀의 목소리는 두 사람이 함께 펼친 모험의 화음에서 잘 들리지 않았다. 그녀의 역할이 너무나 수동적인 나머지 글감에 목마른 작가들에게 그녀는 대개 잊힌 대상이거나 더 나쁘게는 용감하지만 불쌍한 존재일 뿐이었다.

중요한 연대기 외에는 나의 주장을 뒷받침할 만한 자료가 많지 않지만, 그녀는 이 베포 발사모라는 뚱뚱한 애벌레가 아름다운 나방으로 변태하는 데에 사실상 매우 중요한 역할을 했다. 베포 발사모는 현자 알토타스의 애제자를 거쳐 메카 셰리프의 수양자, 일조 아차랏(Ilso Acharat)이라는 이름을 가진 트레비존드(Trebizond, 튀르키예 동북부에 있던 동로마제국의 후계 국가-옮긴이) 마지막 황제의 아들에 이어 마침내 이집트 프리메이슨의 그랜드 마스터이자 유럽과 아시아의 위대한 귀족의 아들 코프타(Grand Cophta)인 알레산드로 디 칼리오스트로 백작이라는 인물로 거듭났다.

세라피나의 모험심에 불을 지핀 결정적인 요소는 불굴의 의지였다. 롤라 몬테즈의 사례에서 도출했던 결론처럼 그녀의 모험 유형은 남성적이라는 경향에 부합한다. 그녀는 칼리오스트로의 추악한 모습 속에서 위엄을 느꼈고, 그의 투박함 속에서 아직 드러나지 않은 비범한 존재감을 느꼈다. 그가 보여주는 끊임없는 거짓과 허풍 속에서 그녀는 흔하지 않은 상상력을 감지했을 뿐만 아니라, 허구적 삶이라는 라듐에서 발산된 자기암시와 자기 신뢰라는 푸른빛을 발견했다. 그녀의 모험심은 베포라는 갯벌과 거친 사막을 관통해서 앞으로 그가 변하게 될 칼리오스트로라는 열대 배후지까지 깊숙이 침투했다.

그녀 자신도 반쯤은 설득당한 것을 보면 이 말 많은 남자는 뛰어난 설득력을 갖고 있었던 것 같다. 다만 로마의 작은 코르셋 제조자가 보기에 자신이 사랑하는 남자의 이러한 통찰력은 비록 대담하기는 하나 특별히 주목할 만한 것은 아니었다. 그보다 사랑에 빠지는 데에는 (아마도 모든 여성들처럼 무의식적으로) 경제적 평가가 본질적으로 더 필요한 듯하다. 그녀는 직관적으로 그에게 실용적인 가치를 발견했고, 건설적으로 노력했는데, 이런 작업은 극히 드물고 실로 독창적이었다.

그녀는 정규 교육을 받지 못했는데, 받았더라도 별로 도움은 되지 않았을 것 같다. 그녀는 틀림없이 로마의 빛나는 광장과 끝없는 거리를 그와 산책하면서, 세계 곳곳에서 순례자들이 몰려오는 바로크 분수의 끝자락에 앉아서 함께 실천 방안을 모색했을 것이다. 약혼한 후 몇 달 동안 본래 야만적인 그의 성채와 방어벽에 대항하는 대담한 작전을 펼쳤음에 틀림없다.

그녀가 그를 칼리오스트로라는 일관된 모습으로 만들기 위해 잡초 같은 나쁜 습성들을 제거하려 할 때, 발사모는 성격이 고약하고 예민했기 때문에 불도그처럼 버티며 저항했을 것이다. 그녀는 그의 시칠리아식 고질병인 위험한 순간에 조급해지는 이상한 습관과 상류사회에는 어울리지 않는 비굴한 태도, 경찰에 대한 두려움과 증오 등을 치료하고, 그 자리에 흔들리지 않는 냉담함을 채워 넣어야 했다. 이 과정에서 사랑과 모험, 둘 다 잃어서는 안 되기 때문에 이 균형은 섬세하고 조심스럽게 이루어졌다.

그의 이미지를 요새화하는 작전은 더 고차원적이었지만 한결 수월했다. 그의 거짓말을 이용해서 그를 몽상가로 만들었고, 그의 화려한 자랑에서 일관된 이야기를 선택해서 거기에 그를 맞추었다. 그를 더 영적이고 더 값비싼 상품 거래의 전문가로 만들었으며, 시칠리아 금세공인에게 보여줬던 무대 운영의 잠재된 재능을 끄집어냈고, 그의 누더기 같은 마음에 전설과 미신이라는 색깔 있는 조각들을 끼워넣었다. 또한 악마에 대한 두려움과 초자연적 힘에 대한 희망을 불어넣어 마침내 자신을 포함한 모든 이가 이 모든 것을 믿게 되었다.

간단히 말해서, 그녀에게는 행운과 판단력이 있었으나 도덕성은 없었다. 그래서 그녀는 탐욕스러운 모순의 혼란함으로부터 강한 의지를 불어넣어 인간 역동성의 어두운 문제를 해결했다. 그녀는 칼리오스트로가 지금까지 알고 있던 그 어떤 마법보다 더 드물고 위험한 작업, 즉 모험가를 탄생시키는 마법을 해낸 장본인이었다.

작은 가게에서 일하던 예리한 점원의 사랑과 허영심, 그리고 영감을 받아 해방된 욕망은 시대정신을 통해 사적인 이익으로 이어졌고, 두 사람은 그 어떤 제한이나 세부적인 아이디어 없이도 최대한 큰 것을 바랄 수 있었다. 당시에는 철저히 이성의 시대여서 오히려 많은 사람이 신비를 향한 사랑을 품고 있었다. 우주에 대한 지식이 쌓일수록 기존의 관념은 무너졌고, 이런 분위기는 곧 절망과 혐오감으로 다가와서 가끔은 현실에서 완전히 벗어나고자 하는 강력한 욕구로 발전했다.

이런 점에서 볼테르의 시대는 한편으로는 동화의 시대라고도 할 수 있다. 예를 들어 마리 앙투아네트는 감옥에 갇혀 있는 동안 슬픔을 잊기 위해 『백과전서(Encyclopédie)』 외에도 방대한 『요정들의 방(Cabinet des Fées)』이라는 소설 일부를 함께 챙겼다고 전해진다. 또한 『종의 기원』과 『이상한 나라의 앨리스』는 불과 몇 년의 시차를 두고 같은 날짜에 출간된 동시대의 작품이다. 실제로 모든 민간 전설은 초기 인류가 가장 빛나는 환상을 잃어버린 시대 이후에 시작되었을 것이다.

이러한 인간 혐오와 도피의 충동은 18세기에 매우 강하게 나타났다. 18세기는 우리의 존재, 인류의 본성, 열정과 본능, 사회, 관습, 가능성, 자연법칙의 범위와 우주적 설정, 그 숙명의 길이와 너비를 모두 지배하는 자연법칙들의 진실을 향해 대단히 명료한 관점을 가지게 된 시기다. 이러한 시대정신으로부터의 도피는 우리가 이미 칭송한 실용주의적 허구의 숭고한 위안이자 피난처인 환상 안으로 들어가야만 가능하다.

다양한 '길'을 보면 일반적으로 인간적 결핍이 들어 있다. 맨체스터에서 벗어나는 가장 빠른 길은 악명 높은 고든스진(Gordon's gin) 한 병을 마시는 것이고, 재능과 상상력이 평범한 이가 모든 사업가의 신기루인 파리에서 벗어나는 길은 아편부터 코카인에 이르기까지 모든 종류의 마약에 취하는 것이다. 주요한 쾌감의 원천인 종교와 음악, 그리고 도박도 방법이 될 수 있지만, 그중 가장 기이하고 오래된 방법은 마법이라는 곁가지의 길이다.

이 두 명의 모험가는 자청해서 성직자 혹은 선동가가 되어, 너무 견고한 밀라노 공작령에 지친 사람들을 프로스페로(Prospero, 셰익스피어의 마지막 희곡 『템페스트』의 주인공으로, 섬에 버려졌으나 마법을 익히고 마지막에는 적들을 용서하고 마법의 능력을 모두 버리는 밀라노의 공작-옮긴이)의 섬으로 이주시키는 일종의 중개인이 되기로 마음먹었다.

이 이야기에서 중요한 점은 진실로부터의 필사적인 탈출에 진실이 있는지 여부가 아니다. 칼리오스트로의 활동이 추종자들뿐만 아니라 지도자 자신에 대한 신념이라는 의지의 집중에 전적으로 달려 있었다는 점이 중요하다. 단순히 '위선자' 또는 '사기꾼'으로 칼리오스트로 같은 사람들을 설명하려는 시도도 있는데, 이런 시도는 역사학은 물론이고 초보 단계인 심리학에서도 받아들이지 않을 논제이다.

그들이 선택한 이 모험은 의지와 신념에서 비롯되었다. 즉 절대적으로 단일한 의지였으며 어떤 식으로든 실행할 수 있다는 일시적인 확신이 있었다. 두 가지가 없었다면 그들은 금으로 만든 벽돌을 소작농에게 팔 수 없었을 것이다. 그들의 대중은 교육받은 이들이었고, 종종 미묘하고 환상적이기는 했지만 오페라 첫날 저녁 공연을 보러 온 유료 청중만큼이나 비판적인 사람들이었다. 사람들의 마음을 사로잡아야 하는 정치 분야에서도 마찬가지이지만, 더욱이 마술사는 최소한 공연하는 동안에는 온전히 자신을 믿어야 한다.

그러나 의지와 신념을 보여주기 위해서는 그전에 매개체, 즉 타고난 성격이 필요하다. 타고난 성격은 과거사를 통해 드러난다. 아직 세라피나가 되기 전인 로렌차는 자기의 연인이 떠드는 일관되지 않은 허풍들을 그의 시작을 알리는 '결정판(édition ne varietur)'으로 받아들이려고 노력했고, 마침내 그 허풍들은 각색되어 놀라운 이야기가 되었다.

그 과정에서 그녀가 팔레르모의 내용들을 잘라냈기 때문에 팔레르모에서의 행사는 중단되었다. 대신 그들은 트레비존드 마지막 군주의 불운한 아들이 머나먼 왕국의 파멸 때문에 상속권을 잃고 추방당했다고 주장했다. 그들의 이야기에 따르면, 도망치는 과정에서 그는 도적들과 만나게 되었고, 메카의 노예 시장에 팔렸다. 그곳의 고귀한 셰리프(Scherif, 메카의 이슬람교주-옮긴이)가 그를 노예로 데려와 신비주의의 지혜를 가르쳤으나 그가 성장하자 셰리프의 관대함이나 호의로도 그의 야망과 천명을 막을 수 없었다. 마침내 셰리프는 그를 놓아주며 그에게 '불행한 자연의 아이'라는 낭만적이면서도 안타까운 칭호를 붙여주었다.

그는 여행 중에 소용돌이치는 데르비시 종파(Dervishes, 빙글빙글 도는 수피댄스로 유명한 이슬람교 신비주의 탁발 수도승-옮긴이), 오시리스 형제회 수사, 그리고 암흑 마법사를 만났는데, 이들 모두 그를 명예롭게 영접하고 자신들의 신비로 인도했으나 그가 방황을 계속하도록 놓아주었다. 다마스쿠스에서 그는 모든 밀교의 신비한 지혜를 알고 있다는 현자 알토타스를 만났고, 그와 함께 영지주의 기사단의 비밀 잔존자들이 숨겨놓았다는 지하 실험실이 있는 몰타로 떠났다. 그곳에서 그는 알토타스와 영적인 끌림을 통해 상상 속에 나올 법한 환원 불가능한 물질들을 변화·변형시키는 위대한 작업을 수행했다. 그들이 지어낸 이야기 속에는 그가 알토타스를 죽여야만 했다는 내용도 있었다.

한편 로렌차는 세라피나라는 이름과 신비, 그리고 암시에 만족했다. 그녀는 이국적인 옷과 억양 등으로 기꺼이 상상 속의 인물이 될 수 있었다.

이 둘은 성격과 의지, 신념이라는 완벽한 장비를 갖추었으므로 모험을 시작할 수 있었다. 하지만 그전에 장애물이 나타났다. 칼리오스트로는 세라피나의 부모님 집을 거처로 삼았는데, 그곳에서 그는 이렇게 편할 수가 없었다. 그는 세라피나보다 세상의 풍파를 더 많이 겪었기 때문에 여기에서 더 나아가는 것은 어리석은 일이라고 그녀에게 말했다. 매일 세 끼 훌륭한 식사를 하고 푹신한 침대에서 잠을 잘 수 있었기 때문에 그는 자신의 재능이 이곳 로마에서 가장 잘 발현될 수 있으리라 생각했다.

세라피나는 모든 것이 끝난 것 같았고 어찌할 바를 몰라 당황했다. 그러나 운명은 그녀의 손을 잡아주었다. 두 사람이 뒷골목에서 점술, 손금, 천궁도 등의 비밀로 힘을 낭비하고 있을 때, 사위의 얼굴도 이야기도 가식도 마음에 들지 않았던 장인이 그들을 집에서 쫓아낸 것이다. 그래서 의도치 않게 알렉산드로 디 칼리오스트로 백작은 그의 신비한 세라피나가 저축한 돈의 12분의 1을 주고 구입한 거의 새것이나 다름없는 후드 달린 프로이센 대령의 벨벳 제복을 입고 밀라노행 마차에 올랐다.

그들의 향후 몇 년간의 모험에 대해서는 정확한 자료가 없다. 심지어 드러난 이야기들을 확인하는 데도 어려움이 있다. 다만 그들의 속임수에 넘어간 피해자들을 기재한 목록을 제시한 종교재판소 전기 작가의 글은 믿을 만하다. 여기에는 이탈리아 백작, 프랑스 특사, 에스파냐 후작, 가면을 쓴 상류 계층 여성 등 역사 드라마의 인물 전체가 포함되어 있다. 이 부부는 베네치아, 밀라노, 마르세유, 마드리드, 카디스, 리스본, 브뤼셀에서 모습을 나타냈다. 그들은 문에 금색의 수수한 문장이 있는 검은색 마차에 많은 짐을 싣고 검은 정복을 입은 무장한 수행원 여섯 명과 여행했다.

그들은 지나는 곳마다 똑같은 방식으로 자신들을 알리는 연출 기술을 가지고 있었는데, 아마도 어설프고 의심스러운 기술이었던 것 같다. 낭만적인 마차가 도시 최고의 여관에 멈추면 그들은 개인 호실에서 식사를 주문하면서 묵직한 목소리와 정의할 수 없는 이국적인 억양으로 기이한 요리를 요구했다. 처음에는 사람들의 호기심을 끌기 위해 슬프고 다정한 표정으로 창가에 서 있는 세라피나의 모습, 계단에서 우연히 부딪히고는 이내 길고 인상적인 옛날 방식으로 사과하는 백작의 모습 등 몇 가지 극적인 요소를 연출했다. 그러나 곧 뒷돈을 주고 종업원들을 활용할 수 있게 되자 자신들의 모습을 좀 더 쉽게 연출할 수 있었다.

우리의 유랑 부부 사기단이 접근할 수 없는 높이까지 올라간 마법사라는 직업은 가장 위험하고 고된 전문 분야 중 하나이다. 그것은 한편으로는 신의 노여움과 경찰의 단속을 경계해야 하고, 다른 한편으로는 음악만큼 어렵고, 시만큼 심오하고, 무대 기술만큼 기발하고, 폭약 제조만큼 긴장되고, 마약 거래만큼 섬세해야 한다.

마법사는 상류층에서는 사회적인 직업이라고 할 수 있다. 왜냐하면 인간의 마음속 가장 깊은 소망을 충족시키는 것을 목표로 하고, 그 도구는 비밀스러운 사회 조직이기 때문이다. 죽음에 대한 두려움, 초자연적인 공포, 아름다움에 대한 은밀한 성적 갈망 등의 신비를 원하는 사람들의 복잡한 동기는 교회, 오케스트라, 프리메이슨이 아니면 적절하게 충족될 수 없다.

신비주의에서는 이 장치가 비밀이어야 한다. 왜냐하면 그것은 구원이 아니라 탈출이기 때문인데, 탈출은 현실이라는 감옥에서 벗어나 또 다른 세계로, 태어나지도 죽지도 않고 유기적 흐름에서 벗어나 잉태와 부패, 먹고 배설하는 영원한 순환 고리가 아닌 다른 방식으로 도피하는 것을 말한다. 칼리오스트로는 열쇠를 매달았던 작은 문 위에 프랑스어로 이런 글을 새겨 넣었다. OSER, VOULOIR, SE TAIRE.*

따라서 부부가 유럽 전역을 돌아다니며 한 일은 신앙을 전파하고 교회를 건설한 선교사들의 유서 깊은 기록에서 찾을 수 있다. 그들의 작업은 반대파 색출이 아니라 추종 집단 모집이었다. 그들이 붙잡은 포로는 도망쳐야 할 얼간이들이 아니라 보존되어야 할 개종자이자 이집트 프리메이슨의 초기 구성원 등록부에 등록될 신봉자들이었다. 수장은 달의 산속 깊숙한 곳에 살고 있는 미지의 존재이며, 유럽과 아시아의 위대한 귀족의 아들 코프타인 알렉산드로 디 칼리오스트로 백작이고, 그의 위대한 여인은 지상의 속박에서 풀려난 세라피나였다.

유럽 전역으로 뻗어나가기 전에 먼저 그 실을 퍼뜨린 이 그물 모양의 유기체는 마법처럼 하룻밤에 완전히 자란 것이 아니었다. 길거리 여관의 한 귀퉁이 거실에서 일어났던 부부와 신봉자들의 첫 만남은 아직 톱니바퀴도 없는 거대한 기계에 대한 확실한 선전이라기보다는 오히려 제의와 암시가 이뤄낸 연극이었을 것이다.

✴ 대담하게 행동하고, 바라고, 침묵을 지켜라.

모험가에게 첫 번째 저녁 식사 비용을 건넨 호기심 많은 탐구자는 특별한 예술적 가치를 지닌 공연을 감상하는 특혜를 누렸을 것이다. 당시의 공연은 칼리오스트로가 말하고 세라피나는 침묵하는 몇 가지 기교 넘치는 속임수로 구성되었는데, 이는 훗날 정성을 들인 이집트 의식 절차와는 구별되었다. 그렇지만 장치 없이도 부부는 실질적으로 동일한 상품, 즉 영적인 로맨스인 신비와 눈에 보이지 않는 세계를 판매하였다.

그들의 모험은 이렇듯 예술적으로 조악했던 초기의 배아 상태에서 빠르게 분화하여 성장하고 있었다. 두 번째 마을에서 그들은 악마를 구현해낼 수 있었다. 세 번째 마을에서는 대마를 비단으로, 조약돌을 진주로, 가루를 장미로 만들어내는 등 최초의 변형술을 선보였다.

그들은 수정 구슬을 가지고 있었는데, 그 안에서 작은 무지갯빛의 장면과 침실 내부 장식, 설명할 수 없는 향수를 불러일으키는 풍경, 과거와 미래의 인물들이 걸어 나오는 모습을 보여주어 사람들의 시선을 끌었고, 그렇게 돈을 모을 수 있었다.

칼리오스트로는 교수형에 처한 사람의 '도발적이고 모호한 눈물'에서 태어나고 밤이면 나무 둥치에서 땅 밖을 향해 울부짖는다는 마법의 작은 지상 생물 만드라고라(Mandragore)를 보여주었다. 그는 가장 완벽한 아름다움과 생명력을 지녔다는 전설 속의 요정을 담은 6인치 높이의 새틴 안감의 상자를 가지고 있었다. 또한 질문에 대답하지만 다투기를 좋아해서 병 속에 가둬야 하는 호문쿨루스(플라스크 속의 작은 인간으로 유럽의 연금술사가 만들어낸 인조인간)로 사람들을 놀라게 했다.

　그가 준비한 이런 신기한 볼거리들은 더 큰 신비의 예고편으로 일부만 공개되었다. 순회 서커스 매표소 앞에 있는 저글러와 광대처럼 행사장 내부의 메인 쇼를 광고하는 역할이었다. 공연을 더 보기를 원하는 사람들은 그가 주관하는 이집트 프리메이슨의 최초 입회식에 참석했고, 그의 소개로 입회한 회원의 숫자가 늘어나면서 그는 꾸준히 모임 속 등급에서 승진했다. 불행하게도 이 조직의 세부 내용을 담은 유일한 자료가 훼손되어 변형되었다. 그 자료는 무대 장치 스태프들의 수다만 듣고는 새로운 오페라 공연의 비밀을 밝혀냈다며 퍼트리는 소문보다 더 낮은 수준의 정보를 제공할 뿐이다. 따라서 종교재판소의 기록에 의존할 수밖에 없는데 거기에 적힌 악의적인 글에는 음악은 물론이고 그 어떤 비밀 계획도, 심지어 화려함조차 설명하는 내용이 없다.

　입회자는 어두운 길을 따라 천장과 벽과 바닥이 온통 검은 천으로 덮여 있고 뱀이 수놓아져 있는 거대한 복도로 인도된다. 그곳에는 세 개의 묘광이 희미하게 빛나면서 때때로 장례용 천에 매달린 인간의 잔해가 보이고, 해골 더미가 제단을 이루고 있다. 그 양옆에는 책이 쌓여 있는데, 이들 중 일부는 맹세를 저버린 자에 대한 위협을 다루고 있고, 어떤 것들은 보이지 않는 복수심의 작용에 대한 설명을 담고 있다. 여덟 시간이 지나고 나면 유령이 아무런 소리도 내지 않고 천천히 복도를 가로질러 가다가 아래로 가라앉으며 사라진다.

초심자는 이곳에서 침묵한 채 하루를 보낸다. 그동안 엄격한 금식으로 이미 그의 사고 능력은 약해져 있다. 그에게 제공되는 술은 그의 결심을 흔들리게 하고 졸리게 만든다.

그의 발밑에 세 개의 잔이 놓여 있다. 이윽고 세 명의 남자가 나타난다. 이들은 피로 적시고 은빛 문자로 적힌 옅은 색 리본을 이마에 둘렀는데, 이들 중 일부는 기독교인이다. 구리 십자가를 포함해 여러 가지 구리 부적들이 그의 목에 걸쳐진다. 발가벗겨진 그의 몸에는 핏자국이 남아 있다. 이런 굴욕적인 상태에서 칼을 든 유령 다섯이 피를 흘리며 그를 향해 성큼성큼 걸어간다. 그들은 무릎을 꿇을 수 있도록 바닥에 카펫을 깔았다. 화로에 불을 올린다. 연기 속에서는 반복해서 맹세의 조건 등을 말하는 거대하고 투명한 형상이 보인다.

세계 어느 비밀 조직의 교묘한 말장난보다는 잘 정리되어 있지만, 훼손되어 흔적만 남은 이 잔해들은 아마 온전한 형태였을 때에도 판지의 일부였을 확률이 매우 높다. 따라서 이것들을 통해 한때 대단히 까다롭고 명망 있는 인물들의 마음을 휘저어놓았던 요소를 찾으려는 노력은 헛될 것이다.

하지만 이 쓰레기들을 뒤지면서 그들의 모험이 진행된 숨어 있는 과정을 살펴볼 수 있다. 이 시시하고 장황한 이야기는 마술적 의식이 아니라 종교적 의식이었음을 보여준다. 말하자면 이런 긴 글의 목적은 사람들에게 불멸을 선사하는 모든 신비의 목적과 같다. 부부는 죽음에 대한 두려움이라는 감정의 심오한 곳에서 솟아

오르는 심리적 흐름을 이용하면서 기존의 제안은 완전히 지워버렸다. 그들은 우주로부터의 탈출이라는 최초의 제안 대신 단순히 무덤으로부터의 탈출을 제안하기 시작했다. 그들의 마술쇼는 종교적인 곡예로 변했다. 요정 대신 유령이 등장하고, 인간의 삶에 대한 혐오감을 낮게 해주는 진통제 대신에 인간을 '영원히(in saecula saeculorum)' 살게 해주는 묘약을 팔았다.

유럽의 간선도로 이곳저곳을 떠돌았던 그들의 운명처럼 옻칠한 반짝이는 마차를 따라 그들이 하는 말들도 변화해갔다. 이 불행한 자연의 아이는 초자연적인 과학에서는 아니더라도 인간의 과학에서는 발전하고 있었다. 그는 죽음을 막아주는 약보다 삶을 망치는 약이 훨씬 더 잘 팔린다는 사실을 발견하고 그런 약을 만들어 판매했다.

그는 자신의 운명에 대한 암시에 있어서는 카사노바만큼 유연했다. 종교 재판관의 말에 따르면, 그는 세라피나의 육체가 그녀의 후광보다 훨씬 더 매력적이라는 사실을 깨닫고는 심지어 그녀까지도 기꺼이 판매하려 했다. 세라피나도 마찬가지였다. 세라피나는 그의 곁에서 자기 나름의 지식을 쌓고 있었다. 그녀는 남자들 모두가 여자에게서 신비를 원하지만, 신비보다는 시를, 시보다는 사랑을, 사랑보다는 즉각적인 만족감을 주는 육욕을 원한다는 사실을 알게 되었다. 그리고 (이런 욕망은 아래쪽으로 향했기 때문에) 가속도가 붙으면서 기존의 미묘함을 완전히 버리고, 흑마술이라는 저급한 분야까지 내려간다.

칼리오스트로는 사랑의 묘약을 만들 수 있고, 구리를 금으로 바꾸는 비밀을 알고 있다고 주장했다. 이제 그는 더 이상 정령에게서 천상의 음악을 바라지 않았고, 그 대신 통풍 치료법을 얻고자 했다. 그에게 다가왔던 고귀하고 세련된 이들도 결국은 건강에 대한, 이성에 대한, 생존에 대한, 그리고 무엇보다도 돈에 대한 욕망이라는 공통된 욕망을 가진 이들이었다.

칼리오스트로의 성장 역사에서는 약물 조제에 사용했던 속임수가 단일 원소인 금에 대한 인간의 욕망, 즉 연금술이라는 기술로 변하게 되는 흥미로운 과정을 살펴볼 수 있다. 그의 경험에 따르면 '염세적 세계관(Weltschmerz)'이라는 까다로운 치료법은 짝사랑과 만족을 모르는 건강, 죽음이라는 참을 수 없는 두려움에 대한 처방으로 활용할 수 있지만, 결국 그런 것들은 쉽고 빠르게 부자가 되는 방법에 부차적인 요소들일 뿐이었다. 따라서 그는 자연스럽게도 마술에서 치료로, 다시 치료에서 심리학으로 경로를 변경했다.

부부는 불멸과 사랑의 묘약과 연금술을 취급하는 사업 동반자였는데, 그 사업은 정기적인 부침이 있었다. 칼리오스트로의 고객 대부분을 차지하고 있는 위대한 가문들은 승계 구조를 단순화하거나 집안 내 불화를 해소하는 등 복잡한 문제들을 해결하기 위해 종종 독극물이라는 효과가 빠르고 신뢰할 수 있는 물질을 사용할 필요가 있었는데, 아마 그는 이러한 고객들의 광범위한 요구까지 기꺼이 충족시키려 했던 것 같다.

칼리오스트로는 상황이 어떻게 돌아가는지 분명히 보았고, 그의 박해자들인 이집트 과학 지부를 불쾌하게 만드는 것을 버리거나 줄이고, 좀 더 돈벌이가 되는 실용적인 마법만을 추구함으로써 문제가 될 만한 원인을 제거하고 싶었다.

이와 달리 세라피나는 단순히 실용적인 이익만 추구하지 않았다. 진정한 여성적 이상주의를 지닌 그녀는 돈으로 살 수 있는 것들을 사랑했고, 특히 식사, 의복, 안락함을 즐겼지만, 그것을 얻기 위한 물질주의는 경멸했다. 그녀는 사랑의 묘약을 제외하고는 자기 의지에 반하는 그의 기발한 불가사의한 활동을 도왔지만 수익성은 떨어지더라도 순수한 초자연 실험들을 무시하지 말라고 끊임없이 잔소리를 했다.

이렇듯 그들이 함께했던 단일한 의지는 해체의 조짐을 보이기 시작했다. 칼리오스트로는 은퇴한 백만장자라는 지위를 향해 고개를 돌렸다. 그러나 세라피나는 끊임없이 더 많은 권력과 더 높은 지위를 바라보았다. 점차 그가 그녀를 위해 마련한 의복의 위엄이 높아지면서 그녀는 희망과 약간의 겁박을 적절히 결합하여 유럽 낭만주의자들의 마음을 지배하는 제국을 공유하고, 정부를 구워삶고, 삶을 형성하고, 경의를 받는 광대한 지하 종교의 수장 노릇을 원했다. 구조적으로 말하면, 욕망 후 만족감에 빠진 남자는 이미 모험의 끝을 향해 달려가고 있었다. 하지만 여자는 여전히 모험에 빠져 있었다.

이것이 팔레르모 재앙의 시작이었다. 칼리오스트로는 점점 더 시무룩해졌다. 둘 사이에 말다툼도 빈번해졌다. 표면적으로는 돈과 관련된 문제였지만, 그 저변에는 그들 사이의 깊은 불화가 깔려 있었다. 세라피나는 결국 칼리오스트로의 뜻을 따르기로 합의했고, 칼리오스트로가 자신의 재산을 챙겨서 지내려고 했던 팔레르모로로 여행을 떠났다. 우리는 무함마드가 자신의 모험에서 완전히 벗어나려고 했을 때, 그가 과거에 저지른 무자비한 행동에 대한 반동이 그 어느 때보다 빠른 속도로 그를 쏘아 올렸고 이후 무슨 일이 일어났는지 보았다.

이와 똑같은 일이 칼리오스트로에게 벌어진다. 그가 꾸며낸 과거는 그의 현실을 잊게 했지만, 오랜 기다림으로 복수심이 더욱 불타오른 적들에게는 그렇지 않았다. 그는 (수도원 유언장과 관련된) 위조와 사기 혐의로, (금세공인과 관련된) 마법 혐의로 감옥에 갇히는 신세가 되었다.

세라피나는 난관을 뚫고 헌신적으로 그를 구해냈다. 팔레르모에는 이집트 고등과학집회장이 있었고, 그곳의 수장인 코프타는 시칠리아의 위대한 귀족의 아들이었다. 세라피나는 그 사람에게 칼리오스트로의 진짜 이름과 그동안의 일들을 밝힘으로써 그가 가지고 있던 의구심을 해결하는 동시에, 그가 사형 위기에 처한 죄수를 향한 관심을 넘어 광적인 열정을 갖도록 수완을 발휘했다. 이 이야기를 들은 코프타는 사건을 중단시키려 했지만, 평화적인 방법으로는 실패했다. 이제 그의 신봉자가 된 그는 부하들과 함께 법정에 쳐들어가 칼리오스트로를 기소한 검사를 붙잡아 흠씬 두들겨 패서 결국 검사가 소송을 포기하도록 만들었다. 이로써 얼마나 막강한 권력자가 칼리오스트로의 배후에 있는지 알게 된 판사들은 더 이상 그 사건에 열의를 보이지 않았고, 그동안의 일에 대해 아무것도 못 보았고 아무것도 모르는 것으로 결론지었다. 이렇게 해서 우리의 백작은 석방될 수 있었다.

이로써 먼 길을 돌아 두 사람은 다시 하나의 팀이 되었고, 내부적인 결속을 다지게 되었다. 결과적으로 이 시기는 그들에게 가장 화려한 시기였다. 보이지 않는 둘의 왕국은 다양한 상상의 자원으로 더욱 풍성해졌다. 이집트 집회장은 유럽 사회의 각 영역으로 스며들었고, 신봉자의 수도 수천 명으로 늘어났다. 그중에는 군주, 백만장자, 궁녀도 있었다. 호기심이 많은 사람이라면 누구나 한 번쯤 칼리오스트로의 이름을 들어보았다. 그와 세라피나, 그리고 그들의 마차는 시대의 상징이 되었다.

아직도 허름하고 어수선한 골동품 가게에서 파는 석고나 도자기에서 그의 흉상을 만날 수 있다. '불길하게 생긴 불한당이자 뚱뚱하고 속물같이 생긴 얼굴 아래로 처진 목살에 납작한 코, 기름이 흐르고 탐욕으로 가득 찬 입술, 음탕하면서도 황소고집에 부끄러움을 모르는 뻔뻔한 이마, 한편으로는 경배하는 듯 청순한 동경으로 가득한 두 눈을 하고 약간은 장난기 넘치는, 가장 완벽한 사기꾼의 얼굴'을 말이다.

내가 아는 한, 세라피나의 외모에 대해서는 근거로 삼을 만한 어떤 자료도 남아 있지 않다. 다만 직감적으로 그녀의 눈이 칼리오스트로보다는 강렬했고, 겉모습은 꾸밈이 없으며, 그다지 특징적이지 않았다는 사실을 짐작해볼 수 있다.

칼리오스트로의 고질적인 결점인 검소함은 이제 완전히 사라졌다. 그들은 돈을 흥청망청 썼다. 그들이 돈을 얼마나 벌었는지는 알려지지 않았기 때문에 그 재산은 추측에 의존해야 한다. 역사 속 유일하게 진정한 비교 대상인 티아나의 아폴로니오스(Apollonius of Tyana, 기적을 행했다고 전해지는 고대 그리스의 철학자-옮긴이)를 의식적이든 무의식적이든 모방한 칼리오스트로는 아프고 가난한 이들에게 과학의 특혜를 베풂으로써 사람들에게 좋은 인상을 남겼다. 그에게 상담을 신청한 부자들은 차례가 돌아올 때까지 한참을 기다려야 했다. 그는 어느 도시든 도착하자마자 그 지역의 진료소를 방문하여 당대의 가장 잘 알려지고 효과가 있다고 믿었던 만병통치약인 토성의 추출물, 즉 납을 환자들에게 나누어주었다.

1780년에는 상트페테르부르크에 머물렀는데, 그곳에서 그는 좀 더 많은 이로부터 핍박을 받았다. 그중 먹으면 200세까지 살 수 있게 해준다는 '칼리오스트로의 연금술 요리(Spagiric Food)'가 '개에게도 적합하지 않다'고 황제에게 보고한 스코틀랜드 출신의 궁정 의사가 대표적이었다. 또한 독일 대사가 칼리오스트로 백작을 상대로 프로이센 군복의 무단 사용에 대해 소송을 제기하였고, 그 결과 백작에게 추방 명령이 내려졌다.

그는 이렇게 엉망이 된 항해에서 감당할 수 없을 만큼 많은 것을 잃었고, 바르샤바에서 금을 만드는 실험에 실패한 후, 합리주의를 지지하는 궁정인의 비난을 받으며 다시 국외로 추방되었다. 하지만 이후 베를린, 프랑크푸르트, 빈에서 그는 균형을 되찾았다. 이후 1783년에 스트라스부르에 도착한 부부는 모험의 절정에 도달했다.

미신에 사로잡힌 지붕과 포장된 도로가 공존하는 부유한 도시 스트라스부르에서 가장 힘 있는 인물은 브르타뉴의 혈통이며 로마교회의 추기경이자 스트라스부르의 주교이며 알자스의 영주인 로앙이었다. 로앙은 인격, 재산, 사회적 위치, 허영심, 선량함을 모두 갖추었으나, 군주제 프랑스의 궁정 그리고 더 넓게는 유럽 전체에 유례없는 역사적 혼란을 가져올 인물이었다.

부부가 펼치는 모험의 항로는 만유인력처럼 이런 혼돈의 중심, 곧 다가올 전 세계적인 격변인 프랑스혁명의 첫 번째 진원지인 다이아몬드 목걸이 사건을 향해 끌려가고 있었다. 칼리오스트로가 스트라스부르에 도착하자 로앙은 그에게 편지를 보내 만나고 싶다는 뜻을 전했다. 백작은 변함없는 기술로 이렇게 대답했다.

"추기경님께서 아픈 곳이 있다면 저에게 오십시오. 그러면 제가 치료해드리겠습니다. 만약 건강하시다면 제 도움이 필요 없으실 테고, 그렇다면 저는 당신이 찾는 사람이 아닙니다."

추기경의 추모자인 게오르겔 수도원장은 그들 관계의 향후 과정을 다음과 같이 설명한다.

"마침내 칼리오스트로의 성역에 입장하게 된 추기경께서 말씀하시길, 말수가 적은 그 남자의 얼굴에는 당당함과 위엄이 서려 있어서 종교적 경외심이 들었고 그에게 공손하게 말을 건넸다고 한다. 이 짧은 만남은 그와 깊은 친분을 쌓고 싶다는 추기경의 열망을 자극했고, 마침내 그와 자주 만나는 계기가 되었다. 그 협잡꾼은 그다지 환심을 얻으려는 모습을 보이지 않고도 추기경의 전폭

223

적인 신뢰를 얻었고, 곧 추기경의 생각을 좌지우지할 수 있게 되었다. 어느 날 그는 추기경에게 '당신의 영혼은 저와 잘 어울리니, 당신에게는 저의 모든 비밀을 털어놓을 수 있겠습니다.'라고 말했고, 이로써 평생 연금술과 식물학의 비밀을 찾아 헤매던 한 남자의 온 마음을 사로잡고 말았다. 그들의 만남은 점점 길어지고 빈번해졌다. 내가 확실히 기억하는 것은 스트라스부르의 대주교 궁에서 칼리오스트로와 세라피나를 맞이하기 위해 토케이 백포도주가 물처럼 흐르는 사치스러운 향연이 빈번히 열렸다는 사실이다."

이 시기에 괴팅겐대학교의 마이너스(Meiners) 교수가 언급한 다음의 증언을 통해서 중요한 사실을 알 수 있다. "칼리오스트로의 관대함과 기적적인 치료보다는 막대한 부의 원천이 미스터리 했기 때문에 그가 자연으로부터 금을 만드는 비밀을 훔친 신성하고 비범한 사람이라는 생각이 퍼지게 되었다."

이 대목에서 다시 한번 금을 만드는 이야기가 등장한다. 또한 칼리오스트로는 그에게 나쁜 친구였던 한 사람을 그곳에 만나게 되는데, 바로 프랑스 왕실의 가난한 친척이자 사기와 모험의 경계에 서 있던 생 레미의 잔느 드 발루아(Jeanne de St. Remy de Valois) 백작부인이다. 그녀는 칼리오스트로 만큼이나 로앙과 가깝게 지냈으나 그가 가진 기술이라곤 특유의 기지와 작은 몸, 그리고 궁정의 소문을 알아내는 것뿐이었다.

그중 가장 흥미로운 소문은 스트라스부르에서 추방당할 뻔한 모욕을 겪었던 로앙과 왕비 마리 앙투아네트 사이의 오랜 앙금이었다. 잔느는 다이아몬드 목걸이와 궁정 금세공인 보에메르

(Boehmer)와 바상쥬(Bassenge)의 상황에 대해서도 알고 있었다. 보에메르와 바상쥬는 선왕 루이 15세가 군함을 포기하면서까지 애첩 뒤바리 부인을 위해 목걸이를 제작 의뢰한 인물이다. 이들은 이 다이아몬드 목걸이의 가치를 알고 있었지만, 지금은 구매자를 찾지 못해 곤란을 겪고 있었다.

한편, 왕비가 그 목걸이를 가지고 싶어 한다는 소문이 궁정과 로앙에게 들려왔다. 그러나 만성적인 적자에 허덕이던 국고 때문인지 혹은 왕비가 이성적으로 생각했기 때문인지 그녀는 이 목걸이를 단념했다. 잔느는 로앙과 칼리오스트로의 신비한 밀담 사이에 끼어들어 자신의 계획을 말했고, 위대한 코프타는 여러 차례 망설임 끝에 그 계획에 참여하고 그녀를 지원하기로 동의했다. 이제 칼리오스트로는 디저트를 먹고 싶어 했으며, 한 번의 쿠데타를 일으켜 그의 초자연적 모험을 시칠리아의 견고하고 실질적인 성으로 변화시킬 큰돈을 벌고 싶었다. 그러나 이런 욕망이 그의 운명이 무너지는 시발점이 되었다.

전리품이 될 다이아몬드 목걸이의 가치에 대해서는 공유할 내용이 아주 많았다. 왕비는 이 고가의 다이아몬드 목걸이를 국왕 모르게 구매하기를 원했으며, 프랑스에서 그 비용을 감당할 수 있는 유일한 사람은 부유한 로앙 추기경뿐이었다. 잔느는 이런 우연을 이용하여 얼간이들을 낚을 미끼를 마련했다. 로앙을 잘 알고 있었던 그녀는 그에게 왕비가 그를 사모하고 있으며 그 목걸이를 갈망한다고 말했다.

이 제안에 대한 잔느의 역할, 즉 그녀가 지껄인 명백한 거짓말은 다른 자료를 참고하여 확인해보기 바란다. 우리는 잔느가 거짓말쟁이라는 사실뿐만 아니라 마리 앙투아네트가 경솔하게 행동했으며, 또한 그녀가 로앙을 매우 경멸했다는 사실도 잘 알고 있다. 이 이야기 중에서 우리가 새롭게 알아야 하는 부분은 로앙이 누가 파놓았는지도 모를 함정에 빠졌고, 칼리오스트로가 그를 돕기 위해 그의 모든 유령, 과학, 예측, 초자연적 조언 등을 동원해 온갖 노력을 다했다는 것이다. 이 유럽 최고의 멍청이는 결국 목걸이를 구매했고, 잔느를 통해 왕비에게 전달했지만, 그 이후로 왕비로부터 아무런 소식을 듣지 못했다.

그러나 이 두 전문가가 활용한 근원적인 힘은 인간의 어리석음으로, 이런 힘은 바람, 물, 불과 같은 원소처럼 궁극적으로 위험하고 헤아릴 수 없다. 로앙이 약간이라도 분별력이 있었다면 그녀의 사기 행각은 성공했을지도 모른다. 그러나 이 얼간이는 보석상인 보에메르와 바상쥐에게 거래에 대해 얘기하면서 자신이 아니라 여왕에게 감사하라고 말했다.

역사 속에는 지금까지 지켜봐왔던 놀라운 일련의 사건들이 단지 서곡에 불과했다는 사실을 깨닫게 되는 순간이 있다. 보석상 보에메르와 바상쥐가 베르사유궁전에 찾아가 마리 앙투아네트를 만난 사건이 바로 그런 순간인데, 이는 1914년 사라예보사건(오스트리아 황태자 부부가 사라예보에서 암살되어 제1차 세계대전의 계기가 된 사건—옮긴이)처럼 중요한 사건이었다. 이때 막이 올랐고, 프랑스혁명의 첫 장면이 연출된 것이다.

우리가 소개한 인물들은 모두 이 바보 같은 행동들을 세심하게 지도받은 것처럼, 한 치의 실수 없이 제 역할을 다했다. 보석상들의 선처를 요구하던 로앙은 1785년 8월 15일 성모승천대축일 미사를 집전하기 위해 궁정인들이 모두 모여 있는 가운데 체포되었다. 경찰의 허가 아래 로앙은 왕비에게서 받았다고 믿었던 편지들을 모두 파기하였는데, 이 때문에 이 사건은 더욱 미궁에 빠졌다. 뒤이어 칼리오스트로도 체포되었다. 어리석은 행동 위에 얹히는 또 다른 어리석음, 인류 역사의 모든 비극적인 장은 진정한 희극 방식으로 쓴 듯하다.

이 거대한 사기극의 정점은 고등법원의 판결 내용이었다. 사건에 반드시 필요한 칼리오스트로는 무죄 판결을 받았고, 유죄 선고를 받은 잔느 드 발루아는 면책을 받았다. 로앙은 그저 사기극에 속아 넘어간 무능한 피해자라며 무죄로 풀려났지만, 왕비의 지조에 대한 평판은 땅에 떨어져 치명적인 흔적을 남겼다.

이렇게 해서 칼리오스트로의 마력은 산산이 부서졌고, 그의 신비는 누더기 속에 묻혔으며, 무엇보다도 최악은 그가 세간의 관심에서 멀어지며 역사적인 현장에서 비틀거리며 걸어 나갔다는 사실이다. 그는 전통을 추구하는 자들의 피난처인 영국으로 피신했다. 만일 그가 혼자였다면 그는 그곳의 지저분한 감옥에 갇히거나 런던의 플리트스트리트(Fleet Street) 주변에서 관광객을 대상으로 구걸하는 한때의 전설적인 인물로 끝났을 것이다.

그러나 몇 달 후 런던에서는 길 잃은 영웅의 반쪽인 세라피나가 다시 등장한다. 그리고 스트라스부르에서 처참하게 쪼개진 그의 의지가 원자가 재구성되는 것처럼 다시 만들어지고, 혹은 익사한 사람이 진흙 속에서 표면으로 떠오르는 것처럼 늙은 칼리오스트로가 갑자기 고통스러운 모습으로 다시 나타난다.

미약하지만 독특하게 재구성된 모험은 그 파편들이 떨어진 진흙 속에서 스스로 솟아올라 기존의 항로, 즉 우주를 관측하는 천문학자의 기준선처럼, 모든 현실적 구체성을 넘나드는 불굴의 세라피나라는 행로로 나아간다. 그녀의 모험은 그가 스트라스부르에서 잔느와 어울렸던 때처럼 짧게 끝날 수도 있었지만 이대로 구부러질 수는 없었다. 이제 그녀는 의기양양하게 자신의 남자를 되찾았으므로 운명의 포물선을 다시 시작하는 것 외에는 아무런 계획이 없었다.

그리하여 두 사람은 새로운 시작을 위해 20년 전 로마에서 그랬던 것처럼 이번에는 런던에서 새롭게 출발했다. 그러나 이제 그녀에게는 '신비로운 눈' 외에는 아무것도 남지 않았고, 칼리오스트로는 다루기 힘든 짐이 되어버린 상황이었다. 때는 1789년, 공포와 흥분이 폭발하던 위대한 시절이었다. 두 사람은 낯선 바다에서 돛대를 잃은 범선처럼 흘러갔다. 스위스 바젤, 사보아 공국의 엑스레뱅, 이탈리아 토리노 등을 거쳤으나 매번 금세 추방당했다. 이집트 신봉자들의 흔적은 어디에도 없었고, 비현실적인 사원들도 모두 사라졌으며, 그들은 절망적으로 길을 잃었다. 세라피나가 마음을 잡기 위해 생각할 수 있는 유일한 일은 로마로 돌아가는 것뿐이었다. 칼리오스트로는 더 이상 생각하지 않았다. 그래서 그들은 이탈리아 여러 도시들을 전전하면서 출발점이었던 로마를 향해 무겁게 표류해나갔다.

그러나 그들의 행로는 1789년 12월 29일에 끝이 난다. 다음 기록을 보자. "신성한 종교재판소는 그들이 무일푼으로 이집트 집회장이라는 흐릿한 유령을 만든 것을 감지하고, 그들을 체포하여 로마의 산안젤로 감옥에 가두었다."

여기서 잠깐, 운명은 이 모험 이야기가 연민을 불러일으키거나 하품이 나는 흐름으로 마무리 짓도록 내버려두지 않았다. 그토록 오랫동안 운명을 이용해온 이 초라하고 볼품없는 부부가 바로 그 운명에 의해 가장 역겨운 방식으로 파멸되어가는 모습을 확인할 수 있으니 잠시 기다려주길 바란다. '불행한 자연의 아이'와 '고정관념의 위대한 여주인'은 이제 극의 구성에 의해 끝을 향해 가고 있었다. 지그재그 코스와 급상승은 모두 끝났고, 관객은 장엄한 막이 열리기만을 기다리면 된다.

사실 종교재판소는 그들을 석방할 의사도 있었기 때문에 이들의 이야기는 일종의 행복한 결말로 끝날 수도 있었다. 그랬더라면 살아 있는 동안 매혹적인 눈을 가졌으며 약간은 망가졌으나 여전히 품위 있는 늙은 아내와 함께 칼리오스트로는 시간이 지난 후 로마 뒷골목에서 활동하는 기인 베포로 알려졌을지도 모르겠다.

그러나 현실은 무의미하고 무익하며 짓궂었다. 그들은 불경죄와 '자유주의'라는 혐의로 체포되었고, 곧 증거 부족으로 사건이 기각될 뻔했으나, 악의를 품은 세라피나가 그를 배신하고 모든 진실을 내뱉기 시작하면서 새로운 국면에 접어들었다. 그녀가 밝힌 내용은 삶의 동반자에 관해 재판관들이 바라던 내용보다 훨씬 더 많은 사실을 담고 있었다.

　그녀는 칼리오스트로의 마지막 비밀이었던 진짜 이름과 낭만적이지 않은 출생에 관한 세부 사항까지 재판관들에게 모두 털어놓았다. 자신의 옆 피고인석에 앉아 있는 연인이 자신과 같은 판결을 받게 하려는 여인의 광분 때문이었을까? 마치 발바닥을 간질이는 것처럼 정의, 법정, 경찰, 감방이라는 압박을 더 이상 견디지 못하는 여성 특유의 나약함 때문이었을까? 물론 칼리오스트로도 상대를 폄훼하는 증언을 했기 때문에 이것이 여성만의 문제는 아니었다.

　두 사람은 서로 다른 감옥에 갇혀 있으면서도 배신이라는 무시무시한 이중주를 펼쳤다. 집중 심사를 받던 밤, 그들은 조사관 앞에서 기억의 창고에 저장해놓은 모든 내용을 쏟아부으면서 서로를 더 깊이 파멸시키기 위해 교활한 협의를 지어냈다. 결국에는 종교재판관조차도 그들의 진술을 듣는 데 지쳐버렸다. 사람들은 이 기이하고 늙은 두 광인에게 더 이상 관심을 기울이지 않았고, 그들은 그렇게 낡은 감옥에서 남은 생을 보내야 했다.

제7장

칼 12세

"결코 부당한 전쟁을 시작하지 않겠지만,
정당한 전쟁에서는 적들을 궤멸시키려 하오."

Karl XII
(1682년 6월~1718년 11월)

스웨덴 팔츠츠바이브뤼켄 왕조 제3대 국왕. 대북방전쟁에서 뛰어난 전술 감각으로 승리를 쟁취하였고, 스웨덴 제국의 마지막 불꽃이라 불린다.

모험이 종교와 어느 정도 유사하다면 스웨덴의 칼 12세는 모험의 성인(聖人)이라고 부를 수 있다. 고행자 성 시메온, 베나레스(Benares, 인도 바라나시의 구칭-옮긴이)에서 활동하는 더럽고 혐오스러운 모습을 한 고행 수도승, 에세네파(Essenes, 그리스도 시대의 유대교 일파-옮긴이)의 한 분파인 레닌 등의 공산주의자들, 그리고 이번에 소개할 칼 12세 사이에는 공통된 성질이 있다.

이들은 영적인 기괴한 부조화만큼이나 뛰어난 진실성을 가지고 있다. 이 놀라운 심리적 실체를 조금 더 자세히 살펴보면 성인들이 때때로 양립할 수 없을 것 같은 성질을 갖고 있는 게 아니라 종교의 특성상 모든 신봉자가 성인은 아니라는 사실에 놀라야 할 것이다.

모험의 최신 표본이자 성인인 칼 12세는 볼테르가 말했듯이 '어떤 약점도 없이 일생을 살았던 유일한 사람'이었다. 즉, 그에게 부조리는 없다. 그러나 그의 정신 상태에 따른 사건과 결과를 따라가기 전에 논란의 여지가 없는 몇 가지 사항을 알아야 한다. 더 나은 것을 알면서도 더 나쁜 것을 따르고, 자신이 원하는 것을 거부하고, 자신이 혐오하는 것을 취하며, 나침반을 거슬러 인생을 항해하면서도 항로를 벗어나지 않는 사람들의 광기를 바라보면 숨이 막힌다. 그러나 이 어리석음과 비합리성을 인간 보편의 법칙으로 받아들이게 될 때면 인류는 가장 주목할 만하고 초자연적인 유용성을 지니게 될 것이다.

신들이 보는 우리는 장난기 심한 소년들이 보는 파리와 같다. 조금 덜 씁쓸하게 표현하자면, 인류는 손수건으로 눈을 가린 채 숨바꼭질하면서 발이 걸려 넘어지는 존재다. 그래서 스스로 이런 어리석음을 숙고하는데, 이런 활동마저 없다면 우리는 길을 잃고 말 것이다. 칼 12세를 보면 우리가 믿어온 위대하고 아름다운 교리의 전부 또는 일부가 그대로 충실하게 실행되었다면 인류에게 어떤 일이 일어났을지 상상하게 된다. 그러면 당신은 치료할 수 없는 인류의 어리석음이 인류의 주요 안전장치라는 불명예스러운 결론에 도달하게 될 것이다. 우리는 어리석고, 게으르고, 약한 덕분에 구원받은 셈이다.

무엇을 해야 할지 알려주는 이러한 교리는 대부분 인간의 우둔한 성격에 집중한다. 즉, 실천윤리는 일대기에 바탕을 두고 있는데, 우리의 타고난 우둔함은 우리를 구원하는 위험이 어디에 있는지를 보여주기에 충분하다.

진정한 전기에는 자신의 영웅을 향한 흥미로운 모방 이야기가 없으며, 오직 신화만이 그 매력을 갖고 있다. 대부분의 사람들은 그 자신이 한 번 읽은 책의 속편인 기록되지 않은 책의 영웅이다. 그가 읽은 책을 찾으면 가장 친밀하고 눈에 띄는 그들의 행동과 심정을 알게 될 것이며, 그것은 융이 외향성과 내향성이라는 구분에서 기본 원칙으로 찬양하는 삶에 대한 해석 기술이기도 하다.

그러므로 왜 그녀가 크고 솔직하게 또는 부드럽게 말했는지, 왜 그 독특하고 우아한 손동작을 했는지, 왜 그런 미소를 지었는지, 이런 행동들의 이유를 그녀의 독특한 영혼이라는 신비로운 차이에서 찾지 마라. 그것은 그녀가 지난 학기에 보았던 가장 좋아하는 여배우가 웃고 말하고 손짓하던 방식이기 때문이다.

책이나 전설, 연극 등에서 발견되는 영웅들의 모방을 통한 자아실현, 허구의 도움을 통한 이러한 자기지향(Self-direction)은 매우 널리 퍼져 있어서 증명이 필요 없을 정도로 보편적이다. 우리는 이를 영웅 모방(Imitatio Herois)이라고 칭하고, 그 본보기가 명백하게 우스꽝스럽고 그에 대한 헌신이 극단적이거나 논리적이거나 특별히 성스러운 경우에는 키호티즘(Quixotism)이라는 단어를 사용한다.

모방을 통한 자아실현은 비범한 칼 12세의 은밀한 시점이었고, 일반적으로 그의 삶, 기질, 모험에 대한 설명에서 서문으로 사용되는 '광기'라는 가설은 불필요할 뿐만 아니라 잘못된 설정이다. 그에게는 로마의 역사가 퀸투스 쿠르티우스(Quintus Curtius)가 전하는 알렉산드로스 대왕이라는 영웅이 있었고, 그의 모든 부조리는 그가 어떤 비합리적인 희석도 없이 자신의 영웅을 따랐다는 점이다. 한마디로, 살아 있는 동안 인류 전체의 위험으로 보였던 칼의 모험은 모험을 매우 진지하게 받아들인 한 소년의 이상한 모험이었다.

때로 인간은 자기 인종과 유전자에서 자신감을 찾고자 한다. '북방의 사자'라는 별명을 가진 구스타브 2세 아돌프(Gustavus Adolphus)의 가계도에는 여러 정력가와 열혈 금욕주의자가 등장한다. 그의 백성인 스웨덴 사람들의 핏줄에는 바이킹 특유의 비관적 반골 기질(Titanism)이 흐르고 있었음이 분명하다. 이들은 대담하게도 신과 인간, 물질을 비롯한 모든 것들은 나쁜 결말을 맞게 된다는 종교를 믿었던 유일한 민족이다.

유럽 초기 역사에서 이런 스칸디나비아인들과 이들의 친척뻘인 영국인들이 차지하는 위치는 동물학에서 대형 육식동물의 위치와 비슷하다. 사슴보다는 사자가 병에 걸리기 쉽다. 해적, 파괴자, 살인자인 그들은 자연의 훼방, 기이함, 질병, 생물학적으로나 심리적으로나 신비한 연구 대상이었다. 어쨌든 북유럽에는, 논쟁의 여지없이 방랑벽에서 우울증에 이르기까지, 베르세르크의 광포함이라는 독특한 현상에서부터 『이상한 나라의 앨리스』를 만들어낸 기묘한 정신분열증적인 천재성까지 다양하고 모호한 특유의 신경증이 있다. 감정을 배제하고 엄격하게 중립적인 의미로 설명한다면 이 종족에는 뭔가 초자연적이고 비현실적인 면이 있다고 할 수 있다.

그러므로 이런 분위기와 환경은 기행에 유리했다. 칼 12세는 차갑고 사나우며 고집이 세고 말수가 적은 소년이었는데, 그 완고함은 상당히 달성하기 어려운 허영심에 호소해야만 풀어질 수 있었다. 따라서 그는 모든 북유럽의 왕들이 라틴어를 알았다는 사실을 가정교사로부터 확인한 후에야 라틴어를 배우겠다는 마음을 갖게 된다. 그는 독일어에 대해서도 같은 방식으로 자극을 받아 상당한 수준으로 구사할 수 있게 되었다. 그는 겨우 열다섯 살이었을 때 할머니의 섭정 아래 왕위를 물려받았다. 궁정에서는 다들 그가 평범한 군주가 되리라고 예상했다. 어둠과 침묵은 종종 무(無)로 오인되기도 하기 때문이다. 그는 말을 거의 하지 않았고, 누구에게도 자신의 속내를 털어놓지 않았으며, 추밀원 회의에는 정기적으로 참석했지만 팔에 머리를 기댄 채 잠들기 일쑤였다.

영웅 숭배는 금욕을 규정하고 그 위에 체계를 구축해야 매력적일 수 있다. 그가 동경한 것은 변덕스럽고 질투심 많은 인간 알렉산드로스가 아니라, 허풍쟁이 퀸투스 쿠르티우스가 만들어낸 알렉산드로스의 신화였다. 알렉산드로스주의에 심취한 칼 12세는 (안갯빛 명성을 향한 유일한 관문인) 허영심, 즉 영원한 명예에 이끌려 신화와 같이 순결하고 완고한 사람이 되어야 한다는 믿음으로 금욕을 실천하였다.

성인들에 대한 일편단심의 믿음을 가진 칼 12세는 전설 속 세세한 내용을 모두 찾아내어 앞뒤 가리지 않고 무자비하게 모방했다. 알렉산드로스는 바닥에서 자는 것을 좋아했는데, 특히 전투가 시작될 때 더욱 그랬다. 옷은 최대한 가볍게 입었으며, 경쟁적인 운동 경기와 경주는 경멸했다. 칼이 알렉산드로스의 이런 옷 차림과 행동을 따라 했음은 말할 것도 없다. 칼은 쿠르티우스가 전한대로 알렉산드로스처럼 단음절 단어와 단일 어구로 말하는 방법을 스스로 터득했다.

그는 앉고, 걷고, 서는 방식을 스스로 고안했는데, 이는 알렉산드로스가 자동 기계처럼 행동하는 모습을 자기 나름의 방식으로 표현한 것이었다. 그는 미소조차도 내면의 그림에 맞게 인위적으로 만들었다. 마음만 먹으면 언제나 지어낼 수 있는 비뚤어진 미소였고, 속을 알 수 없는 옅은 색의 눈동자에 유머 감각까지 없었기 때문에 그가 어떤 사람인지 모르는 사람에게는 매우 당황스러운 미소였다.

칼은 키가 컸는데, 당시 기준으로는 거인에 가까웠다. 스무 살이 되기도 전에 머리카락이 모두 빠지기 시작했고, 그의 피부는 굉장히 하얬고, (알렉산드로스처럼) 말끔히 면도하여 수염을 기르지 않았다.

한편 1699년 각료 회의에서는 주변 삼국의 왕들이 스웨덴에 적대적인 동맹을 맺었다는 중대한 사안이 논의되었다. 반스웨덴 동맹의 군주들은 모두 칼의 이웃이었다. 그중 고결하며 신앙심이 깊은 덴마크-노르웨이 왕국의 프레데리크 4세는 크게 눈에 띄는 인물은 아니었다. 그러나 다른 두 명은 마치 극작가가 최고의 작품을 구성한 것처럼 성격이나 군사력 면에서 우리의 영웅과 같은 무대에 설 수 있을 정도로 출중하고 놀라운 적수였다.

첫 번째 인물은 작센의 선제후이자 폴란드-리투아니아의 국왕인 아우구스투스 2세였다. 그는 악의 없이 뛰어난 능력과 지칠 줄 모르는 명랑함을 갖추었고, 말하자면 자유분방한 인물이었다. 그는 두 손으로 쇠막대를 구부리고 말굽을 꺾을 수도 있었으며, 전해지는 이야기에 따르면 사생아만 300명이 넘는다고 한다.

두 번째 인물은 러시아 제국을 탄생시키고 서구화를 추진한, 위대한 훌리건이며 여전히 대제라는 칭호가 붙는 로마노프 왕조의 표트르 1세였다. 피의 권력 투쟁 한가운데에서 자라나 궁중 조련사에게 훈련을 받았고, 이후에는 국제적인 사기꾼에게 훈련을 받은 그는 실존 역사에 존재하는 가르강튀아(Gargantua, 소설 속 거인 왕-옮긴이)이다. 인간이라면 갖고 있는 모든 식욕과 정욕은 그의 안에서 완벽하게 성장했다. 그는 연회만큼 책을 사랑했고, 술과 여자만큼 일을 사랑했다. 그의 삶은 가장 완벽한 대조의 퍼레이드였으며, 그 속에서 그는 발명과 좋은 취향을 제외한 모든 자질을 보여주었다.

이 차르는 잠시 왕좌를 벗어나 서유럽 사절단에 몰래 끼어들었고, 잉글랜드의 뎃퍼드에서 배를 건조시키는 목수가 되어 매우 성실하게 업무에 전념하기도 했고, 해군 체험도 하며 명예 제독의 자리까지 올랐다. 훗날 네바강 하류 삼각주의 늪지대에 새로운 수도 건설을 명하여 그 과정에서 엄청나게 많은 사람의 목숨을 폐렴과 결핵 등으로 잃게 했던 장본인도 바로 그였다.

이렇게 대단한 인물인 표트르 1세에게서 확인해야 할 중요한 요소가 있다면 그것은 아마도 '볼가강의 뱃노래'로 요약되는 그 민족의 특징일 것이다. 즉, 그는 무한한 힘의 화신이었다. 천둥 번개와 같은 요란한 군사 훈련 속에서도 그는 항상 넘쳐흐르는 진정한 에너지를 뿜어냈다. 수백 가지 수공품을 만들어내는 장인인 동시에 군대 내에서는 포병이자 선박 제작자, 해부학자, 회반죽 제조공, 교수형 집행인으로 활동한 이 남자는 칼 12세와 맞서 싸우기 위해 선택된 최적의 인물이었다.

삼국동맹은 요한 라인홀트 파트쿨이라는 에스토니아 출신 귀족에 의해 결성되었다. 에스토니아가 스웨덴에 정복당하자 파트쿨은 베르사유조약까지 활용했던 바이런과 나폴레옹처럼 애국 해방자로 활약했다. 그는 현재 유럽 여러 도시에 동상이 세워진 수백명의 애국자들과 별 차이가 없는 인물이었다. 그들 모두와 마찬가지로 그도 처음에는 조국의 간호사들 사이에 떠도는 민담들을 찬미했고, 나중에는 조그맣게 색칠된 민족 지도를 팔에 끼운 채 자신의 언어로 된 법률이 있는 국가들의 법원에서 수년간 로비 활동을 했다. 그는 첩자, 은행가, 역모자, 용병들과 교묘하게 음모를 꾸몄고, 자신의 신념에 따라 정치적 암살에 한두 차례 가담했으며, 그후 다른 애국자들과 비슷하게 순교자로 생을 마쳤다.

파트쿨은 칼 12세의 아버지인 칼 11세에 의해 추방당했으나, 당시에 그는 감히 반란을 일으킬 엄두를 내지 못했다. 그러나 (사람들이 생각하기에) 멍청한 소년이 스웨덴의 왕위에 오르면서 그는 기회를 모색할 수 있게 되었다. 삼국동맹은 파트쿨이 복잡한 과정을 거쳐 진행한 작업의 결과물이었다. 그 계획은 세 왕국이 각자의 국경에 접한 스웨덴 제국을 분할해 차지하고, 에스토니아의 독립을 위해 각자의 전리품을 활용하여 비용을 분담 지원한다는 단순한 내용이었다.

18세기를 맞이한 많은 유럽의 강대국은 눈에 띄게 피로한 상태였다. 그들은 이미 승리를 거두고 강국이 되었지만, 훨씬 덜 무서운 도전에도 매우 불안해했다. 섭정위원회 구성원들은 나이가 많았고, 자신들의 선조 때처럼 하나님이 어떤 전쟁에서든 그들과 함께하실 거라는 확신을 갖지 못했다. 그 당시의 삶은 이전 세기만큼 재미가 없었을 확률이 크며, 원래 스스로 즐기지 못하는 사람들은 목숨을 거는 위험을 무릅쓰려 하지 않는다.

이는 스웨덴도 마찬가지였다. 그래서 칼 12세가 왕좌에 늘어져 앉아 주재했던 추밀원 회의에서는 먼저 암울한 상황에 대처할 방안을 찾아보자는 의견에 따라 몇 가지 지연 전략들이 논의되었다. 이때가 칼 12세가 추밀원 회의에서 말하는 것을 본 처음이자 거의 마지막이었다. 그는 팔에서 머리를 떼고 최대한 뻣뻣하게 일어나서 쉰 목소리로 일정한 어조로 이렇게 말했다.

"대신들이여, 짐은 결코 부당한 전쟁을 시작하지 않겠지만, 정당한 전쟁에서는 적들을 궤멸시키려 하오. 짐은 먼저 공격하는 자를 쳐부수어 정복한 다음, 다른 나머지를 상대할 것이오."

역사적인 순간은 항상 간단하고 짧기 마련이다. 한 사람이 뚜렷한 의지를 보이면, (그리고 제대로 무르익은 순간이라면) 권리가 누구에게 있는지 혼동될 수 없다. 놀란 추밀원 구성원들은 그의 뜻에 동의했고, 그는 정중히 인사하고 몸을 숙여 회의실을 나왔다.

전쟁에 대한 어떤 경험도 없이, 참고할 책만 가지고 알렉산드로스를 상상하는 우리의 주인공은 조국의 지원 없이 침묵 속에서 역사상 가장 기이하고 외로운 군사적 위업에 착수했다. 그리고 전형적인 현실주의자인 덴마크 왕이 첫 번째 희생자가 되었다.

신중하고 합리적이며 전문가다운 프레데리크 4세의 작전은 바다라는 난공불락의 방어막을 활용하여 후방에 무방비로 남은 칼 12세의 홀슈타인 보호령을 점령하는 것이었다. 프레데리크 4세는 항해할 수 있는 곳이면 어디든 육지의 요새와 우월한 함대의 힘으로 공격하고 방어할 수 있었다.

　먼저 칼 12세의 모험 이야기에서는 '불가능', '난공불락' 혹은 그와 비슷한 개념의 단어들을 자주 접하게 될 테니 잠시 관심을 가지고 알아보는 것이 좋겠다. 어떤 의미에서, 모험가의 삶은 불가능을 기술로써 실현해보이는 것이며, 이로써 영웅이라는 단어는 합리화되고 도덕적으로 각색된 신화에 사용된다. 간단히 결론을 내리자면, 영웅주의는 불가능을 실현하는 최후의 수단일 것이다.

　난공불락의 보루를 점령하고, 오를 수 없는 곳을 오르고, 비논리에서 논리를 찾는 일이 정말이지 터무니없는 소리처럼 들리겠지만, 어찌 되었건 이것이 바로 모험의 본질이다. 모험에는 신비와 부조리가 있는데, 이것들 없이는 개미조차도 살아갈 수 없다. 만약 개미가 어떤 종류의 의식을 가지고 있다면 그 신비와 부조리는 희망을 구성하는 기본 요소가 되기 때문이다.

　외레순해협(Oresund, 스웨덴 남단과 덴마크 동부 사이의 해협-옮긴이)의 항해할 수 없는 수로인 '플린터렌덴'을 제외하고는 덴마크 왕의 모든 영역이 난공불락이듯, 삶의 가능성이라는 것도 자연법에 따라, 온갖 결정론이라는 법칙에 따라, 모험가가 돌파하는 곳을 제외하고는 난공불락의 벽으로 둘러싸여 있다.

　그러나 상식이 깨지는 곳, 경고, 친절, 악의에 찬 기쁨 속에서 '불가능'이라는 표식이 경고 문구로 올라오는 곳, 바로 그곳에 수감자인 당신이 나갈 수 있는 출구이자 모험을 향한 문이 있다. 상식이 언제나 틀림없을 것이라고 생각했는가? 예기치 않은 일에 대비하라. 왜냐하면 그것은 찾기도 어렵고 접근하기도 어렵기 때문이다.

칼 12세는 플린터렌덴 수로를 건너 첫 번째 상대인 덴마크를 향해 내려왔다. 그는 이런 불가능을 이뤄내기 위해 뛰어난 군사 전문가인 제독을 먼저 설득해야 했다. 플린터렌덴 수로는 항해할 수도 없었고, 바람도 도움을 주지 않았으며 칼 12세는 고작 열여덟 살이었기 때문이었다. 그러나 결국 그들은 코펜하겐에서 북쪽으로 4마일 떨어진 곳에 총 한 발 쏘지 않고 안전하게 도착했다. 이는 선대왕이 꽃피운 스웨덴의 위대한 시절에도 시도해보지 못한 도전이었다.

'영웅들의 법칙'인 불가능을 실현해내는 모습은 굉장히 흥미롭지만 그 과정을 자세히 읽기는 좀 피곤한 일이다. 또, 앞으로도 여러 차례 큰 전투 장면이 나올 것이기 때문에, 여기서는 칼 12세가 14일간의 전투 후 평화조약을 맺고 자신의 첫 번째 상대로부터 배상금, 사과, 조공을 받게 되었다는 내용으로 짧게 요약하면서 이 첫 번째 전투의 기록을 마무리하겠다. 그가 마음만 먹었다면 덴마크를 합병할 수도 있었고, 그렇게 전쟁과 천년의 역사를 끝낼 수도 있었다. 그러나 칼 12세에게는 약점이 없었기에 그는 책에서 읽은 내용, 즉 절대 멈추지 말라는 알렉산드로스주의의 격언을 실천했고 계속 나아갔다.

앞서 살펴본 여러 영웅을 통해 알 수 있듯이 기적을 찾으면 기적 같은 보상이 있으며, 불가능한 길의 모든 고비마다 재화 같은, 즉 놀라운 선물이 기다리고 있다. 칼 12세는 평범하고 확신이 없는 군대로 무적의 상대를 정복했다. 이제 그는 갑자기 비교 불가의 반신반인 무리를 이끌게 되었다. 그가 이끄는 스웨덴 병사들은 마치 책에서 나온 것처럼 놀라웠다. 어느 나라나 역사의 어느 시점에 무적의 용사에 관한 전설을 가지고 있기 마련이지만, 나는 크레시(Crécy, 잉글랜드의 장궁대가 프랑스의 기병대를 상대로 승리를 거둔 백년전쟁의 격전지-옮긴이)의 궁수들, 나폴레옹 1세의 친위대, 또는 애국적 찬양으로 덧칠된 여러 다른 용사들과는 비교할 수 없을 만큼 칼 12세가 이끈 병사들이 뛰어난 활약을 펼쳤다고 생각한다.

이것이 바로 2 더하기 2가 단순히 4가 되지 않는 아인슈타인의 우주에 적용될 유클리드 법칙이요, 모 아니면 도의 결과로 나타날 수 있는 모험의 산술법이다. 따라서 칼 12세는 외레순해협에서 의미 없는 죽음을 맞을 수도 있고, 혹은 테르모필레에서 페르시아 대군을 상대로 일전을 벌인 스파르타 장수의 지도력을 보여줄 수도 있다. 콜럼버스가 말도 안 되는 지도를 따라 항해했듯이, 알렉산드로스주의의 말도 안 되는 규칙이 그를 이끌었다.

첫 번째 성공으로 칼 12세는 다른 사람들의 비판과 스스로 가질 수 있었던 의심에서 벗어났다. 이런 경우 어떤 사람은 이후에 깊은 계획을 찾는 데 성공하고, 때로는 스스로를 설득하려고 노력한다. 그러나 그에게는 어떤 정치적 행보도 없었다. 그는 복수의 첫 장을 마쳤고, 이제 사춘기 남학생의 복수 이야기를 이어 써갔다. 그는 러시아나 폴란드와 싸운 것이 아니라 아우구스투스 2세와 표트르 1세와 싸웠으며, 정복이 아닌 완전한 사과를 목표로 삼았다. 돈키호테가 에스파냐 정부에 대항하여 혁명을 계획하는 것보다 더 심오하고 광범위한 것을 의도하지 않았다.

그러므로 그에게 조국과 군대는 무기에 지나지 않았고, 그가 보여주었듯이 그 안에는 바다로 달려나가거나 인디언과 싸우려는 소년의 순수한 반사회적 이기주의가 있었다. 그는 자신을 중심으로 세상을 회전시키고자 했다. 그의 행동이 가져온 군사적, 경제적, 정치적 결과는 그가 휘파람을 불고 있는 곡조의 배음(倍音)일 뿐이었다.

따라서 세계 군사 역사상 유일무이한 나르바전투는 내부적으로는 무례한 깡패인 차르 표트르 1세에게 가해진 무시무시한 채찍질에 지나지 않았다.

한편 고귀한 파트쿨의 제안에 자극받은 표트르 1세는 덴마크에서 벌어진 전투와 관련한 소식이 전달되기도 전에 발트해연안의 스웨덴 점령지를 침공하기 시작했다. 그는 아시아의 전통적인 전쟁 방식에 따라 대규모 병력을 움직였다. 당시로는 솜(Somme) 전투만큼이나 대규모 병력인 8만 명의 러시아인과 대포 150문으로 스웨덴령 나르바요새까지 접근했고, 그곳에 주둔하고 있던 스웨덴군 1,000여 명은 절망에 빠진 채 수비를 준비하고 있었다.

표트르 1세는 자신이 직접 최고사령관이 되어 작전을 수행했다. 처음에는 자신을 일반 중위 계급으로 임명했으나, 매 순간 나서서 총사령관에게 조언하고 명령을 내리고 힘을 실어주었다. 연극계의 새내기 배우처럼 그는 모든 역할을 맡았는데, 대위 앞에서 차렷 자세를 취해 실제 규율이 무엇인지 보여주기도 하고, 비뚤게 파놓은 참호에 대한 책임을 묻기 위해 장군에게 달려가기도 했다.

그는 모르는 것이 없었고 무슨 일이든 즐겼으며 무슨 일이든 나서서 했다.

병사들은 세계에서 가장 어둑하고 그림 같은 변방에서 온 무리로 가득했는데, 그 가운데에는 칼마키아 궁수, 거친 카자크 기병, 매머드가 묻혀 있는 지역에서 온 눈이 작은 시베리아인도 있었다. 무기 또한 가장 현대적인 네덜란드와 프랑스의 머스킷총부터 못이 박힌 몽둥이와 톱니 달린 창까지 다양했다. 황제의 전열은 열병처럼 타올랐다. 분명히 기관총 대대를 활용하면 대규모 병력에 편안하게 맞설 수도 있겠지만, 동등하거나 거의 대등하게 무장한 상대라면 적어도 백만 마리의 물소 떼만큼 강력할 것이었다. 그들은 어떤 가르침으로도 통합할 수 없는 각각의 싸움 전통과 언어로 나뉘어 있었다. 그럼에도 군주인 표트르 1세에 대한 그들의 종교적 사랑과 존경심은 하나가 되어 죽음도 불사하게 했고 모두가 약탈에 열광했다. 그들은 역사적으로 늘 서쪽으로 진군해서 서쪽 사람들과 싸우고자 했다.

표트르 1세는 칼 12세가 겨우 2만 명의 군사를 이끌고 있다는 사실을 알았음에도 단단한 방어 태세를 갖추었다. 무리 앞에서 그는 뾰족한 말뚝이 늘어선 깊은 도랑을 파고 복잡한 배열의 외벽, 참호, 제방을 신속하고 유능하게 건설했다. 이 억센 고슴도치 앞에 있는 작은 돌 언덕에 2만 명의 병력, 사수, 포병을 배치했다. 그래도 만족하지 못했던 표트르는 또 다른 지원군을 불러오기 위해 직접 나섰다. 그의 성격을 기억하지 못한다면 이 모든 준비가 과장되거나 큰 두려움의 표시로 보일 수 있겠다. 그러나 덴마크에서 칼

12세의 첫 번째 공격에 깊은 인상을 받았음에도 표트르는 특유의 열정으로 자신의 취미에 빠져 있었던 것일지도 모른다.

칼에게는 사실 해안에 상륙한 2만 명도 너무 많은 것처럼 보였다. 그는 그들 대부분이 자신의 뒤를 따라 행군하도록 하고 하루도 멈추지 않고, 약 4천 명의 기병과 같은 수의 척탄병을 데리고 나르바에 있는 죽음의 함정으로 돌진했다. 때는 이미 겨울이었고 길은 얼어붙어 있었다.

그러나 그는 3일 만에 차르의 전초기지에 도달했다. 전략적 불가능과 지리적 불가능을 극복해낸 영웅은 이제 생리학적 불가능을 뛰어넘어 수면과 휴식의 필요성마저도 깨뜨린다. 이것이 바로 그의 머릿속에 있는 말도 안 되는 초인적인 힘이다. 이런 정신력으로 칼 12세는 잠시도 쉬지 않고 정면 공격을 감행했다. 바위 뒤에서 몸을 숨기고 있던 백인 러시아 명사수들은 말을 타고 달려드는 이 너덜너덜하고 초췌한 유령들의 기습을 예상하지 못했음이 분명하다. 그들은 거친 일제사격을 퍼부었다. 총알 중 하나가 튕겨나가 그의 목 근처에 떨어졌다. 또 다른 총알은 그의 말을 죽였다.

스웨덴군은 곧 그들에게 달려들었고, 러시아군은 대부분 총을 떨어뜨리고 바위 사이에 숨어 커다란 두려움을 안고 도망갔다. 선발된 이 전초부대가 규율이 없거나 무능하다고 판단할 수는 없다. 실제로는 이 부대가 바로 표트르 1세의 정예부대였다. 그러나 훈련이 좋을수록, 준비가 더 훌륭하고 세밀해질수록, 불가능한 힘에는 속수무책이 될 뿐이었다. 모든 가능한 힘에는 지침이 있기 마련이다. 그러나 예상치 못한 스웨덴군의 공격 시간, 적은 병력, 무모함 때문에 모든 지침은 무용지물이 되었던 것이다.

스웨덴군은 그들을 향해 돌진했다. 첫 번째 비명소리에 조직 전체가 몸부림치는 군중으로 변했고, 그 사이로 창백한 거인과 그의 부하들은 헐떡거리며 살인을 저지르며 달려갔다.

이 모든 전초기지가 무너졌고, 다른 역사에서는 세 번의 승리로 기록되었을 이 모든 것을 칼 12세의 군대는 한 시간도 되지 않아 모두 해냈다.

마침내 그는 러시아군의 주 진지 앞에 나타났다. 러시아군 8만 명의 병력이 무기를 휘두르며 함성을 지르며 흥분의 열기 속에 서 있었다. 톰톰(재즈에서 쓰는 드럼)과 북·중앙아시아 부족들의 토속 음악, 그리고 독일인들이 훈련한 표트르 1세의 훌륭한 나팔 부대가 뒤섞여 광란과 열정의 교향곡을 연주하고 있었다. 그리고 그 와중에 눈보라가 몰아치고, 그 속에서 새로운 북유럽의 광적인 전사들과 칼 12세가 바람을 탄 정령처럼 그들의 눈앞에 나타났다.

그들이 어떻게 깊은 참호, 강철 스파이크, 포화가 휘몰아치는 경사를 통과했는지에 대한 명확한 기록은 남아 있지 않다. 가장 위대한 순간에는 기억은 인간을 버리는 것처럼 보이며, 오히려 아주 소소하고 평범한 사건들만이 선명하고 상세하게 흔적을 남긴다. 아마 그래서 칼 12세와 그의 부하들은 절정의 순간에 무슨 일이 일어났는지 기억하지 못하는 것 같다.

우리는 무아지경에 빠지는 조건에서만 슈퍼맨이 될 수 있다. 결과만 놓고 보자면 그들은 30분 만에 무력으로 첫 번째 참호를 점령했다. 3시간 후 그들은 요새의 중앙에 이르렀고 그곳에서 살육은 계속되었다. 승리감과 피로에 광분한 스웨덴군은 더미 위에서 총검을 상대로 창을 들고 있는 타타르인과 투르크멘인을 상대했다.

폭설 때문에 무슨 일이 일어나고 있는지 거의 볼 수 없었고, 학살의 비명만 들렸기 때문에 러시아군은 더욱 공포에 휩싸였다. 공포가 극에 달하자, 총과 활, 방한 외투를 버리고 퇴각했다. 칼 12세의 3천 기병대는 도망가는 러시아군 5만 명을 강둑까지 추격했고 살상욕을 마음껏 뽐냈다. 나르바강에는 다리가 하나 있었는데, 패주병이 몰려들면서 무게를 이기지 못하고 갑자기 무너지는 바람에 익사자가 많이 발생했다. 마침내 이 모든 공포가 사라지자 생존자들은 칼 12세에게 항복했다.

아마도 유럽 군사 역사상 가장 위대하고 숭고한 학살이 될 이 사건은 두 지도자의 완벽한 메소드 연기로 끝났다. 칼 12세는 고전적인 관대함의 역할을 훌륭히 수행하여 무표정하게 손을 흔들며 장군들을 제외한 모든 병사들을 석방하라고 명령했고, 이들에게 근사한 선물을 주며 감금에 대한 정중한 사과문을 전달했다. 한편 표트르는 이에 흥분하여 이 소식을 전한 사람을 교살형에 처했으나 곧 상황을 즐겼고 큰 관심을 보였다. 학습에 대한 그의 열정은 대단해서 생존자들에게 전투의 아주 사소한 사항까지도 몇 달 동안 질문을 퍼부었다. 지난 참패에 대한 그의 최종 결론은 이랬다.

"나는 칼이 나를 공격한 힘을 통해 그를 이길 방법을 알아낼 것이다.”

　그는 이성적이지 못한 러시아 민중들의 민심을 달래고 위안을 주기 위해 스웨덴인들이 흑마법사이자 마술사라는 소문을 퍼뜨렸고, 국가의 수호성인인 성 니콜라스에게 영적 지원을 요청하는 기도식을 열었다. 그리고 불안한 동맹인 폴란드의 아우구스트 2세와의 회담을 위해 길을 나섰다. 회담은 15일간 지속되었는데, 그 사이에 두 사람이 마신 포도주가 수백 병에 달한다고 한다. 모든 계몽주의자와 마찬가지로 마음이 비뚤어진 볼테르는 다음과 같이 판단했다.

　이 북구의 군주들은 남부에서는 볼 수 없는 친밀감을 가지고 자주 만남을 가졌다. 자신의 나라를 개혁하고자 했던 차르는 폭음에 의지하는 위험한 성향을 스스로 알 수 없었고, 표트르 1세와 아우구스트 2세는 보름 동안 과도한 즐거움에 빠져 함께 시간을 보냈다.

　이 땅의 두 군주가 이렇게 의논하고 있는 동안, 플루타르코스를 좋아하는 우리의 영웅은 복수의 낭만극 제3부를 준비했다. 봄에 그는 드비나강에 나타났다. 숙련되고 유능한 폴란드-색슨 군대가 반대편 강둑에서 그를 기다렸다. 여기에는 나르바 전투 이후 표트르가 버린 애국자 파트쿨과 전장에서 목숨을 바치겠노라고 맹세한 리보니아 귀족들의 소규모 부대도 있었다.

　칼 12세는 바람의 도움을 받았다. 그는 젖은 건초로 커다란 모닥불을 피웠고, 그 불은 뻣뻣한 건초를 태우며 바람으로 적의 시야를 가렸다. 그는 적을 향해 전속력으로 말을 몰았다. 노련하고 미신을 믿지 않는 독일 장군 폰 스테나우(Von Stenau)가 이끄는 독일 용기병이 스웨덴군을 상대했고 그들을 강으로 밀어 넣었다.

칼은 연기 속에서 군사를 다시 집결시켰다. 여러분도 그 결과를 알고 있을 것이다. 아마도 무력한 독일군은 은밀하게 그리고 무의식적으로 마음속으로 이를 예측했을 것이다. 칼 12세의 군대는 세계에서 가장 평판이 좋은 군대를 마치 들소 무리를 몰듯이 쿠를란트의 미타우 성벽까지 추격했다.

이때 군사 역사상 가장 특이한 작전이 시작된다. 훨씬 작은 군대가 마치 사슴 떼를 쫓는 사냥개 무리처럼 유능한 장군과 노련한 8만 명의 군대를 추격하고 있었다. 사냥개 무리는 감정, 피로, 생에 관심을 두지 않고, 지도로 경로를 보며 상황을 파악하기보다는 그저 감각을 따랐다. 그들은 독일 동부를 지그재그로 달리며 사냥했다. 칼 12세의 과학에서 유일한 전략적 질문은 "그들은 어디에 있는가?"였지, 결코 "그 수가 얼마나 되는가? 얼마나 강한가?" 같은 질문이 아니었다. 마침내 칼 12세는 사내아이들이 꿈꾸던 전쟁을 벌였다.

칼 12세는 유럽 북동부의 모든 도로를 해골 밭으로 만들어놓으며 자신의 통치 영역을 휩쓸고 다녔고, 확고한 의지로 마침내 아우구스투스 2세가 바르샤바에서 동족에 의해 왕위에서 물러나도록 했다. 그를 대신하여 칼 12세는 신비한 방식으로 그를 기쁘게 해준 청년, 책을 좋아하며 온화한 왕족이자 친스웨덴파인 레슈친스키를 옹립했다. 칼은 대성당 기둥 뒤에서 몰래 대관식을 목격했다. 이 장면이야말로 지나치게 나서지 않는 알렉산드로스의 재연이며, 그의 유일한 전리품이었다.

독일의 가장 유명한 군주를 쫓아 대륙의 심장부를 가로질러 날뛰는 폭동은 당연히 전 유럽을 겁에 질리게 했다. 외교가와 유럽의 여러 궁정에는 인류의 주기적 재난이 가까워졌음을 알리는 강한 징후가 나타났다. 힘든 시기가 다가오고 세계를 파괴하려는 이들의 싸움이 시작되었다는 소문이 돌았다. 그의 군대에 합류하겠다는 고상한 모험가들 외에도, 전장을 확인하려는 인파들이 그의 진영으로 계속해서 몰려들었다.

이들 중에는 잉글랜드에서 파견한 위대한 말버러 공작(Marlborough, 본명이 존 처칠인 잉글랜드의 명장이자 정치가-옮긴이)도 있었다. 그가 경험한 칼 12세와의 일화는 특히나 흥미로웠다.

텅 빈 식당에서 몸을 녹이며 승마복과 함께 군화를 뒤집고 있던 칼 12세는 그를 맞이하면서도 그에게 조금도 관심을 보이지 않았다. 칼은 그 방에 같이 있던 총리에게 스웨덴어로 "이 사람이 말버러인가?" 하고 물었다. 훌륭한 외교관이자 군인이었던 이 잉글랜드인은 이러한 무례함을 전혀 눈치 채지 못했다.(만약 이 두 명장이 함께 전장에 있었다면 참으로 흥미로웠을 것이다.) 그는 프랑스나 잉글랜드-오스트리아 연합에 대한 칼 12세의 의중을 알아보기 위해 온 것이었기 때문에, 칼이 그의 머리에 군화를 던졌더라도 임무 수행에는 문제가 없었을 것이다.

　말버러는 느긋한 협상가였다. 그는 결코 서두르는 법이 없었으며, 진부한 대화 내용으로 감추고 있었으나 극도로 예리한 관찰 능력과 상대의 요구를 에둘러서 해결하는 기술을 사용할 줄 아는 인물이었다. 유능한 외교관이라면 오직 상대의 의도에 집중하기 마련이다. 얼마 지나지 않아 말버러의 이야기 속에 담긴 어떤 한마디가 기묘한 반향을 불러왔고, 칼의 탐험을 자극하여 그의 차가운 표정에 화색이 돌았다.

　이런 반응을 예리하게 파악한 말버러는 더 이상 깊이 들어가지 않고도 자신의 원하는 바를 이루었다고 생각했다. 그 한마디가 바로 표트르 1세의 이름이었기 때문이다. 칼은 한 번도 입을 열지 않았지만, 꽤 많은 잉글랜드인은 "칼 12세의 야망, 열정, 계획은 오로지 동쪽, 즉 러시아를 향하고 있으며 현재로서는 나머지 유럽 지역이 그에 대해 공포심이나 기대감을 가질 이유가 전혀 없다"는 점을 간파했다. 그는 이처럼 훌륭하게 보고서를 작성하고는 그곳을 떠났다.

　실제로도 그가 바라보던 방향은 서쪽이 아니었다. 그 이유는 매우 간단한데, 이야기 초반에 그를 먼저 상대했던 적수 두 명이 이제는 길을 벗어났기 때문이다. 반면 표트르는 여전히 왕좌에 앉아 있었고 나르바전투 이후에도 여전히 밝고 활기차게 활동하고 있었다.

　우리가 살펴보고 있는 차갑고 차분한 젊은 영웅은 성공을 거듭하면서 점점 더 쉽게 역정을 냈는데, 이러한 기분은 잔인성을 키우는 요인 중 하나가 되었다. 이 시기에 발생한 두 가지 잔학 행위, 즉 칼 12세가 아우구스투스 2세에게 넘겨받은 파트쿨을 살해한 일과 전초기지에서 포로로 잡힌 러시아 척후병 2,000명을 냉혹하게 학살한 일은 일종의 사디즘이나 정치적 목적이 아니라 잔인성이 그 원인이었다.

오스트리아 황제의 영토를 무단 침입한 사건도 그의 성격을 잘 보여주는 사례이다. 아우구스투스 2세를 추격하던 도중에 이 강력한 제국의 국경에 맞닥뜨렸는데, 그는 양해를 구하지도 않고 주저 없이 국경을 넘어버렸다. 이런 전례 없는 방식으로 행동하는 칼을 가만 놔두었다는 이유로 교황 사절단의 비난을 받자 바로 오스트리아 황제는 이렇게 대답했다.

"교황 예하, 칼이 저에게 종교를 바꾸라고 명령하지 않은 것만으로도 참으로 행운이라고 여깁니다. 제가 무엇을 해야 했는지 아직도 잘 모르겠습니다."

칼 12세는 표트르에 대한 응징을 다시 시작하기로 마음먹었다. 동쪽으로 행군할 때 그는 자신의 관습에 따라 군대 선두에서 몇 마일 앞을 거의 혼자 지나갔다. 그가 지난 길은 아우구스투스 2세가 폴란드 왕좌에서 물러난 후 작센 선제후 자격으로 평화롭게 통치하고 있는 드레스덴 근처였다. 칼은 문득 그를 만나야겠다는 생각이 떠올랐고 부하 장교들의 눈을 피해 굴곡진 길을 따라 말을 타고 질주했다. 궁정의 문에서 파수꾼이 무기를 내밀고 외로운 기병에게 용무를 물었다.

"내 이름은 칼이다. 나는 용기병이고 궁전으로 가는 중이다."

깜짝 놀란 궁전의 경비병들을 뒤로하고, 그는 말을 탄 채 단에 오른 후 훌쩍 말에서 내렸고 달그락거리는 소리를 내며 복도로 들어가서 계단을 올라갔다.

아직 이른 아침이라 면도도 하지 못한 채 칙칙한 얼굴을 한 아우구스투스는 가운을 걸치고 그가 들어간 첫 번째 방으로 걸어 들어갔다. 그들은 칼이 3년 동안 잘 때 외에는 벗은 적이 없다는 군화에 사용된 가죽이나 군복 재질에 관해 잠시 대화를 나누었다. 그런 다음 그들은 테라스로 나가 바깥 경치를 바라보았다. 리보니아 출신의 집사장 한 명이 스웨덴 감옥에 있는 형제를 위해 중재해달라고 아우구스투스에게 속삭이듯 간청했다. 아우구스투스는 상냥하게 진심으로 이 일을 했다. 칼은 차갑고 갑작스럽게 그 요청을 거절하고 시계를 본 다음 말을 부르더니 왔던 길로 떠나버렸다.

그가 떠나자마자 국무회의가 소집되어 무엇을 해야 할지 오후 내내 논의했다. 그러는 동안 칼의 군대는 이 도시를 포위할 계획을 세웠다. 진영으로 돌아온 칼은 아무런 설명도 없이 동쪽으로 행군을 계속하라고 명령했다.

그래서 이 청년 국왕은 마치 주인이 자신의 집을 떠나듯이 유럽을 떠났다. 그는 현실과 너무 동떨어진 자기 내면의 소설에 너무 빠져 있었기 때문에 그의 포학 행위 자체는 대체로 태연하고 사심이 없었다. 이런 모습은 정복자가 보이는 오만보다는 신의 무심함에 더 가까웠다. 그는 자신이 상대할 세 번째 악당인 표트르를 잡기 위해, 그리고 그 후에는 (짐작컨대 알렉산드로스가 그러한 것처럼) 아시아를 정복하기 위해 길을 나섰다.

사실, 이 러시아 원정의 목적은 차르를 사냥하는 것이었지만, 딱히 계획은 없었다. 매달 표트르는 부대와 도시를 하나씩 잃었고, 퇴각 후에는 또 다른 부대와 도시를 일으켰다가 다시 붙잡혀 공격당했다. 칼 12세의 무시무시한 군사 명령 중 한두 개가 다음과 같이 기록되어 있다.

그는 척후병에게 아무것도 묻지 않고 적이 어디에 있는지만 알려달라고 물었다.
칼 12세는 스웨덴 척탄병 한 명이 카자크인 50명과 맞먹는다고 생각했다.

칼과 그의 군대는 러시아 영토로 점점 더 깊이 들어갔고 날은 추워졌다. 그러나 불운의 모험가들은 치명적인 승리를 추구한다. 우리의 식욕과 헛된 계획은 어떤 길을 택하든지 필연적으로 끝내 죽음에 이르는 것처럼, 삶 자체만큼이나 절망적이고 화려한 헛된 모험도 마찬가지다. 칼과 그의 군대는 차르를 쫓아 폴타바까지 진격했으나 러시아군에 참패하고 보급도 끊긴 채 그해 겨울의 추위를 견뎌야 했다.

만약 운명의 신이 여기 러시아에 광대한 습지를 만들어놓지 않았더라면, 그가 애초에 부상을 입지 않아서 작전을 지체하지 않았더라면, 그는 폴타바를 잃지 않았을지도 모른다. 그는 대포 공격에 큰 부상을 당하고 기절했다. 그의 장교 중 두세 명이 학살 현장에서 그를 데리고 빠져나갔고 나머지는 최후까지 저항했다. 한동안 그는 의식을 잃은 채 누워 있었고, 들것으로 옮겨졌고, 다 망가진 마차로 옮겨져서 강을 건너 수렁을 헤치며 늑대와 카자크인들을 피해 퇴각했다.

칼은 가장 강력한 모험의 흐름을 타고 있었다. 아우구스투스와 표트르의 사냥은 두 편의 서사시였는데, 지금 스웨덴군에게는 오스만 제국의 국경까지 칼을 데리고 가는 일이 가장 중요한 목표였다. 마침내 그들은 칼 12세를 오스만 제국까지 안전하게 데려갔다. 이제 그의 다음 행보를 주의 깊게 관찰해보자.

확고한 의지는 논리적, 병리학적으로 고유한 장애를 갖고 있다. 그것은 동기를 고정시키고 방향 전환을 방해하는데, 칼의 의지는 강철이었다. 그는 표트르를 응징하고자 원정에 나섰지만, 이제는 자신은 몰락하고 추방되었고 군대도 사라지고 돈도 없는 상황에 빠졌다. 그는 꿈쩍도 하지 않았으며 아마도 그럴 수밖에 없었을 것이다.

그가 오스만 제국의 어느 작은 마을에 머무르는 수년 동안 정복지는 물론 스웨덴 본토까지 침략당하고 있었다. 그는 고집스럽게 침묵했으나, 머릿속으로는 표트르와의 싸움을 어떻게든 끝낼 생각밖에는 없었다. 스스로 유발한 강직증, 즉 일종의 심리적 황홀 상태에 빠져 있던 이 시기에 그는 외부적으로 튀르크인의 도움을 받아 군대를 모으려 했고, 이를 위해 이상하고 끈질긴 계략에 집착하게 되었다. 그렇지만 결국 술탄은 그를 추방하기로 결정했다. 그 결과 아킬레스와 아서왕의 행위가 낭만적이지 않은 것으로 보이게 만드는 사건이 발생했다. 칼이 떠나기를 거부한 것이다.

그는 오스만 제국의 영토인 몰다비아의 벤데르에 돌집을 갖고 있었다. 벤데르의 파샤는 무력을 행사하여 그를 추방하라는 명령을 받았다. 그는 자신의 임무를 수행할 때 자신과 함께 기동 중인 군대 전체를 사용할 계획이었다. 그러나 칼 12세는 나가기 끝내 거부했을 뿐만 아니라 창가에서 오스만 제국군 3만 명을 향해 총격을 가했다. 포병까지 동원되자 결국 얼마 후 건물은 불타버렸다. 우리의 영웅과 소수의 호위 병력들은 예니체리(오스만 제국의 최정예 부대이자 술탄의 근위대-옮긴이)로 가득 찬 거리로 돌진해 그들을 뚫고 나아가기 시작했다.

깜짝 놀란 파샤가 큰 목소리로 거인왕을 붙잡아오는 자에게 큰 포상금을 주겠다고 소리쳤다. 마침내 이 난폭한 난투에서 스웨덴인들은 쓰러지고 칼은 박차가 발에 걸려 넘어져 체포되어 포박당한 채 감옥으로 끌려갔다. 볼테르는 예리한 상상력을 발휘하여 '그는 여전히 특유의 평정심을 유지하고 있었다'고 기록했다. 진정으로 고귀한 사람은 약간의 백치미 같은 것이 있어야만 가장 상식적인 비천함에서 벗어날 수 있다.

그 후 어느 날 갑작스럽게 풀려난 칼은 어느 정도 행동의 자유를 누릴 수 있었다. 그는 추방 명령을 받아들였고 동료 한 명과 함께 말을 타고 유럽을 횡단해서 덴마크로 떠난 이후 한 번도 밟아본 적 없는 고국 땅으로 돌아갔다.

새로운 통로를 찾은 그는 이제 급류의 속도로 돌진했다. 그는 마치 결혼식에 늦은 양 말을 타고 유럽을 횡단했고, 1714년 11월 11일 밤에 동료와 떨어진 채 홀로 남루한 옷을 걸치고 여전히 스웨덴 제국의 깃발을 휘날리고 있는 발트해 남쪽 연안의 유일한 요새 슈트랄준트의 문을 두드렸다.

그가 구한 그 요새에는 잿더미만 남아 있었다. 마치 불쌍한 야만인들이 부족 신의 또 다른 화신을 받아들이듯이, 그를 파멸로 이끈 대사건이 있은 후에도 그의 조국은 그를 다시 받아들였다. 누구도 감히 그를 비난하지 않았고 심지어 그에게 질문조차 하지 않았으며, 왕은 마치 그 엄청난 세월 동안 특별한 일이 없었던 것처럼 똑같은 미소와 똑같은 제복을 입고 폐허가 된 왕국을 통치했다.

하지만 이 엉망이 된 남자는 여전히 공격적이었다. 그가 움직이기로 마음먹기 전까지 유럽 북부는 교회와 같았다. 무방비 상태인 그의 영토를 노리던 반스웨덴 동맹의 군주들은 서둘러 회의에 열어 대규모 방어선 구축을 논의했다.

그 사이에 칼은 조심스레 상황을 파악했다. 그의 추방과 관련된 영웅적이면서 재미있는 일화가 계기가 되어 그는 처음으로 유럽 정복에 대한 계획을 자유롭게 생각해보았다. 그의 공격 방식은 들어본 적이 없을 만큼 대담했다. 실행된다면 성공할 것이 거의 확실했지만, 유럽 전지역이 위험에 노출되는 상황을 연출할 계획이었다.

칼은 먼저 어떤 스웨덴인도 감히 진군하지 못했던 서쪽에 있는 덴마크령 노르웨이를 공격하기로 했다. 그의 첫 번째 코펜하겐 공격의 성격을 보면 이것은 매우 놀라운 일인데, 단순한 착취나 도덕적 이득이 아니라 넓은 바다와 해안을 확보하고 바다를 장악하고 있던 잉글랜드를 공격할 목적이 있었기 때문이다. 나폴레옹보다 더 심오한 그의 계획은 여기서 시작되었다.

하지만 잉글랜드를 공격하려면 먼저 함대가 있어야 했다. 아마도 일단 착수했더라면 생각보다는 쉬웠을지 모른다. 1717년에는 늙은 참주(Old Pretender, 잉글랜드와 스코틀랜드 왕국의 왕위 요구자 제임스 프랜시스 에드워드 스튜어트-옮긴이)가 아직 활동 중이었고, 칼 12세는 그와 그의 지지 세력과 동맹 협상을 진행 중이었다. 그렇다면 수송은 어떻게 할까? 여기에서 칼 12세의 대담한 면모를 볼 수 있다. 칼 12세는 마다가스카르에 수송 능력이 뛰어난 유능한 전사들로 구성된 해적단의 대규모 정착지가 있다는 소문을 들었다. 거기에 사절단을 파견하여 수송 서비스를 제공하면 그가 점령할 잉글랜드 항구를 무제한 약탈하게 해주겠다며 고용을 제안했다.

역사상 가장 영향력이 큰 현실이 될 뻔했던 그의 계획은 매우 공정치 못하게, 다시 말하면 기적적으로 칼의 죽음으로 무산되었다. 소규모 포위 공격이 거의 끝나가고 있을 무렵, 칼 12세는 전선의 흉벽에서 전투를 준비하고 있었다. 그리고 그때 탄알 하나가 그의 머리를 관통했다.

제8장

나폴레옹 1세

"짐이 여기에 있으니 쏘고자 하는 자가 있으면 쏴라."

◆

Napoléon I

(1769년 8월~1821년 5월)

프랑스 제1제국 초대 황제. 탁월한 군사적 재능으로 프랑스혁
명전쟁을 승리로 이끌었다. 그때 수립한 자유주의 이념은 전 유
럽에 전파되었다.

칼 12세와 마찬가지로 나폴레옹의 행동도 책 속의 주인공을 닮았다. 그는 스스로 '내가 곧 혁명이다'라고 말했다. 프랑스혁명의 핵심 메시지는 너무나 문학적이어서 때로는 독창적인 사건이 아니라 표절처럼 보이기도 한다. 여기에 등장하는 인물들은 모두 책을 참고한 것 같다. 그들은 일대기를 남겼고, 처형당할 때도 그리스 비문처럼 근사하게 준비된 문구를 남겼다. 그들이 남긴 마지막 말 중에는 실제로 고대의 비문에서 따온 것도 있었다. 장 자크에게서 감정을, 볼테르에게서 동기를 빌렸고, 가장 인기 있는 『플루타르코스 영웅전』의 판본 동판 삽화에서는 몸짓을 따왔으며, 내 생각에 아마도 그들의 얼굴, 특히 표정까지도 참고한 것 같다.

이와 연결해서 나폴레옹 신화의 많은 부분, 특히 대중적인 인기를 끌었던 그의 특징들은 장식적일 뿐 구조적이지는 않다. 특히 시의적절하고 인상적인 그의 말과 몸짓은 너무나 명백하게 플루타르코스 영웅들을 모방한 것이다. 나폴레옹이 카이사르나 알렉산드로스를 떠올리게 할 때마다, 그가 로마인처럼 행동할 때마다, 그는 책에 나온 행동을 취하고 있었다. 일부러 꾸미고자 의도된 이 관습적인 장식 뒤에 숨어 있는 인물과 줄거리의 핵심을 놓친다면 안타까운 일이다.

따라서 그저 나폴레옹 신화에 감탄만 할 것이 아니라 그를 제대로 이해하려면 먼저 역사라는 척추에 접골(接骨) 요법을 감행해야 한다. 그럼으로써 그의 뼈대가 되는 동기를 올바른 위치로 복원해야 그를 전설에서 구해내어 인간 세계로 돌아오게 할 수 있다.

그가 가지고 있던 인생관은 근본적으로 그의 출신 계급과 비슷한 코르시카 사람들 사이에서 지난 2~3세기 동안 팽배했던 대중적인 인생관과 크게 다르지 않다. 이것이 아마도 그들이 그토록 단호히 무시되어온 하나의 이유이기도 할 것이다. 이 계급은 야망을 품지 못할 만큼 지위가 낮지는 않았다. 보나파르트 가문은 농노도, 상인도 아니었고, 앞서 살펴봤듯이 모험가들을 자주 배출한 계층인 몰락한 귀족이었다. 그들이 실제로 이탈리아 귀족 집안의 친척이었을 수도 있지만, 어찌 되었든 나폴레옹은 스스로 그렇게 믿고 있었다.

낭만주의자들의 시대가 끝나갈 무렵 코르시카 사람들은 변방의 이탈리아인이었다. 여기서 이탈리아인이란 단순히 이탈리아인의 역사를 공유하는 사람들을 의미한다. 그들은 자신들의 역사 때문에 부와 권력을 향한 매우 구체적이고 생생하고 회화적인 야망을 품고 있어 귀족이라는 칭호를 떼어놓고는 생각할 수 없다.

이탈리아인, 특히 변방의 이탈리아인, 무엇보다도 우리가 살펴볼 이 남자와 같이 어느 계급에도 속하지 못하는 코르시카 사람들의 꿈에서 볼 수 있는 공통된 풍경은 궁전, 왕관, 화관 또는 삼중관(교황이 공식 행사 때에 쓰는 관), 그리고 눈부신 연회나 제례의 모습이었다. 그들은 르네상스를 잊지 않았고 동경했다. 그들의 야망은 본질적으로 사교적이고 사치스러운 소유에 대한 갈망과 다름없었다.

이러한 형태의 야망은 사회적으로 얽혀 있는 감정 때문에 항상 가족을 포함한다. 런던 뒷골목을 배경으로 '노예 심리학'을 다룬 작가 마크 러더포드(Mark Rutherford)는 작품 속 주인공의 입을 빌려 '노예 외에는 누구도 결혼의 의미를 이해할 수 없다'고 말했다. 소유욕이 강하면서 사회적인 민족의 일원이 아닌 사람, 정복과 혁명을 너무 자주 겪어 명부 자체가 혼란스러워진 사람, 절망 속에서 정치 조직이나 소유권 그리고 안정을 향한 과장되고 비대해진 갈망을 제도로 확립한 사람들은 보나파르트 가문과 같은 이탈리아 가문들이 평범하고 전통적이며 종교적인 감정 이상으로 끈끈한 가족애를 갖고 있다는 사실을 이해하기 어려울 것이다. 이탈리아인들은 가난할 때도 서로를 챙기지만, 부유할 때도 번영의 혜택을 다른 구성원들과 나누었다. 간단히 말해서, 이들은 신화 속의 초기 인류처럼 개인이 아니라 가족을 하나의 단위로 알고 있었다.

우리는 먼저 이런 가족애가 지극히 고귀한 것임을 인정하도록 하자. 가족 관계를 떠올리면 자신이 생각하는 아름다운 것들을 쉽게 적용해볼 수 있다. 그는 어머니, 아버지, 자매, 형제, 아들의 사랑이라는 미덕들의 기초가 전적으로 혈연관계라는 사실을 잊지 않았다. 국무회의에서 입양 제도에 관한 논의를 기록한 뢰데레(Roederer)의 자료에는 이것을 에둘러 아름답게 표현한 나폴레옹의 발언이 등장한다.

"입양이란 무엇인가? 그것은 자연의 모방이자, 일종의 성찬이다. 사회의 의지에 따라 한 사람의 피와 살을 물려받은 자손이 다른 이의 혈육이 되는 것이다. 이보다 더 숭고한 행위가 있을까? 이 행위는 혈연관계가 없는 두 개체 사이의 자연스러운 상호 애정을 불러온다."

이런 행동은 어디서 비롯되어야 하는가? 이에 대해 나폴레옹은 '공증인에게서 나오는 것이 아니라 번개와 마찬가지로 저 높은 하늘에서 온 것'이라고 말했다.

여기서 우리는 황제가 놀라움과 감탄을 표현하는 강조점들을 확인할 수 있다. 그는 유럽 최고의 지성이었고, 그가 좀 더 낮은 계급이나 열등한 인종이었다면 혈연관계가 없어도 누구나 가족애를 베풀 수 있다는 사실을 믿지 않았을 것이다. 그가 생각하기에 입양은 종교에서 성인의 행위와 마찬가지로 광기에 가깝도록 희귀하긴 하지만, 그렇다고 완전히 불가능하지는 않은 숭고한 일이었다. 이탈리아 가족의 본질은 모든 구성원이 하나의 육체와 하나의 피, 즉 '신성한 관계'를 느낀다는 점이다.

그들은 서로를 자신의 분리된 일부라고 생각하기 때문에 서로를 자기 자신처럼 사랑한다. 다리 네 개, 머리 두 개, 하나의 동맥계로 평생을 살아온 샴쌍둥이라면 분리 수술을 받은 후 이별의 순간에 나폴레옹이 이야기했던 가족애의 진정한 본질을 이해하고 설명할 수 있을 것이다. 구성원들은 하나의 몸통에서 나온 팔과 다리이기 때문에, 가족에 대한 증오는 사지 절단이나 마찬가지였다. 그는 가족을 말 그대로 육체적으로 자신의 일부로 생각했고 자기 자신처럼 사랑했다. 그가 보여준 이 근본적인 특성은 견고하고 통일된 이기주의에 기반을 두고 있다.

지금까지 우리는 아작시오(Ajaccio)의 유명한 별장에서 미래를 생각하고 있는 젊고 낭만적인 남자의 머릿속을 들여다보면서 감탄할 만한 자질을 발견했지만, 그 외에는 다른 이들과 특별히 구별되는 점을 찾을 수 없었다. 그는 궁전, 궁정, 왕좌 그리고 모든 것을 공유하는 가족이라는 이탈리아인의 꿈을 꾸고 있었다. 그러나 어쨌든 나중에는 매우 비극적이고 약간 특이한 전개가 이루어진다. 그 이유가 자신의 목표를 추구하는 데에 너무 거칠고, 가끔은 불필요한 기운을 소진했기 때문이든 아니면 본성이 원래 그러했든, 나폴레옹은 권력자가 자주 겪는 비참한 상황에 빠졌고, 스스로 인생을 즐기는 힘을 잃었다. 그런 무력감은 수많은 자선 활동과 악덕 행위를 낳은 비밀스러운 영감이 되었다. 이는 마치 자신이 만든 훌륭한 음식을 다른 이들이 먹는 모습을 보며 대리 만족을 느끼지만, 정작 본인은 너무 지친 나머지 식욕을 잃어버린 요리사와 같다.

수년간 계속된 수면 부족, 과도한 학습, 정신적 집중으로 생긴 신경과민의 결과로 (다른 사람들보다도) 이탈리아인에게 더욱 고통스러운 무기력증이 동반되었을 수도 있다. 제국 수립 이전에 겪었던 조제핀과의 갈등이나 불임을 책망하는 그에 대한 이집트 여인의 기묘한 반응, 또는 잘 알려진 대로 여성의 '온화함'에 대한 그의 취향에서 우리가 알지 못하는 일종의 근본적인 성적 비밀이 있을 수도 있다.

어느 정도였는지는 알 수 없으나 이러한 장애는 확실히 존재했으며, 가족에 대한 그의 애착이 우리가 설명한 수준 이상으로 높았다는 논리적인 결론에 이를 수 있다. 그의 형제자매들은 단지 그의 일부일 뿐만 아니라 그가 진정으로 느끼고 즐길 수 있는 유일한 감각기관이었다. 그들은 그의 미각이었고, 눈이었고, 귀였으며, 그의 불타오르는 삶의 욕구는 그들이 느끼는 즐거움을 통해서만 충족될 수 있었다.

노트르담에서 성대한 대관식이 거행되던 중에 있었던 일화를 들어본 적이 있는가? 교황이 뒤에 서 있고 아내는 옆에 있는 상황에서 왕관을 쓴 황제가 갑자기 자신이 추기경으로 임명한 외삼촌 페슈의 등을 봉으로 슬쩍 찔렀다. 나폴레옹이 서투르긴 했어도 완전히 격식을 무시하는 사람은 아니었기 때문에, 이 장면은 역사가들에게는 수수께끼였다. 그가 그런 행동을 한 이유는 아마도 단순히 페슈 삼촌의 얼굴을 보면서 그가 직접적으로는 느낄 수 없는 즐거움을 함께 나누고 싶어서였을 것이다.

그러나 나폴레옹의 가족애에 담긴 의미는 이 정도에서 끝나지 않았다. 그는 모든 욕망 중 가장 미묘하고 심오한 욕망, 즉 불멸성을 충족시키기 위해 혈연관계를 찾았다. 육체적인 상속자를 향한 그의 열렬하고 끈질기고 강렬한 갈망은 단순한 감정의 관점에서 논의되거나 '부성 본능'으로 치부하기에는 너무 중요하다. 그것은 그의 주요한 삶의 목표 중 하나였으며 그가 끝까지 지키고자 했던 나눌 수 없는 보상의 일부이기도 했기 때문이다. 그는 이탈리아인처럼 가족을 사랑했다.

그는 시공간을 뛰어넘는 자신의 육체적 연장인 아들을 원했다. 이것은 자신의 본능만을 믿었던 이 이성적인 남자가 오랫동안 지속되는 삶을 상상할 수 있는 유일한 형태였다. 그의 동기는 지적으로 이해될 수 있으나 실제로는 심해의 일부 다세포나 생식 이전 혹은 선사시대 유기체의 맹목적인 충동과 유사하다. 그러므로 인간의 악덕과 미덕에 대한 변증법적인 판단력을 갖춘 사람에게는 약간의 선량한 본성을 지닌 가장 파괴적인 모험가 나폴레옹이 가정적인 남자로 보일 수 있다. 우리는 그를 그렇게 부르거나, 괴물 같고 무능한 이기주의자라고 부르거나, 아니면 단지 완전히 원시적인 시대 착오자라고 부를 수도 있다. 그것들은 모두 사실이기 때문이다. 다만 방종한 낭만주의자들이 말하는 허구, 즉 '헤아릴 수 없는 천재', '플루타르코스의 영웅', '오해받는 몽상가' 등으로 그를 바라보는 일은 피해야 한다는 점이 중요하다.

그는 미친 사람도, 신화 속의 영웅도, 낭만적인 사람도 아니었다. 그의 목표는 모든 모험가의 목표, 즉 운명을 희생하면서 삶의 욕구를 최대한 충족시키는 것이었는데, 그것은 어린아이가 먹을 것을 자기 입으로 가져가듯이 그가 아는 유일한 생존 방법이었다. 건강, 본능, 교육으로 그는 몸이 여러 개여야 했다. 그래서 그는 운명의 여신과의 일대일 전투에 가족을 끌어들여야 했는데, 그것은 은유적 표현이 아니라 단지 육체적 한계를 극복하기 위한 조치일 뿐이었다.

그의 어머니는 가장 인간적으로 관심을 끄는 놀라운 사람이다. 개인적으로 나는 그녀에 대해 어떠한 감정도 느낄 수 없다. 날카로운 눈을 가진 이 탐욕스럽고 위엄 있는 여인 레티치아는 아들의 영광스러운 성공을 축하하며 애처롭게 '푸르부 퀘 슬라 두레(Pourvoo que c'là doure)'라고 말했다고 한다. 이 말은 바닷가 시골 아낙네가 이탈리아식 억양으로 "그래, 참 잘했구나", "몸조심하렴, 얘야"를 뜻하는 표현으로 프랑스인에게는 재미있게 들리는 사투리이다.

여기서 나는 레티치아 보나파르트가 자기 아들의 행보를 한 번도 실패라고 생각한 적이 없음을 밝히고 싶다. 라이프치히와 워털루가 가족에게 겨우 순수익 천 달러를 안겨주었더라도 그녀는 그 전투를 진행하라고 했을 것이다. 그녀는 성장하는 가족을 돌보는 방법을 완벽하게 터득했지만, 이후로는 그 규모를 확대하지 않았으며 그녀에 대한 싸구려 비애의 상당 부분은 이런 오해에서 비롯했다. 나폴레옹에게 함께 인생을 즐길 가족이 필요했던 것처럼, 그의 어머니도 자연스럽게 자녀를 투자 대상으로 보았다. 낭비되어서는 안 되고 이자를 벌 수 있으며 그녀의 넘치는 감정을 안전하게 담을 수 있는 저금통으로 생각한 것이다. 자식들은 돈과 지위를 얻어 어머니에게 아낌없이 보상해야 했다. 레티치아는 그 보상을 받아 심판의 날에 끝이 정해지지 않은 수익률을 희망하며 남은 돈은 천국에 저축해두었다. 기본적으로 가정적인 남자인 나폴레옹을 이기주의자라고 한다면 평범한 어머니인 레티치아도 마찬가지로 이기주의자였다. 그들의 잘못은 플라톤이 제기한 가족 제도에 대한 비난과 분리해서 생각할 수 없다.

269

아버지 카를로 역시 건강하고 평범한 사람이었던 것 같다. 그는 레티치아가 자식들에게 품었던 희망을 공유했고, 자식들에게 자신의 모든 야망을 성취하도록 부담을 지웠다. 코르시카 시절에 나폴레옹을 제외한 보나파르트 가문의 야망은 아작시오에서 존경받는 인물 역할을 하기에 충분한 돈과 온전한 주택, 아마도 그들이 막연하게 주장했으나 자신들조차도 확고하게 믿지 못했던 귀족이라는 칭호를 대체할 실제 지위, 한마디로 좋은 일자리, 그리고 이웃들의 존경을 얻는 것이었다. 레티치아와 장남 조제프, 외삼촌 페슈는 결코 이 편협한 시민적 이상에서 벗어나지 못했다. 그들은 이것만으로도 매우 행복한 삶을 살 수 있었고, 그들에게 나폴레옹의 모든 영광은 분에 넘치는 것이었다.

다만 레티치아는 이 모든 것을 심각하게 받아들이지 않았다. 그녀는 모후(Madame Mère) 자리에 오른 후에도 수당의 4분의 3을 저축했고, 교황을 만나서 기뻐했으나 그 상대가 아작시오의 주교였어도 충분히 기뻐했을 것이다. 심지어 세인트헬레나섬에서도 그녀의 아들 나폴레옹은 여전히 '누군가'였다. 보나파르트 중 한 사람이 섬 전체를 거주지로 사용하고, 함대 전체가 그를 감시할 것이라고 누가 생각이나 했을까?

우리는 이 놀라운 소년이 언제 처음으로 자신의 거대한 욕망의 전조를 느꼈는지 알 수 없다. 다만 그 순간이 천재에게는 궁극적인 요소이기 때문에 관심을 갖게 된다. 어느 정도 모순으로 뒤덮인 삶에 대한 욕망의 강도와 질을 고려하면 한 인간의 능력을 계산할 수 있는데, 이때 높은 잠재력을 가졌다면 우리는 그를 천재라고 부른다. 오늘날에도 수천 명의 이탈리아 소년들이 왕이 되는 꿈을 꾸고 그들의 형제들은 작위를 받기 원한다. 그러나 누구도 나폴레옹과 같은 구심적 욕망을 가지고 그런 목표를 끌어당기지 않았고, 우주로부터 그러한 운명을 끌어내지도 못했다.

우리는 이 매력적인 의지의 뿌리가 육체적인 원인에 있는지, 영적인 원인에 있는지조차도 알 수 없다. 그러나 그것을 부추겼을 몇 가지 요인을 찾아보고 확인할 수는 있다. 그중 첫 번째는 그가 사회적으로 불분명한 가족의 지위, 즉 이웃보다 더 나은 출신이지만 근거를 밝힐 수 없었다는 점을 들 수 있다. 아무도 그 사실을 믿지 않는다면 그 충격은 소년을 웃게 하거나 화나게 할 수도 있고 냉소적으로 만들 수도 있다. 만일 (동일한 성질을 세 가지로 표현하여) 그가 지나치게 허영심이 많거나 예민하거나 완고했다면 이때 그의 야망은 더욱 악화되었을 것이다.

육군사관학교가 아마도 나폴레옹에게 그런 영향을 끼쳤을 것이다. 젊은 실제 후작과 자작들에게 둘러싸인 그는 자신도 그들 중 하나지만 자기 가문을 숨기는 법을 배웠고, 심지어 그러한 가문 이야기에 대중적인 경멸을 보내기도 했다. 상처받은 허영심은 자연스럽게 정치에 의지하게 만든다. 나는 코르시카에서 부유하고 거만한 프랑스 장교들의 활동으로 보나파르트 가문 전체가 민족주의자이자 반란군으로 변했다고 하더라도 놀라지 않을 것이다. 허영심과 이기심이 모든 보수주의의 근간인 것처럼, 시와 허영심은 진정한 반대파를 만들어내며, 그것들이 잠재의식에 스며들면 더 이상 참을 수 없게 된다.

그러나 젊은 나폴레옹의 경우는 그렇지 않았다. 그는 온 힘을 다해 증오를 키우면서도 여전히 사람들의 마음을 관찰하고 궁금해했다. 이때 훗날 사용하게 될 사람들을 지배하는 기술의 주된 두 가지 수단인 민족주의와 대중 영합주의의 힘을 깨달았다.

곧이어 불을 지필 때 필요한 산소처럼 그 힘이 중요한 시기가 왔다. 그가 스무 살이던 1789년에 프랑스혁명이 일어났다. 몇 년 전부터 학교의 학기 마지막 날 같은 설렘으로 가득한 날들이 이어졌다. 귀족들조차도 특권의 시대가 끝났다는 사실을 알고 있었고, 이를 인정해야 유행을 따르는 탁월한 사람 같았다. 모두가 혁명을 통해 각자의 소망이 이루어질 것으로 기대했고, 나폴레옹은 오직 계속 변함없이 나아가기만을 소망했다. 그들은 더 나은 세상이 아니라 자유롭게 기회를 얻을 수 있는 세상을 원했다. 혁명의 원동력은 철학자가 아니라 부르주아였고, 루소 정신이 아니라 나폴레옹 정신이었다.

글을 읽고 쓰는 계급인 부르주아의 천부적인 무기는 책이었다. 이들은 무언가를 희망하거나 두려워할 때마다 맹렬히 배우기 시작했다. 그래서 전형적이며 완벽한 부르주아 영웅인 나폴레옹은 격렬하게 독학하면서 이 흥분의 시기를 보냈다.

그는 (경쟁으로 어려움을 겪고 있던) 군사학 관련 내용 외에도 플라톤은 물론이고 영국, 타타르, 페르시아, 이집트, 중국, 페루, 잉카 제국 등의 세계 역사와 교황 등 다양한 주제에 관한 방대한 자료를 읽고 그 내용들을 암기했다.

나폴레옹이 메모를 남긴 책이 많이 있지만, 대부분은 거의 읽을 수 없는 필체로 써 있다. 그 내용들을 인쇄한다면 거의 400쪽에 달한다. 여기에서 우리는 앵글로·색슨 칠왕국(Heptarchy)의 지도와 3세기 동안 통치한 왕의 명단을 발견했다. 또한 고대 크레타의 다양한 도보 경주, 소아시아의 그리스 요새 목록, 칼리프 27명의 연대기와 그들이 거느린 기병대의 세력, 그리고 그들의 부인들이 저지른 악행에 대한 기록들도 찾을 수 있다.

이 기록들은 너무나 다채로워서 심지어 세인트헬레나섬의 위치와 기후에 관한 내용도 담고 있다. 특히 여기에서 당대의 지배적인 두 가지 주요 취향이 강조되었다는 점에 주목해야 한다. 하나는 등장인물 모두가 영웅적인 일화를 갖고 있는 플루타르코스의 그리스와 로마였고, 다른 하나는 『천일야화』에 나온 동방이었다. 이렇게 두 세계의 매력이 그의 상상력을 자극했으며 그 외의 공부는 대부분 시간 낭비였다.

그는 자신이 전혀 알지 못하는 내용들을 확실하게 익히는 데에 시간을 사용했다. 그는 사교적이기는 했으나 열등한 사람 혹은 단순히 군중 중 한 사람으로 보이는 것을 끔찍이 싫어했다. 그는 동등한 수준의 사람들을 만나는 방법을 몰랐고 배운 적도 없었지만, 어떤 특별한 지위가 보장되더라도 적대감으로 어색한 분위기를 만들지는 않았다. 이 모든 내용이 그의 파리 육군사관학교 보고서에 기록되어 있다.

그는 내성적이고 성실하며, 어떤 종류의 대화보다도 공부를 선

273

호하며 훌륭한 작가들에게서 마음의 양식을 구한다. 그는 과묵하고 고독을 사랑하며 변덕스럽고 거만하며 극도로 이기적이다. 비록 말수는 적지만 그의 대답은 간결하고 명료하며 논쟁에 뛰어나다. 또한 자기애가 강하고 대단한 야망을 갖고 있다.

이러한 관찰 내용이 사실이라면 나폴레옹 생애의 상당 부분을 명확하고 일관되게 이해할 수 있다. 그는 당시 함께 교육받은 생도들, 즉 부르봉 왕조를 옹호하는 왕당파들과 극명한 대조를 이루었다. 초라하고 질투심 많은 젊은 나폴레옹 보나파르트는 신임 중위로 활동했던 프랑스 남부 발랑스에서 '헌법의 벗(The Friends of the Constitution) 결사단'에 가입했다. 다른 사람들 대부분이 거부했을 때 그는 헌법에 복종하겠다고 맹세하고, 새로운 정당의 이익을 위해 폭동을 진압하는 등 자코뱅 시절의 모든 행동에는 이처럼 충분한 근거가 있었다. 무일푼의 야심 찬 젊은이 나폴레옹이 자신의 길을 가로막는 사람들과 함께 패배자의 편에 합류했다면 그것이야말로 이해할 수 없는 일일 것이다.

그러니 코르시카의 모험을 둘러싼 덤불을 주저하지 말고 빨리 지나가도록 하자. 사관학교를 졸업하고 혁명의 소용돌이 속에서 그는 휴직을 요청했고, 코르시카로 돌아와 파올리의 반군에 합류했다. 그런데 훗날 파올리와 헤어지는 이유는 무엇일까? 그리고 왜 프랑스로 돌아가서 프랑스의 사건에 관여하게 되었을까? 평화롭고 순진한 젊은 모험가인 그는 반란, 민족주의 봉기 등에서 공모자들이 모두 공동의 대의를 위해 죽음을 감수한다는 이유만으로 그들을 형제라고 믿었던 것일까? 역설적으로 악랄한 압제자들보다 외부인들을 더 혐오하는 '운동을 장악한' 사람들에게는 파벌, 내부 집단, 계급적 증오가 존재하지 않는다고 생각한 것일까? 쓴맛을 보고 싶다면 고귀한 봉기에 동참하여 알아내는 수밖에 없다. 순진한 나폴레옹은 파올리를 통해 이를 경험했다. 나폴레옹은 파올리의 반군에 가담했으나, 그들은 그가 필요하지 않았고 그를 인정하지도 않았다. 냉담한 대우에 분노한 나폴레옹이 프랑스로 돌아갈 때는 매우 합리적으로 행동했다.

코르시카에서 있었던 이야기는 여기까지다. 그다음 무대는 툴롱이다. 그곳에서 왕당파 동료들과 그들의 귀족 가문들이 혁명파를 쫓아내고 영국군과 에스파냐군을 받아들이는 일이 발생한다. 보나파르트는 그곳에서 자신을 드러낼 기회를 얻었고 그것을 잡았다. 툴롱 포위전의 승리자인 뒤고미에 장군은 "이 보나파르트의 장점, 즉 엄청난 기술력, 지적 능력, 용기를 설명할 단어를 찾을 수 없다. 그에게 충분한 보상이 가야 마땅하다."라고 말했다.

나폴레옹은 포위전 승리의 공로를 인정받아 1793년에 준장으로 진급했다. 이 사건은 많은 것을 의미할 수도, 아닐 수도 있다. 지난 전쟁에서 준장들은 재산을 모을 수 있었다. 그들 중 한 사람은 기쁜 마음으로 카디프의 교통경찰이라는 직업으로 돌아가기도 했다. 따라서 상황은 사람마다 달랐다. 보나파르트에게는 '처음 십만 달러가 가장 어렵다'는 제이컵 애스터(Jacob Astor, 미국 최초의 백만장자-옮긴이)의 말을 적용할 수 있다. 그에게 이 기회는 재산 그 자체라기보다는 재산 축적의 시작이자 그 가능성이었다. 이제 탐욕스러운 작은 군인 보나파르트는 파리로 가서 자신의 인생을 시작할 수 있었다.

그렇지만 그가 조제핀을 얻기까지는 3년이 더 걸렸다. 그는 파리에서 유명한 '포도탄'으로 폭도들을 진압하여 중산층의 혁명을 구해낸 공을 세운 후, 1796년에 아름답고 야심 찬 여주인공과 결혼했다. 많은 이가 이 여인을 위해 눈물을 흘렸고, 나 역시도 눈물을 감출 수가 없다. 유감스럽게도 나에게 이들의 결혼은 젊은 가게 주인과 모자 제작자가 각자 자신이 좋은 짝을 만났다고 믿어버리는 삼류 소설처럼 보인다. 조제핀은 두 세계와 두 시대 사이에 서 있는 여인의 전형적인 예였으며, 정신적으로 크게 고통받지 않았다. 그러나 활기차고 젊은 괴짜는 단순한 사랑꾼이 되기에는 너무나 야심만만했다. 보나파르트는 조제핀을 통해 이탈리아에서 유명해질 기회를 얻었다.

그는 벼락부자가 자신보다 사회적으로 우월하다고 생각하는 여성을 대하듯이 고귀하고 낭만적이면서도 강렬하게 그녀를 사랑했다. 나폴레옹은 그 당시 그의 아내가 훌륭한 여성이고, 굉장한 미인이며, 사교적인 여성이라고 확신했고, 그 외에는 다른 것을 생각할 수 없었다.

그러나 실컷 비웃은 후에는 이 위대한 남자에게 존경심을 보여야 한다. 그는 인생에서 결코 기회를 놓친 적이 없었다. 그의 삶을 냉정하고 비판적인 시선으로, 그리고 무엇보다도 끝을 알 수 없는 소설을 읽듯이 처음부터 끝까지 순서대로 읽는다면, 그가 실제로 몇 안 되는 기회를 하나도 놓치지 않고 비범하게 활용했다는 사실을 알고 놀라움을 금치 못할 것이다.

그림자 뒤에 숨어 있는 수수께끼 같은 운명은 그에게 형편없는 패만 보여주었지만, 그는 모든 패를 으뜸 패로 바꿔버렸다. 그는 이탈리아 원정군 사령관으로 발탁되었는데 그 당시 상황에서는 형편없는 지위였다. 그는 놀라운 의지력과 강한 독창성으로 오합지졸 군대를 이끌고 우월한 상대에 맞서 이탈리아 원정을 펼쳤다. 오늘날까지 이 원정 작전은 칼 12세 같은 다른 모든 반인반신의 위업보다 훨씬 더 많이 연구되고 있다. 장군들은 무능함이나 비겁함보다도 전쟁 과학이 존재한다는 헛된 믿음 때문에 무너지는 경우가 많았다. 그러나 이 이탈리아 원정은 그런 전쟁 과학이 이룬 업적이 아니라 하나의 예술 작품으로 평가받고 있다.

보나파르트가 벌인 전쟁을 예술 작품으로 바라보면 잊히거나 과학적 성취의 결과라는 시대에 뒤떨어지는 분석을 내놓을 위험에서 벗어날 수 있다. 더 정확히 말하면, 그것은 의지의 걸작이자 자극제이며, 모든 정적인 것의 정반대이므로 건축에서 느낄 수 있는 정신적 기쁨과는 또 다른 즐거움을 준다.

이 걸작은 그를 높은 곳까지 데려갔지만, 그것이 끝이 아니라 두 가지 가능성이라는 큰 둑길이 갈라지는 분기점에 도달하게 했다. 언제나 그렇듯이 운명은 우선 그에게 거기에서 멈추고 상금을 챙기라고 제안했다. 파리의 총재정부는 이제 그를 위대한 사람으로 받아들였고, 그를 가장 위대한 하수인으로 만들고자 했다. 그들은 그에게 영국을 상대로 계획한 원정 작전 지휘권을 제안하며 그를 압박했다. 만일 그가 조금이라도 흐트러져 있었거나 피곤한 상태였다면 그 제안은 매우 멋진 보상으로 보였을 수 있다. 모험에서 가장 힘든 순간이 바로 이런 순간들이며 우리는 그 초자연적인 위험을 잘 알고 있다.

그러나 나폴레옹은 이집트로 갔다. 왜 이집트였을까? 정치적으로는 영국의 영향권에 있던 중동 지역을 공격한다는 명분을 세웠다. 영국 함대는 더 이상 지중해에 주둔하지 않았고, 더욱이 반란으로 내부적으로 곤란을 겪고 있었기 때문에 이 계획은 실행 가능하고 실용적으로 보였다. 하지만 우리는 그가 이집트로 향한 두 가지 다른 이유에 관심을 가져야 한다. 첫째, 그는 독서를 통해 감동적인 낭만주의로 이어진 알렉산드로스를 향한 동경심을 품고 있었다. 둘째, 그의 인기가 높아지자 그를 견제하던 총재정부가 정치적 속셈으로 그를 멀리 보내고자 했다.

이 원정 작전을 실패로 규정하는 것은 헛되다. 왜냐하면 사건의 가치는 그 자체가 아니라 전체 구조 속에서 수행하는 역할이 있기 때문이다. 절반은 파탄이고 절반은 신격화된 이집트 원정을 통해 나폴레옹은 집정정부로 가는 다음 단계로 이동할 수 있었다.

나는 그가 1799년 프레쥐스(Fréjus, 프랑스 남동부의 항구도시-옮긴이)에 상륙했을 때 모든 가능성 중에서 그를 선택한 당시의 분위기와 상황을 어렴풋이 알 것 같다. 왜냐하면 나폴레옹 보나파르트의 사적인 모험보다 더 위대하고 숭고한 점은 혁명을 창조한 제3계급이 감행한 모험이었기 때문이다. 그들은 자신들의 입장이 복잡하게 얽혀 있는 미로에서 길을 잃지 않기 위해 법정, 그럴듯한 명분, 치안이라는 세 가지 소원을 들어줄 왕을 찾고 있었다.

나폴레옹의 모험은 이 세 가지 소원을 만족시켰고, 그가 극적으로 황제의 자리에 오르게 되는 모든 영웅적인 장면에서도 마찬가지였다. 나폴레옹은 프랑스에, 그리고 나중에는 유럽 전체에 자신을 새로운 중산층의 메시아로 각인시켰다. 국민투표라는 명분을 통해 시민의 지지를 확인했고, 이로써 프랑스 국왕과 주권자인 시민 사이에서 선택해야 했던 로베스피에르의 딜레마를 해결했다. 시민의 지지로 프랑스 황제가 된 나폴레옹은 자연이라는 신성한 권리에 따라 400만 주권 시민의 권리를 대표했다. 치안에 관해 말하자면, 모든 코르시카인은 타고난 경찰이었고, 강력한 나폴레옹 법전은 오늘날에도 여전히 작동하고 있다.

간단히 말해서, 나폴레옹 보나파르트의 궁정은 혁명을 일으킨 계급의 모든 정신적 욕구를 요약한 상징이었다. 비록 어느 정도 제한적이기는 하지만 나폴레옹의 메시지는 아마도 빅토리아 시대의 예술적인 석판화만큼이나 시적이었을 것이다. 소수의 극렬 세력이 희망했던 유토피아적인 꿈 외에도, 귀족적 삶을 공유하고자 했던 프랑스 부르주아의 열망이 혁명의 감정적 원동력이었다는 사실은 너무나 자주 간과된다.

궁정의 모든 특징이 사람들을 매료시켰는데, 그것은 도덕적인 면보다는 태어날 때부터 그 안에 살고 있던 대다수 사람들에게도 중요하고 매력적인, 미묘하고 덧없는 미학적 이상이었을 것이다. 프랑스의 남성 시민은 아들들을 위해 고소득의 정부 관리직과 장교직을 탐냈고, 여성들은 딸들이 궁중 무도회에 초대되는 꿈을 꾸었다. 그리고 이 젊은 세대는 나폴레옹의 주요 지지자들이었다. 왜냐하면 나폴레옹은 그들의 의지를 받아들여 대규모의 행정과 거대한 군대를 통해 안전하고 명예로운 일자리를 제공하는 광대한 시스템을 구축했고, 규모 측면에서 지금까지 유럽 어디에서도 볼 수 없던 뛰어난 궁정을 제공했기 때문이었다.

무엇보다도 나폴레옹은 자신의 영혼 깊은 곳에서 새로운 이상을 끌어냈다. 모험의 실패에 따른 파멸적인 대가를 치를 필요가 없었기 때문에 모험가에게는 화려한 제복, 메달, 칭호, 안정적인 연금이 보장된다는 역설적인 이상을 발명한 사람이 나폴레옹이었다. 그의 부하들은 정기적인 월급을 받는 용병이었다. 오늘날까지도 남부 유럽의 젊은이들은 모두 나폴레옹이 젊은이들에게 제공한 삶, 즉 나폴레옹이 되는 것이 아니라 나폴레옹을 섬기는 삶을 꿈꾼다. 모든 것을 정복한 군대의 젊은 장교들이 제복과 명성으로 외국의 상류층 미녀들의 마음을 사로잡고, 왈츠 곡에 맞춰 행진 연습을 하던 수비대 생활의 매력은 수많은 소설을 통해 널리 퍼졌다.

나폴레옹 궁정은 그 화려함이 마치 해적들이 약탈 후 섬에서 데려온 소녀들과 보물을 놓고 축하하는 동굴과 비슷하다는 '전리품 추구자'라는 비판을 받았다. 전적으로 동의하지는 않지만, 그 집기들이 대부분 새것이었을 때엔 약간 천박하고 기괴했으며, 어느 정도는 저속해 보였을 것이다. 사실 출세한 이들의 궁정이었기 때문에 그래야만 했을 것 같다. 황제의 동료, 장군, 궁정인들을 그 위치까지 끌어올린 자질은 분명 뛰어났다. 그러나 여성, 복장, 매너 및 예술에 대한 취향이 화려하지 않았다면 새롭게 떠오른 무식한 공작들과 스무 살 남짓한 장군들의 모임은 결코 세상에 강력하고 지속적인 매력을 보여주지 못했을 것이다.

나폴레옹은 목마른 중산층에게 풍부한 법률, 모험, 직위 및 행정 업무의 일자리를 제공함으로써 자신을 지지해준 것에 대해 꾸준히 보상했다. 진정한 모험가들처럼 그의 동기도 순전히 개인적이었기 때문에 그것은 모두 그의 대단한 의지의 부산물이자 보상이었다. 이 모험의 혜성은 거대한 포물선을 그리며 크고 작은 수천 개의 소행성을 끌어당겼다. 그는 그것들을 모두 받아들였으나 그들을 섬기기 위해 하늘을 가로질러 달려가지는 않았다.

이 사람이 역사상 가장 높은 자리를 차지할 수 있었던 이유는 세계를 지배할 뿐만 아니라 세계를 즐기려는 열망 때문이었다. 앞서 살펴본 것처럼, 물론 이것은 복잡한 미각 기관의 기능을 수행한 가족을 통해서만 가능했다. 프랑스 황제가 되는 것이 그에게 가치 있는 일이 되려면 그의 가족 구성원 모두가 왕좌를 가져야 했다. 그러나 가족들 모두 이 기이하면서도 매력적인 계획에 온 마음을 다해 헌신했으나 왕좌에 걸맞은 사람은 많지 않았다. 『천일야화』에 나오는 배탈 난 칼리프처럼 나폴레옹은 많은 손님을 잔치에 초대했고 식사를 즐기라고만 했다.

그러나 여기서 우리는 함정이 있는 자연스러운 의구심을 가지게 된다. 나폴레옹의 왕 역할은 소박하고 대중적인 표현으로 한다면, 아들에게 좋은 장난감을 사주지만 아들이 스스로 작동하도록 놔두지는 않는 아버지의 모습과 비슷하다. 그것이 어쩌면 다양한 가족 구성원들이 자신들의 왕좌와 지배를 그만두고, 각자의 삶을 살려고 끊임없이 시도했던 이유일지도 모른다.

그 예로 그들 중 가장 훌륭하고, 최고의 두뇌와 심장을 갖춘 동생 뤼시앵(Lucien)은 가장 큰 즐거움을 누릴 수 있는 인물이요, 황제가 원하는 목적을 위해 가장 높이 평가될 수 있었다. 급변하는 상황에서 형을 구해낸 사람도 그였고, 생클루(Saint-Cloud)에서 최초의 쿠데타를 성공시킨 사람도 나폴레옹보다는 뤼시앵이었다. 그러나 뤼시앵은 실제로 보나파르트 가문의 일원이라기보다는 (이런 표현이 가능하다면) 나폴레옹 가문의 일원으로 평생 선량한, 즉 반(反)나폴레옹 민주주의자로 남았다. 이 때문에 (그리고 그 사실에 대한 다른 설명이 불가능하기 때문에) 그의 형은 형제애라는 감정을 무시한 채 그와의 '혈연관계'를 끊어버렸다.

따라서 내가 보기에 다른 출구를 찾을 수 없었기 때문에 나폴레옹에게 파멸이 찾아왔고 프랑스에서 권력을 유지하기 위해 계속해서 유럽을 정복해야 했다는 신화는 사실이 결여된 훌륭한 소설이라고밖에 볼 수 없다. 이와 함께 나폴레옹이 탈레랑(Talleyrand)의 배신 때문에 파괴적인 모험을 하게 되었다는 주장도 사실이 아니다. 에스파냐 독립전쟁(이베리아반도 전쟁-옮긴이), 그리고 프랑스 제국 등장 이후 이어진 많은 전쟁의 동기는 대부분은 복잡했지만, 본질적으로는 괴물 같은 승리자가 가족을 통해 권력을 누릴 수 있도록 지배권을 획득하거나 방어하는 것이 핵심이었다.

칼 12세의 이상한 모험을 반복하듯 나폴레옹은 모스크바 습격을 감행한다. 이집트 원정과 비교하면 두 경우 모두 피상적이고 불명예스러운 결과를 초래했다는 유사성이 있지만, 러시아 원정에는 낭만주의나 책에서 나온 지혜가 없다는 점에서 근본적인 차이가 있다. 황제는 로마식 연설을 하지 않았다. 우리는 이제 모험가의 삶을 사실상 중단하고 단지 자신의 이익을 보호하고자 필사적으로 싸우고 있는 한 남자를 보게 된다. 반신반인을 지탱하던 받침대가 무너졌다. 그는 그때 두 발을 땅에 딛고 있었던 것 같다.

흥미롭게도 모험의 '탄도 법칙'이라는 개념을 확인해줄 이 단계는 그가 이혼하고 재혼한 시기, 특히 1811년 그의 아들이 태어난 때부터 시작된다. 나는 결혼을 통해 부여되는 여성의 일방적인 권리가 결코 아름답거나 신성하거나 명백하다고 보지 않는다. 이혼을 겪고 황후 지위까지 상실한 조제핀을 위해 많은 선량한 이가 눈물을 흘렸지만, 조제핀이 위자료도 넉넉히 받았고 아들도 낳지 않았으며 결혼 생활에도 충실하지 않았다는 사실을 알기 때문에 나는 그녀를 위해 눈물을 흘릴 수 없다. 이후 나폴레옹은 젊음과 매너, 번식력, 가식 없는 어리석음을 지닌 오스트리아의 대공비를 황후로 맞았다. 얼마 지나지 않아 그녀는 아들을 낳았고, 나폴레옹은 아들을 로마왕(Roi de Rome)으로 봉했다.

그에게 생물학적 자녀는 불멸의 가능성을 의미했다. 만약 그가 왕조를 세운다면 그는 불멸의 왕계를 통해 앞으로도 계속 통치할 수 있게 될 것이다. 그는 격렬하고 심지어 불합리할 정도로 강한 감정적 갈등을 겪은 후에 조제핀과 헤어졌지만, 새로운 황후는 굉장히 아꼈는지, 출산 시 위급한 상황에서 산모와 태아 중 하나를 선택해야 한다면 아이가 아니라 아내를 구하라는 명령을 내렸다는 이야기가 전해진다. 물론 그녀가 더 많은 자녀를 낳으리라고 생각하며 아마도 세계를 다스릴 왕계를 이루기를 기대하면서 한 말이겠지만, 그렇다 하더라도 굉장히 훌륭하고 특별한 태도였다.

그러나 아버지가 된다는 것은 모험의 종말을 의미했다. 그가 얻은 것을 계산하고 보존해야 하는 순간이 찾아왔고, 이런 신성모독에 신들은 화가 났다. 지금까지 신기할 정도로 일이 순조롭게 흘러갔던 것처럼 이 순간 이후에는 모든 일이 이해하지 못할 정도로 이상하게 흘러간다. 운명의 수레바퀴는 마치 바닷바람처럼 방향을 틀었다.

이후 곧 러시아, 라이프치히, 엘바섬이 배경으로 등장한다. 프랑스는 옛 국경과 부르봉 왕가를 되찾았다. 새 황후 마리 루이즈 (Marie Louise)는 그와 결혼했을 때 보여준 순종 혹은 무관심으로 아들을 데리고 남편 곁을 떠났다. 비록 그의 몰락으로 가족들의 재산에 상당한 타격을 입었지만, 모든 것이 사라지지는 않았다. 보나파르트 가문은 과거에도 그랬고 지금도 유럽에서 가장 크고 부유한 가문 중 하나로 남아 있다. 그렇다면 우리는 다음과 같이 자문해 볼 수 있다. 나폴레옹은 어째서 이렇게 풍부한 전리품에 만족하지 못하고, 러시아 황제의 진부한 이상주의가 남긴 이상한 상황에서 조용히 지내지 못했을까?

내가 보기에 이런 흐름에는 성공한 모험가들의 삶에서 너무나 자주 발생하여 거의 법칙이라고 할 수 있을 만큼 규칙적으로 일어나는 현상이 있는 것 같다. 강철의 왕이든, 보나파르트 가문이든 그들은 일정 나이가 지나면 고독을 견디지 못한다. 비록 엄연히 상대적이라고 할지라도, 그들을 죽이거나 워털루로 몰아넣는 존재는 바로 고독이다. 의지의 강장제 역할을 했던 오케스트라와 청중, 그리고 특권적인 지위는 이제 없으면 견딜 수 없는 약물이 되었다.

엘바섬과 같은 작은 왕국을 통치하는 데에도 프랑스 제국을 통치하는 만큼 많은 에너지가 필요할 수 있다. 이상적인 농장 조직을 위해서는 장외시장에서 시세를 조종할 때와 마찬가지로 많은 정신적, 육체적, 신경적 에너지가 필요하다. 단지 그의 행동에 대한 사회적 관심과 그에 따른 도취가 부족했을 뿐이다. 텅 빈 극장에서 연기를 즐길 수 있는 배우가 누가 있겠는가? 나폴레옹은 여론의 반향 없이 사는 것을 참을 수 없어서 엘바섬을 빠져나온 것이다.

그래서 나는 그의 복귀가 안타깝고 고통스럽기까지 하다. 나는 그것이 일종의 아서왕의 귀환으로 미화되었다는 사실을 알고 있다. 그러나 아서왕과 바르바로사(Barbarossa, 신성 로마제국의 프리드리히 1세-옮긴이)는 황홀한 상태로 잠들어 있던 반면, 나폴레옹은 전투 수행을 제외하면 예술적 감각도 취향도 없었다. 아마도 나폴레옹에 대해 은밀한 친밀감을 가진 다양한 추종자들이 그의 기억에 덧붙여서 신화를 만들었을 것이다. 나폴레옹의 이상은 오늘날 우리 세계의 야망과 이상에 여전히 직간접적으로 영향을 미치고 있으므로 이에 대해 몇 가지 간략하게 설명하면 좋을 것 같다. 나는 이미 앞에서 '알렉산드로스 모방(Imitatio Alexandris)'과 이를 실질적으로 대체한 나폴레옹의 모방 사이의 근본적인 차이점, 즉 코르시카 남성이 등장한 이후 젊은이들은 더 이상 지도자가 되기를 원하지 않고, 장교가 되는 꿈만 꾸고 있다고 언급했다. 동시에 그들의 마음속에는 급여, 군사 규정, 책임 면제, 모든 야망에 근본적으로 강력한 영향을 미치는 훈장 및 보상이라는 놀라운 체계만 들어 있다.

나폴레옹은 세상 사람들에게 자신의 행위에 대해 분명하고 확실하게, 말하자면 비유기적인 방식으로 보상받고자 하는 욕구를 알렸고, 그렇게 함으로써 잠재적 갈망을 충족시키고 그것에 형태와 희망을 부여했다. 이런 방식은 학기 말에 감독관, 점수 배정, 기말 명단 등이 성적순으로 배치되는 것에 익숙한 학생들의 이상이다. 흥미롭게도 이러한 사고방식, 즉 '인정받고 싶은' 욕망은 남성보다 여성에게 더 흔하며, 어떻게든 사람들은 보상 목록에 따라 수행된 작업을 검사하고 정확하게 평가하는 실수 없는 심판을 기대한다. 그러나 리본, 줄무늬, 계급장이 담긴 큰 가방을 들고 있는 나폴레옹 대신에 개인의 신념에 따라 신문 평론가처럼 쉽게 판단하는 '판단의 신'을 상정할 수도 있다.

이런 의미에서 레지옹 도뇌르(Légion d'honneur) 훈장은 아마도 나폴레옹의 가장 멋진 발명품일 것이다. 이 훈장은 정부 형태의 변화에 따라 우여곡절을 겪었지만, 나폴레옹의 성공을 지켜보며 쓸쓸히 그 옆에 앉아 어찌할 바를 몰랐던 부르주아에게 지급한 황제의 실질적인 보상이었다. 그 훈장은 자신들이 파괴한 귀족을 바라보는 시민들의 모방적이고 주로 문학적인 '탄생'에 대한 갈망과 연결되어 있다. 전부라고는 할 수 없지만 거의 모든 중산층에서 동일한 욕구를 관찰할 수 있으며 더 명확히 확인될 수 있다.

중산층 시민은 귀족의 형이상학적 동의어인 계급을 갈망할 뿐만 아니라 좋은 가문에서 태어나기를 바란다. 이런 감정을 정확히 표현하기는 어렵지만, 내 생각에 진정한 나폴레옹의 부르주아는 오랫동안 귀족의 지위에 있었다는 것보다는 주류에서 사라진 귀족 가문의 후손, 예를 들어, 삼백 년 전 볼티모어로 도망친 차남의 방계 후손이라는 주장을 더 선호할 것 같다. 이런 욕망은 족보에 대한 사랑과 시적 허영의 기발한 조합이며, 오래된 부채에 대한 감상이기도 하다.

　　또한, 나폴레옹이 창안한 것은 아니지만 적어도 현대 사회에 도입된 민족주의의 개념도 이때 등장한다. 뛰어난 나폴레옹 옹호자인 바이런(Byron, 영국의 시인)은 확실히 이 사상에 활력을 불어넣었다. 그러나 궁극적으로 세상을 변화시킨 이 이상한 흐름의 공로는 모든 사람에게 공평하게 나눠주자. 여기서도 열정과 낭만주의, 즉 시적 감정은 젊은 층에 집중되어 있다. 유대인이라는 사실을 자랑스러워하는 사람도 있지만, 증조할머니가 집시였다는 사실에서 위로와 은밀한 영감을 얻은 사람 역시 수백만 명이 넘을 것이다. 이것은 본질적으로 시, 중산층의 시, 오래된 족보의 매혹, 수 세기를 거친 오래된 글과 주장을 전하는 신비주의일 뿐이다. 명예 장부, 최초의 사회등록부, 레지옹 도뇌르 훈장의 황금 책과 같은 위대한 시스템과 마찬가지로 이 민족주의는 나폴레옹의 주요하고 가장 독창적인 발명품이자 모두의 유산이었다.

　　이러한 의미에서 '나는 혁명이다'라고 했던 나폴레옹의 고백은 가장 심오한 진실을 담고 있다. 제3계급은 혁명이었고 나폴레옹은 그 혁명의 예언자이자 선지자요 메시아였으며, 오랫동안 믿음직한 일꾼이었다. 다만 그의 지출 비용이 지나치게 커지자, 중산층은 그를 해고할 수밖에 없었는데, 샤토브리앙(Chateaubriand)의 글을 읽으면 이것이 나폴레옹 몰락의 근본적인 원인으로 보인다. 골프에 지친 주식 중개인처럼 엘바섬에서 돌아온 그는 플루타르코스의 영웅이 아니라 복귀한 관리자의 모습으로 나타나 프랑스 군인들을 구슬린다.

"제군들이여, 제군들의 옛 장군을 쏠 텐가? 짐이 여기에 있으니 쏘고자 하는 자가 있으면 어서 쏴라."

그르노블에서 그는 이렇게 말했지만, 감히 그를 쏘려는 병사는 없었다. 참으로 존경스럽고 감동적인 일이 아닌가? 적어도 나는 그렇게 생각한다. 웰링턴(Wellington)에 패하고 허드슨 로(Hudson Lowe)의 감시를 받게 된 나폴레옹의 최후는 파산만큼이나 비극적이었고, 발자크(Balzac) 덕분에 우리는 이것이 왕의 죽음만큼 극적이라는 사실을 알고 있다. 그러나 그는 이미 모험가가 아니게 된 지 오래되었고 그렇다면 우리의 주제에서 벗어난다. 따라서 우리는 힘든 시기를 겪고 무자비한 채권자들의 손에 넘어간 이 뚱뚱한 신사를 이제 떠나보내야 한다.

제9장

루키우스 세르기우스 카틸리나

"맹세컨대 승리는 우리 손에 있을 것입니다."

Lucius Sergius Catilina
(기원전 108년~기원전 62년)

로마 공화정 말기의 몰락한 귀족 출신 채무 혁명론자. 원로원에
맞서서 로마 공화정을 전복하려 시도한 카틸리나의 모반으로
유명하다.

　지금까지의 전개는 느슨한 연대순이었지만 주제의 목적에 맞게 다시 한번 순서를 바꿔야겠다. 고생물학이 비교해부학에 사용되는 것처럼, 나폴레옹과 같은 인물이라면 명확한 대조를 찾기 위해서 다양한 인간 유형의 방대하고 화석화된 모음집인 로마의 고전을 참조해야만 한다. 이런 이유로 이번 장에서는 세계사의 가장 흥미로운 가능성 중 하나인 카틸리나를 소개하려 한다.

　사실 그의 정치적 행보를 보면 과거가 아니라 현재 벌어지는 일 같다. 고대의 인물과 유형을 살펴보면 놀랄 만큼 현대적인 경우가 상당히 많다. 예를 들어 나폴레옹과 카틸리나를 비교해보면 카틸리나의 모험은 현재의 어느 곳에서도 일어날 법하며 얼마든지 미래에도 일어날 수 있다. 예를 들면, 사회윤리의 차이에 당황하지 않고 전화가 있는 삶과 없는 삶 사이의 천문학적 거리감을 느끼지 못하는 사람들이라면, 미국과 기독교 이전 시대인 로마는 상당히 유사하게 보일 것이다. 그 유사성은 10년마다 더욱 두드러지게 높아지고 있다. 현재의 미국이 고대 로마와 역사적으로 대응한다고 말한다면 지나치지만, 21세기에는 높은 확률로 그렇게 될 것 같다.

　당시 고대 로마의 지배계급은 전체적으로 굉장히 부유했고, 그들을 세계의 지배자로 이끌었던 열정, 조직력, 대담함, 완고함을 전혀 잃지 않은 채 굉장히 방탕해지기 시작했다. 이들 귀족 세력 뒤에는 지중해 반대편 해안에서 건너온 명문가 출신이지만 가난한 이민자들의 반쯤 이상화된 계보가 있었다. 그들 역시 웅변가를 위한, 검소함과 정직함을 최우선으로 삼는 예스러운 도덕적 이상이자 농업적 미덕 목록을 소유하고 있었다.

그들의 권력에 대한 경쟁자는 주로 시골 지주와 도시 상인으로 구성된 여전히 종교적으로 엄격한 신흥 중산층이었고, 그 아래에는 전쟁에서 포로로 잡혀와 초기 공장 시스템에 이미 투입되고 있던 노예와 그 노예의 후손들, 토지 없는 군인, 농노 그리고 검투 경기를 중심으로 성장한 위험한 지하 세계로 구성된 괴물 같은 프롤레타리아 계급이라는 배아가 있었다. 카틸리나보다 몇 년 앞서서 이 지하 세계에서 스파르타쿠스의 난이 발생했다. 그는 트라키아 출신의 노예로 다른 노예 70여 명과 함께 검투사 양성소에서 탈출해서 믿을 수 없을 정도로 짧은 시간에 도망간 노예, 가난한 소작농, 밀수업자, 상이군인, 온갖 종류의 도적들로 구성된 7만 명의 군대를 이끌었다. 로마 공화국은 그를 진압하는 데 큰 어려움을 겪었다.

언덕 위에는 백만장자들의 빛나는 궁전이 서 있었는데, 이렇듯 지나치게 거대해진 도시에는 가장 큰 그림자가 존재했다. 이에 대해 카틸리나는 한 연설에서 이렇게 말했다.

"너무나 부유한 나머지 바다 위에 건물을 짓고 산을 깎아내며, 대저택을 허물고 다시 세워 올리고, 회화, 조각상, 판화들을 사들이는 데에 재산을 낭비하며, 온갖 방법을 다해 아낌없이 부를 남용하고 아무리 제멋대로 써도 다 쓸 수가 없는 지경이다."

당시 도시에는 좁은 거리, 넓은 산책로, 공공 정원이 끝없이 복잡하게 얽혀 있어, 수 세기에 걸쳐 세상의 권력, 부, 산업이 집중해야만 가능한 세상 모든 다양한 거리의 풍경을 만들어내고 있었다. 당시 로마의 인구는 굉장히 과밀한 상태였으며, 사회적으로나 지형적으로나 최고의 세계와 최저의 세계가 서로 관통하고 있었다.

그러한 도시에서는 언제나 충격적인 추문들이 터지기 마련이어서, 최고의 위치에 있는 이들이 뇌물 수수 및 갈취뿐만 아니라 살인과 부패에까지 연루되는 거대한 사건들이 발생했다. 카틸리나의 이야기에 등장하는 많은 여성은 지하 세계의 쓰레기, 깡패, 협잡꾼, 창녀, 암살범, 낙태 시술자들과 은밀한 거래를 했으나, 이 모든 문제 속에는 드세고 기이한 성격이 만연해 있었다. 고대 로마는 아테네, 알렉산드리아, 멤피스 또는 과거의 다른 어떤 대도시보다 더 큰 죄를 많이 지었지만, 로마의 도덕적 퇴보에 관해서는 너그럽게 봐주기 어렵다. 그것은 여전히 시궁창이라기보다는 끓어오르는 용광로에 가까웠다.

당연하게도 모든 사람이 이러한 거친 시류를 따라갈 수는 없었다. 이미 많은 귀족 가문은 권력의 모든 특권과 거주할 집만 그대로 유지한 채 완전히 몰락했다. 도덕주의자들을 제외한 모든 이들에게 당시의 가장 큰 재앙은 '빚'이었다. 신용 제도의 초기 단계였던 당시에 일부 명망 있는 가문들은 재산이 한 푼도 없는 것도 모자라 그들이 과거에 소유했던 재산보다 더 많은 빚을 지고 있었다.

50년 전이었다면 이러한 것들은 여전히 회복할 수 있는 상황이었다. 피지배 인구에서도 가문의 명성을 통해 괜찮은 총독직을 얻으면 몇 년 안에 로마에서 다시 시작하기에 충분했다. 하지만 이런 방법도 더 이상 활용하기 어렵게 되었다. 먼저, 귀족 계급의 뿌리 깊은 적들이 키케로 등 귀족 자신들이 배출한 위대한 변호사들의 재능을 통해 승소할 확률이 높아졌기 때문이다. 그리고 스스로 입지를 지킬 수 있었던 가문들은 좋은 직업을 모두 차지하려는 경향이 점점 더 짙어졌다. 상류층은 더욱 결집하기 시작했고, 이를 따라가지 못하는 귀족들은 바닥으로 내쳐졌다.

이들 중에는 내몰릴 위험을 제대로 인식하지 못한 가운데 몰락한 카틸리나도 있었다. 그의 삶은 당대 사교계 청년의 전형이었다. 그는 미친 듯이 낭비했고, 몇 가지 불미스러운 사건에 휘말렸으며, 큰 빚까지 지게 되면서 서른 살이 된 그의 유일한 희망은 이제는 구하기 어렵게 된 총독직뿐이었다. 게다가 그는 이미 공직에서 한 번 탄핵을 당하고 유죄 판결을 받아 해임되었다. 그러나 로마는 이를 그다지 껄끄럽게 생각하지 않았다. 실제로 그는 처남을 살해했다는 혐의를 받고 있고, 심지어 술라의 대숙청 기간에 패배한 세력을 박해하는 잔인한 모습을 보였지만, 그런 이유로 다시 공직에 오를 가능성을 차단하지는 않았다.

오히려 로마가 그에 대해 가장 나쁘게 생각한 점은 기묘하게도 그가 위대한 키케로의 형수이기도 한 베스타의 여사제를 유혹했다는 사실일 것이다. 베스타의 여사제들은 사실상 로마 사회가 허용한 유일하고 전형적인 감상주의였기 때문이다.

카틸리나는 악명이 높았는데, 그 이유를 주의 깊게 살펴봐야 한다. 당시 비슷한 위치의 젊은이들보다 그가 도덕적 수준이 낮았다고 하더라도 그 자체만으로는 수많은 다른 방종한 젊은 탕아들보다 악명이 자자한 이유를 설명할 수 없기 때문이다. 따라서 그의 성격을 분석해보고, 가능하다면 거기에서 눈에 띄는 특징이 있는지 알아봐야 한다.

로마의 지배계급이자 부유하고 지적이며 강력한 독재 세력인 귀족(Patrician)은 유럽의 그 어떤 귀족 계급보다도 아마 뉴욕의 사교계 명사 인명록(Social Register)에 회원으로 이름을 올린 집단과 가장 비슷했을 것이다. 기발하게도 그들은 확고하게 군주주의를 반대했고, 동시에 빈틈없이 세습 원칙을 고수했다. 나는 '귀족적'이라는 용어가 가진 여러 가지 의미들이 훼손되어 있음에도 불구하고, 이 경우에는 그 단어를 쉽게 사용하기 어렵다고 생각한다. 귀족은 일반적으로 오랜 기간 저명한 가문의 후손이고, 따라서 고상한 취향과 명예를 갖춘 사람일 수도 있겠지만, 이러한 특성들은 그 단어의 내적 의미를 포괄하는 것이 아니라 오히려 그것으로부터 가능한 추론 또는 아마도 중요한 결과만을 다루는 것 같다. 이와는 반대의 사례를 생각해보자.

자연인은 아무리 부유하고 강력하더라도 여전히 자신의 소유물을 늘리거나 자신이 가진 것을 지키려는 욕망에 지배된다. 가난해서 (집시나 부랑자 사이에서도 극히 드문 일이지만) 지켜야 할 것이 없다 하더라도 어쨌든 그는 끊임없이 소유하려는 충동을 느낀다. 이는 지능의 부족, 도덕적이든 형벌적이든 법에 대한 두려움, 그리고 아마도 어떤 나태함 때문일 것이다. 일반적인 다수는 이런 점에서 근본적으로 유사하다. 그런데 이런 두 가지 본능이 실제로 없거나 너무 심하게 변형되어 없는 것처럼 보이는 무한히 작은 집단은 이와 반대되는 행동을 한다.

재산에 대한 본능은 보편적이고 완강해보이지만, 이에 반대되는 또 다른 자연적인 힘인 습관의 힘도 있다. 아마도 조지 버나드 쇼가 삶 자체를 3부작의 연극으로 증명하는 데 바쳤던 것처럼 습관은 인간의 모든 욕구를 무디게 만드는 지속적인 활동의 결과이다. 말하자면, 인간은 신분, 권력, 지위, 재산 등 인류 대부분이 그토록 배고파하고 목말라하는 것들에 너무 익숙해진 나머지 그것들에 대한 식욕을 완전히 잃어버릴 수도 있다. 연회에 참석한 사람들이 후식을 먹을 때가 되면 음식에는 크게 관심을 두지 않는 것처럼, 그런 욕심들에 신경 쓰지 않는 인간 부류도 있다는 말이다.

그러나 이 기이한 결론이 진정한 귀족에게 매력적인 광채를 더해주고 그의 생활양식과 독서 습관에 희미하고 초자연적인 빛을 더해주기는 하지만, 기민한 사람이라면 그에게서 큰 위험을 보게 될 것이다. 사실 굶주린 호랑이보다는 배부른 호랑이를 마주하는 편이 훨씬 낫다. 나는 배고픈 초보 사회주의자의 지배를 받느니 진부한 귀족의 지배를 받겠다. 그러나 이 완벽한 귀족 카틸리나의 경우에서 볼 수 있듯이, 사회생활에서 귀족적 가능성은 결코 장식적이거나 불안을 해소해주지 않는다.

카틸리나의 주변에는 그의 성격과 어울리는 추종자들이 모여들었다. 그는 자신과 아내의 재산을 모두 써버린 데다 큰 빚까지 지고 있었기 때문에 비록 그들에게 제공할 수 있는 정기적인 수입원은 없었지만, 그가 가는 곳마다 가장 낮은 계층의 사람들, 도망친 검투사와 권투가, 의심받고 쫓기는 이 등 소수의 추종자 무리가 둘러쌌고, 그들은 자신들이 하는 모든 일에서 그를 보호하고 그의 보호를 받았다.

법정에서의 문제가 발생한 이후 카틸리나는 계속해서 정치 활동을 해왔다. 그는 심지어 '민중파'의 후보로서 키케로에 맞서 집정관직에 출마하겠다는 의사를 밝혔다. 그는 로마의 유명한 여인 아우렐리아 오레스틸라(Aurelia Orestilla)와 연인 관계가 되었는데, 그녀에 대해 살루스티우스는 그녀가 평생 자신의 아름다움 외에는 다른 어떤 칭찬도 받지 못한 인물이었다며 신랄하게 비판했다. 그런 사실에도 불구하고 혹은 그랬기 때문에, 그녀는 거액의 재산을 소유하게 되었고, 그의 정적들에 의하면 카틸리나는 그녀와 결혼하기 위해 첫 번째 아내와 아들을 독살했다고 한다.

카틸리나는 자신과 함께하기로 마음먹은 젊은이들에게 다양한 방법으로 악행을 가르쳤고, 그들은 거짓 증인과 서명 날조자가 되었다. 그리고 그들 모두에게 자신처럼 명예, 재산, 위험을 가볍게 여기고, 자신처럼 쓸데없이 악랄하고 잔인해지도록 가르쳤다.

선거는 완전한 실패로 끝났고, 새롭게 아우렐리아의 자금을 마음대로 사용할 수 있게 되면서 카틸리나는 자신의 큰 그림을 그려가기 시작했다. 아마도 그는 머릿속으로 범죄자 계급에 의한 로마

약탈이라는 계획을 오래전부터 가지고 있었던 것 같다. 그러한 특징들을 통해 그는 종종 실제로 하나의 계급으로서 가장 가난하고 천한 인간들에 대해 많은 애정을 보였던 것 같다. 내가 그렇게 생각한 이유는 연민과 조금이라도 닮은 무언가, 혹은 동정심 때문이 아니라 그들의 절망과 그의 무관심 사이에 존재하는 얼버무리는 표현들 때문이다.

지하 세계는 그를 즐겁게 했다. 존경할 만한 시민계급, 열심히 일하는 중산계층의 상점과 친지들의 궁전을 상대로 마음대로 방화와 유혈의 밤을 보내게 되리라는 기대가 그의 흥을 더욱 돋우었다. 훗날 공모자와 친하게 지내던 한 여성을 통해 그의 특별한 계획 중 하나가 들통났다. 그것은 '채무 전액 탕감'이었기 때문에, 당신도 원한다면 그런 사람의 음모를 통해 사리사욕을 채울 수도 있다.

게다가 카틸리나는 보통의 사람들보다 더 많은 빚을 지고 있었다. 그러나 그 전체 음모에는 어떤 것에도 동요하지 않는 한 사람의 악랄한 장난이자 수많은 군중을 선동하여 죽음으로 몰아넣는다는 단순한 기쁨, 아무것도 아닌 것에 겁먹는 사람들이 공포에 떠는 모습을 보게 되리라는 기대가 깔려 있었다. 그것은 인간적인 수준의 욕망이 아니라 냉혹하게 변해버린 한 남자의 악행이었다.

그의 로마 약탈 계획은 말도 안 되는 것처럼 들리겠지만 이론적으로 전혀 불가능하지는 않았다. 그가 사용하겠다고 제안한 지하 세계 인구는 로마에서 규모가 매우 컸고, 그들은 사악하고 절망적이며 그에게 매우 헌신적이었다. 가장 중요한 전투원들은 술라의 노련하고 불만 쌓인 퇴역 군인들이었는데, 그들은 복무에 대한 대가로 받은 보조금을 담보로 빚을 얻었다가 갚지 못한 자들이었다. 어찌 되었든 군인 출신인 그들은 학살 현장에서 자비를 베풀지 않았다. 그리고 목숨을 걸고 싸우는 검투사와 노예 생활에서 도망친 이들이 함께 움직였는데, 그들은 잔혹한 광포함을 아는 감정가들에 의해 선택되어 훈련받았기 때문에 무시무시한 전투력을 보여주었다.

게다가 도시 안에는 로마 군단이 우월한 군사력으로 짓밟았던 지역 출신의 남자들이 셀 수 없이 많았다. 이들은 좋았던 과거 시절에 대한 기억을 가진, 복수심에 불타는 아웃사이더였다. 여기에 호황기에 경쟁자들을 부유하게 만들어주느라 자신의 재산과 집, 희망까지 잃은 수많은 귀족과 상인 계층이 있었다. 이와 함께 종교로 인해 죄인이자 야만인 취급을 받던 아시아 민족들의 거대한 무리가 이 돌격대의 뒤를 따랐다. 이들의 일반적인 충성심과 용기는 의심스럽지만, 거사가 제대로 진행된다면 강력한 서포트가 될 것이었다.

로마 밖의 광대한 제국의 상황은 아마도 이들에게 훨씬 더 유리했을 것이다. 나는 충분한 복수의 동기와는 전혀 상관없이, 카틸리나와 같은 사람들의 이런 탐욕과 비정한 타락 행위가 모든 영적인 인간을 화해할 수 없는 적으로 만든 저 멀리 아시아, 아프리카, 갈리아의 속주들에 대해서만 말하는 것이 아니다. 로마의 기준이 적용되는 곳이면 어디든 기회의 부족 혹은 두려움 때문에 제약을 받는 타고난 지도자와 전사들이 있었다. 실제로 카틸리나의 친구인 피소는 완전한 군사력을 갖춘 히스파니아 총독으로 임명되었다. 그는 카틸리나와 함께 음모에 깊이 관여한 인물이다. 또 다른 귀족이자 북아프리카 마우레타니아 총독 푸블리우스 시티우스도 그의 계획에 동조했다. 카틸리나는 이탈리아를 배경으로 대규모 공모에 참여했는데, 특히 에트루리아에서는 다수의 인구가 분노하고 복수심에 가득 찬 채 가난에 허덕이고 있었기 때문에 정복자에 대한 최소한의 복수 기회를 모색할 이유가 충분했다.

이런 모든 상황이 바탕이 되어 자신의 계급과 위치에서 매우 뛰어난 조직 능력을 보인 카틸리나는 자신의 계획을 꼼꼼히 진행해갔는데, 여기에는 크고 어두운 공모들이 있었다. 훗날 폼페이우스, 카이사르와 함께 1차 삼두정치의 일원이자 세계의 통치자가 되는 마르쿠스 리키니우스 크라수스도 이 음모를 모르지 않았다고 여길 정도였다.

역사가 살루스티우스는 주요 공모자들의 모임에서 카틸리나가 실제로 한 연설을 기록했다고 공언한다. 그 진위는 알 수 없지만, 청중이었던 젊은 귀족들을 기쁘게 해주었을 카틸리나의 연설 내용은 다음과 같이 기록되었다.

"국가가 소수 권력자의 관할과 지배 아래 들어간 이후로 전 세계의 왕과 군주들은 그들에게 조공을 바치고, 여러 인민과 국가가 그들에게 세금을 바칩니다. 그러나 우리 모두, 귀족이건 평민이건 간에 용감하고 가치 있는 우리들은 그저 중요하지 않고 하찮은 폭도로 치부되었습니다. 만약에 일이 옳게 흘러갔다면 우리를 두려워했어야 할 이들에게 우리는 짓밟히고 있습니다.

상황이 이러하니 모든 권세와 영향력과 재산이 그들의 손에 있고, 지금 그들이 있는 곳으로 향하고 있습니다. 그들은 우리에게 오직 비방과 위협과 박해와 가난만을 남겼습니다. 용기 있는 동료 여러분, 우리가 도대체 언제까지 이것을 참아야 합니까? 가난과 무명이라는 비참하고 불명예스러운 환경에서 그들의 무례함을 참아가며 무기력하게 사느니 이런 상황을 바꾸다가 용감하게 죽는 편이 더 낫지 않겠습니까?

하지만 맹세컨대 승리는 우리 손에 있을 것입니다. 우리는 젊고, 우리의 정신은 꺾이지 않습니다. 반대로 우리를 억압하는 자들은 늙고 지친 부자일 뿐입니다. 그러므로 우리는 행동을 시작하기만 하면 됩니다. 나머지는 저절로 이루어질 것입니다.”

그러나 그의 연설 내용은 직위 향상과 명예와 이익을 추구하는 단순한 희망에만 기대고 있어서 불완전하고, 사회적 안정 자체를 파괴하려는 시도, 즉 내부적 악의에 대해 거의 언급하지 않고 있다. 이를 보면 카틸리나는 자신이 의도한 전체 계획을 선택된 소수를 제외한 모든 이에게는 숨긴 듯하다. 그의 계획에는 부채의 완전한 탕감, 모든 부유한 시민들에 대한 처벌, 다시 말하면 살생부, 그리고 ‘새로운 관직 할당, 성직자의 위상, 약탈 및 전쟁 후 정복자가 누릴 수 있는 모든 권리 제공’뿐만 아니라 은밀히 도시 전체를 불사르고 약탈하는 내용도 들어 있었다.

사실 이 젊은이는 흥미를 잃어버린 값비싼 장난감을 태워버리면서 그 장난감을 준 사람들의 얼굴을 보며 즐거워하는 사악한 사내아이처럼 야망과 부채 탕감에 대한 자신의 이야기를 듣는 젊은 귀족들부터 약탈과 강간을 약속받는 가장 저급한 악당까지 모든 이들을 자신의 설계 도구로 사용하고 있었다.

한편 귀족들은 극단적인 이상주의자와 박애주의자의 반대 방향과 반대 동기를 통해 무정부주의자가 되었다. 이제 그들은 인간 마음의 선함을 믿기 때문에 정부를 파괴하고 로마를 불태울 것이다. 선악, 예술, 도덕, 부, 가난, 법률, 경찰관과 범죄자가 모두 하나의 큰 불꽃으로 함께 타는 모습을 보는 것이 재미있을 것이다. 여기에는 인간이 일반적으로 비난하는 것 즉, 욕망과 탐욕으로 인간의 마음이 시들었을 때 미소를 지으며 찾아오는 파괴 본능인 네로니즘(Neronism)의 모험이 있었다.

나폴레옹의 모험으로 돌아가보면, 두 번의 쿠데타, 두 가지 음모, 두 번의 찬탈이라고 하는 비슷한 겉모습과는 달리 그 핵심은 정확히 반대의 모습을 나타낸다. 나폴레옹의 삶에 대한 방대한 열정과 시대를 초월한 욕구는 매우 보수적이고 건설적이었다. 그는 일신을 바쳐 폭도들이 만든 무정부 상태에서 인민과 자신들의 소유물을 구해냈으나, 탐욕에 이끌려 왕조를 건설하려는 시도로 파멸하고 말았다. 이것이 그의 최후였고, 그 파편들이 남아 새로운 유럽을 건설할 수 있었다. 따라서 그의 모험은 비록 수백만 명을 죽음으로 몰고갔음에도 불구하고 '삶'의 모험이라고 할 수 있다.

이와 달리 카틸리나가 벌인 죽음의 모험은 우연히 카이사르를 통해 로마제국으로 이어졌다. 우리는 카틸리나의 힘(Force)을 쉽게 계산했으므로 이제는 계산하기 훨씬 까다로운 반대쪽으로 방향을 돌려야 한다. 누가 무게(Weight)를 설명할 수 있을까? 그러나 그와 그의 폭력 조직원들을 질식시키는 것은 주로 무게였고, 그것은 오래전에 동료 귀족들에서 새로운 중산층으로 눈에 띄지 않게 이동했던 로마인들의 무게중심이라는 자중(Dead weight)이었다.

실제로 이 로마 시민과 지주들에게는 교양이라든가 일에 대한 애정, 예술에 대한 사랑, 선량한 도덕성, 돈벌이, 분별 있는 말솜씨 등의 귀족적인 면모는 거의 없었다. 그들은 견고한 조직이었고 채권자로서 채무 징수가 필요한 사람들이었다. 로마 흉상이 모여 있는 바티칸의 회랑을 방문하면 그들의 모습을 볼 수 있는데, 깔끔하게 면도한 얼굴은 오늘날 미니애폴리스의 성공한 사업가의 모습과 놀라울 정도로 닮아 있다는 사실을 알 수 있다. 당시 그들의 지도자는 '영예로운 시민'이자 번역하면 '병아리콩'이라는 뜻의 이름을 가진 마르쿠스 툴리우스 키케로(Marcus Tullius Cicero)였는데, 그는 카틸리나 같은 남자가 소화하기엔 까다롭고 단단한 상대였다.

사나운 보헤미안의 모험을 막아낼 장벽인 이 실리주의자 키케로는 해석하기 쉬운 문학 작품을 많이 남겼다는 이유로 중세 시대에는 라틴어 학자들의 과도한 추앙을 받았다. 영국 교단에서는 그의 연설과 서신에서 여러 가지 오만한 허영심의 흔적을 찾아내어 그것들을 우스꽝스럽고 과장된 늙은이의 초상화처럼 엮는 일이 유행하기도 했다. 그러나 이런 평가들 모두 적절하지 않다. 물론 그는 다소 과도하기는 하지만 평범한 중산층이었다. 그러나 중요한 순간에는 정직, 미덕, 정의 등의 평범한 말들이 진정 가치를 가진다. 그는 삶과 죽음을 통해 자신이 실제로 그것들을 믿었다는 사실을 증명한다. 혹시 그가 캄푸스 마르티우스(Campus Martius) 광장에서 흰색 갑옷을 두르고 말을 타고 있었다면, 그는 잘못된 자리에 있는 것이다. 그는 군인과는 거리가 먼 변호사였기 때문이다.

우리는 카틸리나가 키케로의 연설에 굴복했다고 알고 있다. 그런데 여기에는 주목해야 할 점이 있는데, 그것은 카틸리나와 그의 동료들이 정부에 대항하여 일종의 전투를 준비하고 있다고 알려진 후에도 오랫동안 광범위한 지하 세계에 대한 동정심보다 사람들의 무관심이 훨씬 더 컸다는 사실이다. 카틸리나의 은밀한 생각으로 그의 즐거움을 위한 비용 대부분을 부담해야 할 운명에 처한 견고하고 평화로운 계급 사이에서도 상황은 마찬가지였다.

당시는 불만이 팽배하던 시기였고, 귀족 원로원의 행태에 만족하는 사람은 없었으며, 사실상 모든 이들이 그저 변화가 올 거라는 생각만으로도 즐거워했다. 크라수스와 카이사르마저 그런 부류에 섞여 있었다고 추정되며, 오직 키케로만이 카틸리나의 행보에 단순한 정치적 소요가 아니라 소름 끼치는, 거의 미치광이 같은 범죄 의도가 있다는 사실을 분명히 보았던 것 같다.

따라서 키케로는 이에 대응하기 위한 첫 번째 조치로써 자신이 알고 있는 사실을 널리 선전했다. 자신의 주장에 힘을 싣고자 그는 카틸리나가 집정관직에 출마했을 때 그의 경쟁 후보로 나섰다. 또 다른 집정관 출마자는 온건파 중 한 명인 가이우스 안토니우스였다. 카틸리나가 온건한 그의 중립적인 위치를 이용하기 위해 비밀리에 그와 협상했다는 사실이 훗날 밝혀졌다. 자연스럽게도 세 후보자들은 열띤 경쟁을 벌였다.

선거는 합법적인 책략으로 정적의 후보 자격을 박탈하여 입후보 자체를 막아버린 (정의가 승리하리라고 확신하지 못한 것으로 보이는) 키케로의 승리로 끝났다. 그리고 이제 집정관 키케로가 (전리품을 마련하여 또 다른 당선자인 안토니우스의 호의를 샀기 때문에) 치안의 전권을 쥐고 있는 가운데 두 계층, 즉 귀족과 평민 사이의 갈등은 더욱 명백해졌다. 그때까지 카틸리나는 성공을 확신했기 때문에 느긋하게 자신의 음모를 계속 진행해왔다. 그러나 이제는 그의 악마적인 힘이 깨어났다. 그의 집에서는 밤마다 회의가 이어졌고, 무기를 수집하여 보관했으며, 그의 군대는 언제든지 출정할 수 있도록 로마와 각 지방 속주에서 조직되었다.

키케로는 첩보를 통해 그들의 동태를 확인할 수 있었고, 지하 세계는 구석에서부터 흔들리는 거미줄처럼 떨렸다. 벌처럼 집합적으로 생각하는 동쪽 지역의 방대한 인류 집단에서 흔히 볼 수 있는 막연하고 거대한 불안이 로마에서 일어났다. 어쨌든 로마 사람들은 위험을 깨닫고 있었으나 음모의 파급 효과가 너무나 광범위하여 내부 지도자 집단의 결정을 의심하는 것 외에는 방법이 없었고, 따라서 점차 동료 시민들의 신뢰를 얻고 있던 키케로는 이 상황을 뒷조사하고 걱정하며 지켜봐야만 했다.

이때 카틸리나는 뜻밖에 엄청난 기회를 얻게 되었다. 음모에 가담한 사람들 중에는 비천한 집안 출신은 아니지만 악덕과 부채와 범죄에 빠져 있는 퀸투스 쿠리우스라는 귀족이 있었다. 그는 카틸리나의 조언도 따르지 않았고, 따라서 그를 유용한 조력자로 활용할 수도 없었다. 쿠리우스는 자신의 파멸에 큰 몫을 차지한 풀비아라는 귀족 여인과 만나고 있었는데, 그가 가난해지고 자유롭게 행동할 수 있는 폭이 줄어들면서 그녀와의 관계가 소원해졌다. 그러던 그가 갑자기 언젠가부터 자신을 뽐내기 시작하더니 그녀에게 바다와 산의 영광을 약속했다. 심지어 그녀가 그에게 잘해주지 않으면, 언젠가 어떤 큰일이 일어났을 때 그는 그녀에게 보상을 할 수도 있고 복수할 수도 있는 위치에 올라 있을 것이라며 겁박하기 시작했다.

어쨌든 돈을 향한 욕망이 강했던 풀비아는 이 정보를 키케로의 첩보원에게 넘겼다. 키케로는 이 소식을 듣자마자 즉시 그 중요성을 깨달았고, 풀비아는 정보 제공의 대가로 상당한 보수를 받았다. 퀸투스는 비밀리에 체포되어 끈질기게 추궁당한 끝에 자신이 알고 있는 내용을 모두 말했고, (보수를 받는 조건으로) 카틸리나 모임 내에서 일어나는 일들을 알리는 첩보원으로 활동하는 데에 동의했다.

그 순간부터 키케로는 카틸리나가 비밀로 유지하고 싶어 하는 모든 내용을 거의 매시간 전해 듣게 되었다. 이로써 카틸리나가 자객을 보내어 자신을 살해하려던 계획을 저지할 수 있었다. 그 후 키케로는 호위대를 만들었다. 그러나 여전히 카틸리나를 대응하기는 까다로웠다.

이것은 요새를 공격하기 위한 계획이 아니라 유기체의 핵심에 섬유질이 자라게 하는 것이었고, 위치를 파악하고 지도를 작성하고 도구를 준비해놓았더라도 절단에는 최대한 주의가 필요했다. 약간이라도 거짓이 들어 있거나 성급하게 움직였다가는 '공동 집정관'인 위대한 카이사르와 크라수스가 막대한 영향력과 추종자, 능력을 모두 갖춘 카틸리나와 손을 잡게 될 것이다. 그런 거인들이 있는 원로원에서 키케로는 결코 그들과 동등한 중요성이나 영향력을 갖지 못했다. 지하 괴물은 미친 듯이 준비를 계속했다. 심지어 퀸투스 쿠리우스도 그의 시간이 얼마나 가까워졌는지 밝힐 수 없었다.

이제 사건의 순서는 간단했다. 카틸리나의 부관이자 강인한 노병인 만리우스(Manlius)는 에트루리아의 중심부인 파이술라이에서 봉기를 준비하고 있었다. 만리우스가 지나치게 자신만만했는지, 혹은 지역적 감정이 그에게 너무 강했는지, 그곳에서 폭동이 시작되었다. 이를 구실로 키케로는 원로원으로부터 민병대를 소집했고, 공화국이 위험에 처했을 때 부여되는 특별 권한도 얻어냈다. 동시에 원로원은 반역 음모에 대한 정보를 제공하는 자에게 노예라면 자유와 10만 세스테르티우스(Sestertius, 고대 로마의 화폐 단위-옮긴이)를, 자유인이라면 혐의에 대한 완전한 사면과 20만 세스테르티우스를 포상한다는 결의를 채택했다. 이점에 대해 살루스티우스는 다음과 같이 적었다.

로마제국은 극도로 개탄스러운 상황에 빠져 있었던 것 같다. 왜냐하면 해가 뜨는 곳에서부터 해가 지는 곳까지 모든 나라가 로마의 군대에 복종하고 있었고, 풍요로움으로 평화와 번영을 누렸지만, 개인이 아닌 정부 차원의 이런 제안에도 불구하고 음모에 참여한 수많은 사람 중 단 한 사람도 정보를 제공하지 않았으며 카틸리나 쪽에서 나온 배신자는 단 한 명도 없었기 때문이다.

이런 원로원의 움직임에 시민들은 경악을 금치 못했고, 도시는 술렁였다. 시민들은 그 누구도 믿을 수 없어 다가올 위험을 걱정하며 동요했다.

도시의 전체 상황은 안갯속에 뒤덮였다. 정직한 시민들 대다수는 친구가 어디에 있는지, 적이 어디에 있는지 명확하게 인식할 수 없었는데, 이런 상황은 카틸리나에게는 매우 유리했다. 세력, 공모, 오해, 타협으로 중심적인 반대 세력이 완전히 사라질 정도로 엄청난 혼란이 발생했다.

밖을 내다보면 거리에는 폭도들이 가득했다. 경찰관, 강도, 정치인, 구경꾼들이 뒤섞여 있었고, 그 한가운데서 분명히 뭔가 이상하고 끔찍한 일이 벌어지고 있었지만 그것이 무엇인지는 정확히 알 수 없었다.

키케로는 결심해야 했다. 이제 단순한 실력 행사는 이 소용돌이치는 폭풍에 새로운 혼란을 더할 뿐이기 때문에 그에게 도움이 되지 않았다. 친구, 민중파, 범죄자, 미치광이, 정치가가 모두 뒤섞인 이 덩어리에서 유일한 희망은 외과적 절단이라기보다는 화학적 침전에 가까운 일격뿐이었고, 이는 대어 한 마리만이 아니라 주변의 다른 작은 물고기까지 잡기 위해 그물을 놓는 전략과 비슷했다. 단순히 카틸리나만 체포하게 되면 거대한 폭동이 시작되는 계기가 될 것이다.

그래서 카틸리나는 미리 적절한 혐의로 노출되어야 했다. 아마도 이보다 더 웅변가가 유용하고 필요했던 적은 없었을 것이다. 지적인 분석과 사실적 표현이 문체와 목소리, 전달 방식과 어우러져 열광적인 작품이 되어버린 이 위대한 웅변 기술을 경멸하는 사람이라면 다음 질문을 생각해보라. 장군이자 영웅인 나폴레옹이 어떻게 로마를 구할 수 있었을까?

오직 웅변가인 키케로만이 로마를 구할 수 있었고 실제로 로마를 구해냈다. 그리고 그의 카틸리나 탄핵 연설문들은 인류 문명의 보물로 보존되고 있다. 연설은 동굴 한가운데를 향해 안을 비추는 냉철하고 흔들리지 않는 탐조등 역할을 했고, 따라서 그 이후에는 그 어둠이 정확히 무엇을 담고 있는지 의심하는 이가 아무도 없었다. 음모의 증거들이 드러나며 카틸리나는 기소되었는데, 그는 음모에 대해서는 전혀 모른 채 중상모략을 당한 것처럼 보이기 위해, 혹은 소송에 휘말려 공격을 받았으므로 누명을 벗기 위해 원로원으로 갔고, 그곳에서 키케로가 자신을 비난하는 연설을 들었다.

키케로가 연설을 마치자, 카틸리나는 자리에서 일어나 항상 얼음처럼 차가웠던 평소와 달리 간청하는 어조로 '원로원이 자신에 대한 근거 없는 비난을 너무 성급하게 믿지 않기를 요구했으며', '자신은 조상 대대로 국가를 위해 봉사해온 귀족이며 국가를 망치는 일을 할 리가 없지만, 이제 막 떠오르는 신진 가문 출신인 마르쿠스 툴리우스 키케로는 그저 국가를 지킬 열정뿐'이라고 변론했다. 그리고 그는 더 이상 아무 말도 하지 않았다. 사람들이 요란하게 들고 일어나 한목소리로 "반역자", "역적"이라고 외치며 그를 향해 저주를 퍼부었기 때문이다. 이런 난리 속에서 그는 잘 들리지는 않았으나 몹시 화가 나서 위협적인 소리를 지르며 회의장을 떠났다.

그날 밤 카틸리나는 로마를 떠나 에트루리아에 있는 만리우스 진영으로 서둘러 달려갔다. 키케로와 호위병들이 그를 막지 않았던 이유는 그와 결탁하여 로마에서 군사를 일으킬 자들과 그를 분리하여 고립시키려는 목적이 있었기 때문이었다.

로마에 남은 카틸리나의 부관들은 계획을 미리 알고 있던 키케로의 정교한 함정수사에 빠져 체포되었다. 이렇게 체포된 이들은 대부분 젊은 귀족들이었다. 그들의 유죄를 입증할 증거가 수집되었고, 도당들은 감옥을 불태우며 그들을 구해내려 시도했다. 그러나 키케로는 천천히 그들에 맞섰고, 원로원의 최종 권고가 발동한 상황이라 그는 재판 절차를 거치지 않고 처형할 권한을 갖게 되었다.

그는 그들을 기소할 의무가 있었다. 이 재판의 한 국면은 키케로의 상황이 얼마나 아슬아슬했는지, 그리고 그가 모든 사전 대책을 얼마나 제대로 준비했는지 잘 보여준다. 증거가 제시되고 사실상 모두가 자백한 후에 카이사르가 직접 일어나서 연설했는데, (원로원에 대한 그의 영향력은 키케로와 비교할 수 없을 정도로 컸기 때문에) 그는 관대한 처우를 요구하며 사건의 중대성을 미묘하게 깎아내리려 했다. 유명한 감찰관 대(大) 카토의 증손자이자 청렴한 지방 치안 판사들의 우두머리로서 큰 영향력을 행사했던 소(小) 카토가 없었다면, 이 순간에 사건의 공방은 다시 혼란에 빠졌을 것이다. 의심할 바 없이 카이사르는 자신의 야망 때문에라도 그렇게 되길 원했다.

그러나 (몇 년 후 카이사르의 내전에서 희생자가 된) 카토는 위대한 군인 카이사르의 발언이 끝나자마자 일어나서 카이사르의 관대함을 에둘러 비난하며 조상들의 법도에 따라 공모자들에게 엄중한 벌을 내려야 한다고 분노에 찬 목소리로 말했다. 카토는 연설에서 다음과 같이 주장했다.

"흉악한 시민들의 끔찍한 범죄 계획으로 국가가 극심한 위험에 빠졌고, 체포된 음모자들이 동료 시민들에 대한 학살, 방화, 온갖 종류의 끔찍하고 잔인한 범죄를 준비했다는 사실을 자백하여 유죄 판결까지 받았으므로, 저는 이들을 조상들의 관습에 따라 극형으로 다루어야 한다고 생각합니다."

카토의 주장에 뜻을 모은 원로원 의원들은 한때 자신들이 총애하던 카이사르의 뜻을 뒤로한 채 역모한 자들에게 사형을 선고했다. 판결이 내려지자, 키케로의 호위병들은 새로운 사태가 벌어지지 않도록 서둘러 카틸리나 측 인물들을 감옥으로 끌고 갔다.

날이 점점 어두워지고 있었다. 이 감옥에는 툴리아눔이라는 지하 감방이 있었는데, 그곳은 땅속 약 12피트 아래에 있는 더럽고 어두운 지하실이었다. 더럽고 어둠과 악취가 가득한 이 소름 끼치는 장소에 가장 먼저 도착한 렌툴루스는 밧줄에 감겨 그곳에 던져졌고, 그 아래에서 기다리고 있던 사형 집행인들이 명령대로 그의 목을 졸라 죽였다. 나머지도 같은 운명을 맞이했다. 렌툴루스는 한때 집정관을 역임한 인물이었다. 그의 가문은 로마에서 가장 위대하고 영향력 있는 가문 중 하나였으므로 그의 죽음은 엄청난 반향을 불러일으켰다.

이런 상황을 이용하여 카틸리나는 마침내 반란을 일으켰다. 그의 에트루리아 군대는 수적으로 우세했으나, 로마군 출신들이 합류한 토스카나 애국자 연대부터 뾰족한 말뚝, 큰 낫, 망치밖에 가진 것이 없는 노예들과 악당들로 이뤄진 오합지졸에 이르기까지 다양한 병사들이 모였기 때문에 규율이나 무기 면에서는 유리하지 않았다.

이들은 또 다른 집정관인 안토니우스가 도시 밖으로 끌고 나온 소규모 정규군 부대를 공격했다. 각 전투원은 동일한 전술을 구사했다. 미리 선발된 백인대장들이 돌격대 역할을 했기 때문에, 양측의 두 부대는 맹렬하게 격돌했다. 똑같이 강인하고, 똑같이 경험 많은 이 옛 로마 군인들이 충돌하는 광경을 보며 카틸리나는 즐겁고 기뻤을 것이다. 그는 가장 헌신적이고 든든한 병사들과 함께 바위 밑에 서 있었고, 오랫동안 그의 가문이 소유해왔던 전쟁의 유물인 독수리 깃발을 세웠다. 그는 전세가 거의 균형을 이루고 있음을 확인한 후 압박을 받고 있던 선두를 향해 경무장 부대를 이끌고 전장에 뛰어들었다.

이렇게 전투가 진행되면서 전선 중앙에서 대결 중이던 로마 군인들은 투창을 버리고 천하를 제패한 로마의 단검을 들고 맞붙었다. 아무리 흉포하더라도 군인이 아닌 단순한 도적 떼들은 전장 한복판에서 맞서 싸울 수 없어서 외곽의 부상자들을 상대했다. 용감하긴 하지만 전투에 미숙한 에트루리아 평민들과 노예, 양치기, 소매치기, 도망친 검투사들은 만리우스의 명령에 따라 무리를 지어 움직였다.

　　당연하게도 전투에서 승리한 쪽은 뛰어난 중기병 연대인 근위대였다. 그들은 적의 중앙을 공격했고, 혼란에 빠진 적군을 살려두지 않았으며, 오랫동안 평화로운 시민들을 공포에 떨게 했던 지하 세계의 유명한 군대인 카틸리나의 광적인 경보병대를 무서운 기세로 몰아붙였다. 그들은 교착상태에 빠진 곳으로 돌격해 마치 늑대 떼를 상대하듯 헤집고 다녔다. 전세가 기울어지면서 만리우스와 카틸리나는 물론 말을 탄 장수들은 모두 거의 동시에 로마군 근위대를 향해 뛰어들었다. 거기서 그들은 모두 전사했다.

　　그날은 대학살이 벌어진 날이었다. 기록에 따르면 카틸리나 군대에서 자유인은 단 한 명도 살아남지 못했고, 정복자들도 가장 용감한 병사들을 모두 잃었다고 한다. 반란군의 생존자들은 그 후 정규군에 의해 사냥을 당했고, 군대가 철수하자 엄청난 수의 경찰관과 그들의 정탐꾼들이 그 지역으로 파견되어 얼마 전까지만 해도 로마의 존재 자체와 현재의 보편적인 세계 역사의 기반을 위협하던 피고름의 흔적을 모두 조사하고 제거해버렸다.

그가 떠난 후 나머지 역모를 꾸민 자들은 갈리아와 로마의 빈민가 여기저기로 흩어졌으나 쉽게 진압되었다. 카틸리나의 세력을 제외하고 가장 중요한 역모 세력은 히스파니아의 새로운 총독인 피소의 군대였다. 군대를 잘못된 방향으로 이끌려던 문턱에서 이 야심 찬 젊은이는 휘하에 있던 기병대에 의해 살해당했다.

그러나 카틸리나의 유례없는 이 모험은 결코 불명예스러운 최후는 아니었다. 나는 이 젊은 귀족의 모험이 가장 놀라운 모험이라고 생각한다. (단순한 우연에 의해서가 아니라) 그에게 불리한 다양한 사고가 있었지만, 그의 모험이 제 모습을 확고히 드러낸 사회적 추진력에 의해 촉발되었다는 점은 의심의 여지가 없다. 공화국, 혹은 달리 말하면 문명 전체에 맞선 이 공격에서 그 자체의 특이한 성격보다 더 중요한 사실이 있다. 그것은 조건에 맞는 요인들이 갖춰지기만 하면 이런 일은 언제든 반복될 확률이 매우 높다는 점이다. 무질서한 정치 상황, 거대한 지하 세계, 신념과 책임감도 없고 결과에 대한 두려움도 모두 상실한 귀족 집단 등은 세계 정치사의 정상적인 진화 과정에서 드물지 않게 나타나는 요인들이다.

다만 여기에서는 오직 모험가에 관한 연구에만 전념할 뿐, 카틸리나와 같은 인물을 통한 어떤 훈계조차 거부하는 우리는 이 사건을 우리와 관련된 범위 안에서만 정리하려고 한다. 그래야 미래의 공화국들이 신들의 결정에 따라 그곳에 키케로와 카토를 찾도록 할 수 있을 것이다.

나폴레옹처럼 새로운 건설자의 모험과 견주어본다면 카틸리나의 모험은 가장 명확한 죽음의 모험이다. 어떤 의미에서는 그것은 타살이라기보다 자살에 더 가깝다.

연기가 피어오르는 언덕, 시체가 산더미같이 쌓인 곳에서 카틸리나는 무엇을 찾을 수 있었을까? 제국을 향한 음모가 완벽하게 성공했더라도 그가 이 도살장의 왕관을 움켜쥐기도 전에 그의 추종자들은 그의 목을 베어 창 위에 던졌을 것이 분명하다. 살루스티우스는 이렇게 말했다.

> "가장 가난하고 버림받은 사람들조차도 자신의 집이 있는 도시를 불태우겠다는 생각을 좋아하지 않았으며, 키케로가 이를 밝힐 때까지 그들은 이것이 위대한 전리품과 재분배가 아니라 카틸리나의 마음속 즐거움을 위한 것이었다는 사실을 이해하지 못했다."

그러나 사실은, 자살과 마찬가지로 이것은 염세주의자의 위대한 모험이었고, 그 일을 떠맡은 사람과 그를 따르는 렌툴루스 등의 사람들은 모두 다른 모험가들의 동기가 된 일상적인 욕망이나 탐욕으로부터 자유로웠다. 그러나 운명의 신들과 함께하는 이 놀이의 법칙과 규칙은 살고 싶어 하는 사람들뿐만 아니라 열렬히 죽고 싶어 하는 사람들에게도 동일하게 적용되는 것 같다. 카틸리나는 나폴레옹이나 알렉산드로스만큼 운이 따르지 않았다.

사실 신들은 인간사에 무관심하다. 카틸리나의 의지와 대담함이 최대로 발휘될수록 동시에 시기적 오류도 함께 높아졌고, 자신의 이익을 세고 싶은 욕망과 함께 그가 죽이려 한 시민들의 얼굴에 나타난 공포와 혼란 같은 것들도 역시 가파르게 상승했다. 이런 득의양양함으로 기세를 몰아 우상향으로 밀어붙여야 했을 때 그는 길을 잃고 말았다.

제10장

나폴레옹 3세

"프랑스에서 왕이 될 사람은 나밖에 없다."

◆

Napoléon III

(1808년 4월~1873년 1월)

프랑스의 초대 대통령이자 마지막 황제라는 매우 아이러니한
타이틀의 소유자. 나폴레옹 보나파르트의 조카이다.

　　관대하고 민주적인 역사관은 여전히 이어지고 있으며, 이는 민중이야말로 '역사의 주역'이라고 묘사한 레오 톨스토이의 유명한 표현으로 요약할 수 있다. 이 말은 한 명의 위인보다는 수십만의 민중이 더욱 중요하다는 뜻이다. 다수의 가난한 자들이 유일하게 인류의 중요한 요소로 인정받는 이 교리는 신학적으로는 (지복의 당연한 결과이기 때문에) 분명하고 존경할 만하지만, 겉으로 드러난 사실에 기반을 두었다기보다는 오히려 내가 갖고 있지 않은 신비로운 직관에 의해 보장된다.

　　우리가 지금 살펴보려는 특이한 사건은 실제로 흘러가는 대로 기술되는 것이 역사(Automatism of history)라고 믿는 신봉자들에게는 시련의 사례가 될 것이다. 왜냐하면 여기에는 유럽의 역사를 크게 변화시켜 그 주요 흐름이 우리 시대에까지 이어지게 한 개인이자 개인주의자가 있었기 때문이다. 더욱이 소수의 엄숙한 전기 작가들과 막강한 지혜를 가진 집단 모두를 포함한 역사가들의 의견에 따르면, 그 주인공은 전혀 위대한 사람도 아니었다. 다행히도 이런 점은 우리가 애초에 그러한 도덕적 판단을 모험 이야기에서 모두 포기했기 때문에 신경 쓰지 않아도 된다. 그는 훌륭한 모험가였고, 따라서 우리의 영웅 명단에 당당히 이름을 올릴 수 있다.

혹자는 샤를 루이 나폴레옹 보나파르트(Charles Louis Napoléon Bonaparte)가 네덜란드 제독의 혼외자였다고 하기도 하고, 또 누군가는 그를 음악이나 무용의 거장이 낳은 사생아였다고도 한다. 이것은 아마도 그를 나쁘게 얘기하거나 무시하려는 악의적인 주장일 것이다. 황제의 동생이자 네덜란드의 왕인 루이 보나파르트가 그의 아버지이고, 보아르네 장군과 조제핀의 딸인 오르탕스가 어머니이며, 이 둘의 셋째 아들이라는 그의 법적 지위만으로도 우리가 살펴볼 가치는 충분하다.

그는 우리가 이전에 살펴본 나폴레옹 1세가 가진 권력을 외적으로 확장하는 필수 기관이었다. 삼촌이자 양조부인 황제는 어린 소년 루이의 가능성을 금세 알아차렸고, 한번은 "우리 민족의 미래가 이 사려 깊은 아이에게 달려 있을 수도 있다는 사실을 누가 알겠는가?"라고 말하기도 했다. 루이는 1808년에 태어났기 때문에 황제는 그가 사탕을 먹는 모습을 보면서 얻을 수 있는 기쁨 외에는 자신의 삶에 대한 대리 욕구 충족에 별로 도움이 되지 않았을 것이고, 황제가 루이에게 끼친 직접적인 영향도 그다지 크지 않을 것이다.

그의 동복동생 샤를 오귀스트 루이 조셉은 루이가 세 살이 되던 해에 태어났다. 오르탕스가 낳은 아이의 생부가 누구인지에 대해서는 의심의 여지가 없었다. 아이의 아버지는 바로 오르탕스의 애인인 플라오 백작이었는데 그 역시도 한때 주교였던 탈레랑이 불륜으로 낳은 사생아였다. 모르니 공작은 이후의 이야기에 다시 등장할 것이다.

워털루 전투 이후 오르탕스 왕비는 피렌체로 추방되어 전 국왕인 남편과 추악한 소송전을 벌였다. 그곳에서 그녀는 어린 아들 루이만 데리고 스위스와 독일을 떠돌다가 마침내 콘스탄스호수가 내려다보이는 투르가우주의 아레넨베르크성을 구입하여 그곳에 정착했다.

소년은 이제 아홉 살쯤 되었다. 그곳에서 그는 승마와 수영, 검술을 익혔고 일반 교전 기술도 배웠다. 그를 가르친 가정교사는 로베스피에르의 친구인 필리프 르바의 아들이었는데, 아버지와 이름이 같은 그는 열렬한 보나파르트주의(Bonapartism)의 신봉자였기에 혁명의 박애주의, 낭만적인 민족주의 또는 맹목적 애국주의, 왕에 대한 증오심과 인민이 선출한 황제의 신성한 권리가 모두 들어 있는 급진적인 교리의 비밀을 소년에게 가르쳤다. 루이가 스스로 생각할 힘을 기르기 전에 전수받은 이런 생각은 삶이 끝날 때까지 바뀌지 않았다.

그가 열두 살이 되기 전에 가정교사와 어머니는 그가 할아버지(나폴레옹 보나파르트-옮긴이)의 뒤를 이어 절대적인 통치 아래 모든 사람이 행복하게 살게 하기 위해 태어났다는 사상을 그의 머릿속에 주입했다. 이 무렵 보나파르트 가문 사람들은 이 같은 사상을 사명으로 스스로 믿고 있었다.

가정교사인 르바는 루이가 감수성이 가장 풍부한 나이가 되자 그의 할아버지와 카이사르가 이룬 승리의 여정을 따라 이탈리아를 여행했다. 여행 말미에는 로마에서 지내고 있던 레티치아를 방문했다. 이 여행은 루이의 삶의 목적을 일깨우고 여러분도 상상할 수 있는 사도로서의 열정을 자극했다. 그는 법적으로 프랑스에서 추방되었기 때문에 오스트리아의 지배를 받던 이탈리아가 그 후 그의 실질적인 고향이자 주 무대였다.

1830년 7월혁명으로 부르봉왕정이 무너지면서, 유럽 전역에 흩어져 있던 보나파르트 가문은 의심할 바 없이 새로운 희망을 품기 시작했다. 그러나 프랑스인들은 그들이 아니라 합법적인 상속인들과 친족 관계이면서도 암묵적으로는 인민의 선택이라고 주장할 수 있는 오를레앙이라는 평범한 해결책을 선택했다. 그를 추대한 명분이 취약함에도 불구하고, 오를레앙공 루이 필리프는 사실상 현대 국가에서 유일하게 중요한 계급인 부르주아 계급이 지명한 왕이었고, 유럽의 현실 정치인들은 모두 그와 그의 왕조가 살아남을 것이라고 믿었다.

이런 상황에서 루이는 자신의 운명을 온전히 이루겠다는 희망을 뒤로 미룬 채 자신이 맡은 선한 일에 전념했다. 그는 인류에게 자신의 자비로운 전제정치의 모든 혜택을 베풀 수 없었기 때문에 최소한 자유라는 작은 혜택이라도 제공하고 싶었다. 이렇게 그는 카르보나리(Carbonari)에 합류했다.

카르보나리는 이후의 세대가 이해하기 어려운 방식의 비밀결사 조직이었다. 가장 무자비하고 암울한 방법과 가장 온화하고 행복한 이상을 결합한 이 조직은 암살과 시가전을 통해 지상낙원을 실현하고자 했다. 그들의 이상은 대부분 프랑스에서 나온 것들이었는데, 프랑스혁명에서 보편적인 참정권이라는 축복을 가져왔고, 나폴레옹에게 민족주의라는 훈장을 빌려왔다. 이들은 매우 유능하고 널리 퍼져 있는 두려운 존재였고, 조직에 합류한 사람은 누구라도 죽음의 고통 속에서 천년을 보내기 전까지는 탈회할 수 없었다. 1848년까지 카르보나리는 아일랜드에서 보스포러스해협에 이르기까지 유럽 전역으로 뻗어 있는 관련 단체들의 중심 역할을 했다.

루이는 단순히 음모를 계획하는 것에 만족하지 않았다. 오늘날까지 카르보나리의 비밀은 예수회의 비밀보다 더 접근이 어렵지만, 그들 중에는 이름만 올려놓은 조직원은 없었던 것으로 알려진다. 1831년에 이들은 로마냐에서 봉기를 조직했고, 루이는 치비타카스텔라나 지역을 탈환하는 격전을 벌인 이후에 체포되었다. 그의 어머니는 오스트리아 지하 감옥에서 그를 빼내기 위해 위험을 무릅쓰고 개입했는데, 고도의 외교 전략이 먹히지 않자 결국 그녀는 경비원에게 뇌물을 주어 그를 구해내는 데 성공했다. 그는 이렇게 프랑스로 탈출했고, 국왕인 루이 필리프 1세는 남다른 관대함 때문이었는지 유약함 때문이었는지 루이가 몇 달 동안 파리에 머물도록 허락해주었다.

이후 아르넨베르크로 안전하게 돌아온 오르탕스는 아들에게 책을 읽으며 잠시 휴식을 취하라고 했다. 이제 그는 꿈 많고 호기심 가득한 소년들이 흔히 그렇듯이, 자기 자신이라는 문제를 매우 진지하게 받아들이는 다소 엄숙한 청년이 되었다. 어떤 이유에서인지 그는 평생 글쓰기에 열중했다. 이 시기에 그는 『정치에 대한 명상』을 썼는데, 이 책에서 그는 할아버지의 연설과 대화를 다수 인용하며 애매하면서 동시에 약간은 과장된 방식으로 우리가 알고 있는 자신의 야망과 꿈을 조심스럽게 밝혔다.

그의 주장에 따르면 모든 노동자, 시민, 농부는 행복하고 만족하며 (외국의 굴레로부터) 자유롭게 살아야 하고, 때에 따라서는 조국을 위해 영광스러운 죽음을 맞을 수도 있어야 했다. 그는 필요한 내부 규율과 방향을 진정으로 대표할 수 있는 통치자를 통해 황금시대가 도래할 것이라고 예견했는데, 이는 사실 초기 파시즘의 모습이라고 할 수 있다.

그는 (끊임없이 개정판을 내고, 생이 끝날 때까지 인용문을 달고 살 정도로) 이 책이 만족스러웠지만, 책을 완성한 후에는 아르넨베르크를 떠났다. 스물일곱 살이었지만 아직 누구와도 사랑에 빠진 적이 없었다. 가문의 자금은 점점 부족해졌다. 운명이 그를 부르고 있었다.

그의 첫 번째 연인은 엘라아노르(Eleanore)라는 스위스 가수였다. 그는 스위스에서 포병 장교로 복무하면서 그녀를 만났다. 그녀는 그에게 필요한 자금을 지원한 것으로 보이는데, 이런 현상은 그의 인생에서 자주 반복되어 나타났다. 이것은 분명히 카사노바와는 다른 방식이지만 사명이 있는 남성의 경우, 특히 그것이 매우 개인적인 사명일 때 종종 관찰되는 현상이다.

당시 프랑스의 상황은 느리지만 확실히 그와 그의 야망에 유리하게 움직이고 있었다. 이러한 움직임을 설명하거나 자세히 묘사하는 일은 굉장히 미묘하고 어려운 문제이지만, 그의 모험이 단순한 기적으로 보이지 않으려면 이에 대해 언급할 필요가 있다.

이 기간에 프랑스에서 나폴레옹 전설이 발전하는 모습은 연애 과정처럼 감정적이다. 그러나 영광스러운 군중, 국가, 유권자들의 가장 강력한 동기는 언제나 감정적인 성격을 띠지 않았던가? 감정적이지 않을 때는 자신들의 이권 추구가 우세할 수 있다. 이와 달리 전쟁과 평화, 정부 교체 등 모든 심각한 문제에 대해 국민들이 목소리를 낼 때는 폭도들의 함성처럼 거칠거나 그 안에 증오나 웃음 또는 사랑으로 가득 차 있다.

오를레앙 왕의 출연에 책임이 있는 사람들은 지식인이었는데, 그들은 자신의 이익을 추구하는 계급이었고, 힘과 책략으로 감당할 수 없을 정도로 감정적인 군중들에게 자신들의 의지를 강요했다. 그것이 전체 사건에서 유일한 치명적인 약점이었다.

사람들은 마치 보바리 부인처럼 오를레앙 가문의 편의에 따른 결혼을 강요당하는 것 같아서 감정적으로 참을 수 없었다. 이러한 상황에서 사랑에 빠진 거인은 연인을 찾아 돌아다녔다. 이때 등장한 두 가지가 민주주의에 대한 꿈과 나폴레옹 신화였다. 첫 번째는 우리가 상관할 일이 아니며 실제로도 직접적인 선택의 여지가 없었다. 왜냐하면 공화국은 제국을 완전히 배제했던 반면, 제국은 확실히 논리나 이성을 통한 방식은 아니더라도 사람들이 좋아하는 모호하고 약간은 여성적인 방식으로 공화국의 모든 멋진 특성을 제안했기 때문이다. 우리는 루이의 『정치에 대한 명상』에서 이것을 언급한 바 있다.

그러나 굵고 짧은 노란 번데기가 신화 속 찬란한 빛깔의 나비인 역사적 황제로 탈바꿈한 것은 여전히 신비롭다. 나는 희미하게나마 이 신비를 풀 수 있는 특정 요인을 말할 수 있다. 당시 퇴역 군인들은 죽었거나 과거 이야기만 하는 나이가 되었고, 노병들은 한 때 자신이 징병을 얼마나 싫어했는지 밝히지 않았다. 전쟁이 끝나고 30년 정도 지나고 나면 군인들의 행적 관련 기록들은 모두 먼지 투성이 서류철에 묻히기 마련인데, 돌아온 보나파르트의 적들은 이 기록들조차 파괴하고 금지했다.

당시 프랑스 어느 마을에서든 40세 이상의 남자 중에 대작전의 가장 극적이고 그림 같은 순간에 동참하지 않은 사람은 거의 없었을 것이다. 그리고 나폴레옹 자신도 시간이 흐르면서 젊음과 낭만, 열정을 되찾았다. 워털루에서 마차에 타고 있던 초췌한 황갈색 머리칼의 남자는 사라졌지만, 대신 그 작은 부사관은 변하지 않는 예술적 창조물이 되었다. 그의 모습은 아킬레스나 햄릿, 시구르드 (Sigurd, 북유럽 신화 속 영웅-옮긴이)만큼 확고하고 현실적이었다.

그 즈음 모든 집안의 난롯가는 새로운 종교의 예배당이 되었다. 자신을 하찮은 존재로 여기며 고통받던 프랑스의 젊은이들은 밤이면 밤마다 나이 든 남자들이 난롯가에서 이렇게 말하는 것을 들었다. "우리가 적들을 앞에 두고 전선에 나섰을 때 말이야. 황제가 말을 타고 있던 모습을 보았단 말이지……." 또는 조금이라도 글을 쓸 줄 아는 젊은이에게 다음과 같이 시작되는 글이 미칠 영향을 상상해보라. "바르샤바 수비대에 있을 때 우리 경기병 장교들은 저녁마다 도시의 사교 모임들이 열리던 외곽의 멋진 공원으로 말을 타고 나가곤 했다. 그러던 어느 날 저녁……."

프랑스 국민들은 지루함을 느낄 때면 공화국이 아닌 통치자를 꿈꿨고, 슬픔에 빠질 때면 시에예스나 로베스피에르가 아니라 미셀 네(Michel Ney)와 보나파르트 원수를 찾았다. 이 넘치는 감정, 이 향수병은 마치 처녀의 첫 번째 동경처럼 그 대상은 불분명하고 흐릿했다. 루이에 대해 들어본 사람은 거의 열 명도 채 되지 않았고, 아마 그의 주장을 진지하게 생각하는 사람은 아무도 없었을 것이다. 보나파르트주의는 완전히 과거에 반영된 감정이자 몽상이었다. "오, 낡은 북과 피리여", "아, 옛날이여, 영광의 날들이여"라고 하는 베랑제의 시구에 맞춰 소녀들이 다림질을 하면서 흥얼거리고, 길거리 소년들이 심부름하면서 휘파람을 불던 그 음악, 그 잊히지 않는 곡조는 미래를 위한 약속이 아니라 한탄이었다.

루이는 이런 과거에 대한 향수를 붙들고 그 힘을 자신에게 집중시키고 싶었다. 이를 위해 그는 모든 모험가들의 도구인 '한결같이 강한 의지'로 다양한 모습을 보여주기 시작했다. 그는 일관되고 상상력이 풍부했으며 추진력도 있었다. 융통성과 강인함을 겸비했으며 한때 그의 어머니가 확인했듯이 상냥하면서도 완고했다.

그러나 그의 첫 번째 시도는 터무니없을 정도로 비참하게 실패했다. 그는 한결같지 않은 친구들과 함께 음모를 꾸몄고 첫 번째 활동 이후에는 모든 것을 행운에 맡겼다. 그래서 엘레아노르와 피알랭(Fialin)이라는 카르보나리 당원인 늙은 대령 한 명과 소위 한 명과 함께 변장하여 스트라스부르로 갔고, 그곳 수비대에게 뇌물을 주고 반란을 일으키려고 했다. 그러나 결국 그는 비밀경찰에 의해 체포되었는데 유죄를 입증하는 증거가 너무 많아서 이를 크게 만들고 싶지 않았던 프랑스 정부는 어쩔 수 없이 그를 미국으로 추방하였다.

　가을에 그는 한때 위험한 미인이었던 어머니의 임종을 지키기 위해 아레넨베르크로 돌아왔다. 그리고 스위스로 넘어가 엘레아노르와 헤어지고 런던으로 떠났다.

　여기에서 그는 공모자라는 역할을 맡았는데, 당시에는 이 일이 지금보다는 더 흔했다. 그는 피알랭, 아레제(Arese), 기타 카르보나리 조직원 등 초라하고 사나워보이는 젊은이들과 함께 외국인 구역의 지저분한 식당에서 식사를 했다. 수년간 그들은 지저분한 식탁보 위에서 토론하다가 낯선 사람이 다가오면 내용을 듣지 못하게 대화를 중단했다. 그는 보나파르트 가문이었기 때문에 때때로 대규모 연회에 초대되기도 했는데, 그곳에서 손님들은 그를 신기한 듯 쳐다보았다. 도르세(D'Orsay), 디즈레일리(Disraeli), 그리고 모르는 게 없는 사자 사냥꾼 블레싱턴 백작부인(Lady Blessington) 등이 그와 교류했다. 그는 한때 철학적 비판 능력 때문에 차티스트(Chartist, 19세기 초 노동자의 정치적 권리를 주장하며 전개된 영국의 민중운동-옮긴이) 폭동 기간에 특별 경찰관으로 활동하며 거리를 순찰한 적이 있다. 이 시기에 그는 자신을 사랑하는 부유한 미스 하워드라는 여인을 만났다.

　1839년에 그는 나폴레옹 1세가 사회주의와 평화주의의 첫 번째 순교자라고 주장하면서 이를 증명한 책을 출간하며 다시 왕좌를 차지하고자 했다. 이번에는 부유한 '미스' 덕분에 더욱 규모가 크고 비용이 많이 드는 작전을 펼칠 수 있었다. 그는 추종자 56명과 함께 부두에서 몇 마일 떨어진 불로뉴해안에 상륙했고 도시를 향해 나아갔다. 해안경비대와 헌병대가 그들을 저지하기 위해 출동했고, 루이는 (혹은 그의 친구 중 한 명이) 그들에게 돈가방을 내밀며 '비브 랑프뢰르(Vive l'Empereur, 황제 폐하 만세-옮긴이)'를 외치라고 했다. 그러나 돌아온 대답은 총소리였다. 그의 친구 중 한두 명이 쓰러졌고 그도 나머지 친구들과 함께 체포되었다.

이 사건으로 프랑스 국왕은 불안해했고 루이에 대한 정식 재판이 이어졌다. 그를 변호한 위대한 노 변호사 베리에의 도움으로 그는 인생에서 그 어느 때보다 자신을 더 잘 홍보할 수 있었다. 그 이후로 프랑스에서 신문을 읽을 수 있는 사람이라면 누구나 그와 그의 주장에 대해 알게 되었다. 그러나 그는 종신형을 선고받았다. 이런 판결은 재범이 우려되는 지능범을 옥죄고자 할 때 쓰는 일반적인 조치였다. 그는 앙요새(Château de Ham)에 6년 동안 수감되었고, 그곳에서도 여전히 온화하면서도 완고한 태도를 보였고 간수의 딸과 사랑을 나누기도 했으며 수감 기간에 보나파르트주의에 관한 책을 몇 권 썼다.

일반적으로 루이와 같이 의지가 강한 자에게 투옥은 선입견을 강화하고 종종 기존의 계획을 실현하기 위해 새로운 계획을 추가하는 계기가 된다. 런던으로 돌아온 그는 전보다 더 온화하고 끈기 있게 확신을 갖고 계속해서 음모를 꾸몄다. 변덕스럽든 아니든, 그는 운명의 법령을 준수하고 있을 뿐이었다. 그리고 마침내 적절한 순간이 찾아왔다.

'위대한 자유의 해'인 1848년 혁명을 통해 국왕 루이 필리프와 그의 세력들은 프랑스 밖으로 쫓겨났다. 루이 나폴레옹은 선전에 필요한 자금을 (이번에는 자루에 담지 않고 은행을 통해서) 가지고 프랑스로 돌아왔다.

큰 파장은 일어나지 않았다. 여기서부터 목표를 향해 돌진하는 모험의 경이로운 전개는 마치 설명을 들어도 이해하기 어려운 마술사의 속임수를 떠올리게 한다.

그는 깨끗하지 않은 재산과 나폴레옹이라는 이름을 등에 업은 믿을 수 없고 환상적인 인물로 혁명의 소용돌이 한가운데에 나타났다. 어떤 진지한 정당도 그를 환영하거나 그를 위해 일하거나 그를 옹호하지 않았다. 음지 밖에서 영향력이 있는 유일한 친구는 앞서 다소 시적인 기원에 대해 언급한 적이 있는 그의 동복동생 모르니였다. 소매업과 주식시장에서 사랑에 빠진 여성들의 도움으로 상당한 재산을 쌓은 모르니는 대담한 도박꾼이자 의심스러운 인물이었다. 그들과 함께 할 세 번째 인물은 한때 하사였으며 현재는 자칭 페르시니 백작(Comte de Persigny)이 된 피알랭이었다. 그는 피라미드가 고대 나일강 제방의 잔재이며 만약 피라미드가 파괴되면 이집트가 호수로 변할 거라는 책을 쓰기도 했다.

1848년에 발생한 혁명은 정치와 계급적 이해관계라는 피상적인 측면에서 볼 때 시인들의 작품이었다. 즉, 처음부터 합법적인 권력 소유자가 없었다. 이 3인조가 활동하고 있는 시기에 누가 권력을 물려받을지는 아직 결정되지 않았다. 시인들은 말할 것도 없었고, 폭도들은 어떤가? 이들도 강력한 후보였다. 부르주아들은 또 어떤가? 이들은 진정한 오를레앙파였던 티에르(Thiers) 밑에서 분열되고 괴로움을 겪었다. 카베냐크(Cavaignac)의 군대는? 그 정통주의자들은? 상황은 절망적이었다. 이런 들끓는 가마솥 안에서 세 사람은 낚싯대를 걸쳐놓고 이리저리 휘젓다가 마침내 무언가를 잡았다.

사실 누구도 이들 신제국주의자들에게 관심을 기울이지 않았기 때문에 정당 대 정당의 대립 구도를 설정하는 데에는 문제가 없었다. 결국 카베냐크는 무력으로 시위대를 진압했다. 그 후 선택의 폭이 좁아졌고 고를 수 있는 후보는 표면적으로 그와 티에르만 남게 된 것처럼 보였다. 그 순간 루이는 제헌의회 의원으로 선출되었다. 당연히 그는 연설을 하려고 했는데, 아마도 이미 알려진 교리 전체를 담고 있는 내용이었을 것이다. 그러나 그의 이름을 듣고 호기심이 생긴 의회의 의원들이 연단으로 느릿느릿 걸어 올라가는 그의 모습을 지켜보는 상황이 되자 루이는 용기가 나지 않았다. 결국 그는 알아들을 수 없는 말들을 중얼거리고는 부끄러워하며 연단을 내려왔다. 여기저기서 웃음이 터져 나왔고, 루이 보나파르트의 대의는 실패로 끝났다.

그러나 티에르는 그를 알아보았다. 당시 티에르 자신도 굉장히 어려운 처지에 놓여 있었다. 카베냐크의 세력에게 승리가 넘어가는 상황이었고, 결코 눈을 떼지 않았던 자신의 이익은 매우 딱한 상태에 있었다. 아마도 바로 그 당황스러운 순간에 티에르는 이것이 마지막 기회이고, 이 멍청이, 이 꼭두각시를 카베냐크에 맞서는 대통령 후보로 만들어야겠다는 생각을 떠올렸을 것이다. 틀림없이 유권자는 티에르를 선택하지 않을 테지만, 보나파르트라면 선택할 수도 있겠다는 희망을 보았다.

티에르와 몰레(Mole)가 이끄는 안정당(Parti de l'Ordre)의 부르주아는 1848년 공화국 대통령 선거에서 루이를 지지했다. 그의 전략은 지나치게 기괴하고 지나치게 영리했다. 먼저 활동적인 혁명가였던 자신의 과거와 민주적 신비주의를 언급하며 폭도들의 표, 즉 혁명을 호소했다. 그러나 그는 또한 안정당을 대표했기에 교회에 교육 독점권을 주겠다고 약속하고, 교황의 세속 권력을 지지하겠다고도 약속하면서 가톨릭 신자들의 표심을 끌었다.

티에르 같은 오를레앙주의자들도 그를 자신들의 도구라고 여겼기 때문에 그에게 투표했다. 최악의 경우 나중에 그를 가두어 왕을 복위시킬 준비가 되었을 때 미친 쿠데타를 시도하겠다는 계산도 있었다. 여기에 정통주의자들은 다른 모든 후보자들에 대한 반감으로 그를 지지했을 수도 있다. 그 결과는 이 모든 단순한 꼼수에 비해 훨씬 컸다. 티에르가 두려워했던 것처럼 비참하게 패배하거나 자신이 바랐던 대로 과반수에 의해 당선되는 상황을 넘어, 루이는 약 550만 표를 얻으며 약 150만 표를 얻은 카베냐크를 누르고 대통령직에 당선되었다. 마법사처럼 영리한 사람들이 통제할 수 없는 심연의 힘을 조작한 것이다. 인간을 체스 말처럼 사용하는 영리한 사람들에게도 조만간 비슷한 일이 발생했다.

더 설명이 필요 없을 정도로 우리는 이미 프랑스에 퍼져 있는 엄청난 보나파르트주의를 보았다. 당시 프랑스는 석탄가스가 가득한 방과 같아서 성냥 한 개비만 있으면 모든 것을 불태워버릴 수 있는 분위기였고, 어떤 정치인도 의심하지 않고 보나파르트만을 갈망했다. 루이는 표를 얻기 위한 임시 도구에서 단번에 국민의 강력하고 두려운 의지를 구현하는 통치자로 변신했다. 티에르, 몰레, 카베냐크 등 영리하고 탁월한 정치인들은 갑자기 야당에 속하게 되면서, 일부는 완전히 사라지고 일부는 남아서 다시 권력을 잡겠다는 자그마한 희망도 없이 순전히 인내심으로 이후 25년을 살아야 했다.

그와 그의 열렬한 측근인 모르니와 페르시니 등은 주요 쟁점을 선점한 후 어려운 세부 내용을 조율했다. 공개적으로 그의 정적인 의회에서 제정한 헌법은 그에게 권한을 거의 부여하지 않았지만, 그는 대통령이라는 지위를 통해 천재적인 정치적 책략을 보여주었다. 그는 의회보다 빠르고 강인하고 노련했으며, 오스트리아 제국군을 물리친 자신의 할아버지 나폴레옹 1세를 닮은 기량을 뽐내며 의회를 압도했다.

드디어 1851년 12월 2일이 되었다. 쿠데타의 고전적인 기술에는 확실히 매혹적인 특징이 많다. 이에 대한 저항을 묘사한 위대한 시인의 작품이 잘 알려져 있는데, 화려한 문체를 즐기는 독자라면 빅토르 위고의 『작은 나폴레옹(Napoléon le Petit)』과 『범죄의 역사(Histoired'un crime)』에서 어리석은 반대파 의원들이 아무런 준비도 하지 못한 채 이리저리 뛰어다니는 모습을 확인할 수 있다. 노동자들의 옛 거점인 포부르(Faubourgs)에 불타는 십자가를 보낸 일, 허술한 바리케이드와 그 위에서 발생한 고귀하면서도 동시에 헛된 죽음, 이 모든 것들이 바로 루이, 모르니, 페르시니가 무자비한 기술로 계획하고 실행했던 일을 되돌리고자 한 반대파들의 노력이었다.

이렇게 드라마의 1막이 이 끝났다. 새로운 황제는 군대에 뇌물을 건넨 것, 즉 쿠데타 당일 아침에 자신이 가진 돈을 모두 군대에 나누어주고 최소한의 합리적인 체포와 약간의 방해 행위로 국가 기관 전체에 대한 중앙 통제권을 장악했다. 이런 권력 찬탈의 과정은 아름답고 흠잡을 데가 없었다. (한 가지 세부적으로 알아야 할 사항은 공모자들이 전날 밤에 국가 경비대의 북을 찢어 경보가 울리지 못하게 했고, 파리의 모든 인쇄 공장도 점거했다는 점이다.) 앞으로 조국의 자유를 파괴하고 권력을 완전히 강탈하려는 모험가는 누구나 루이 보나파르트의 사례를 문자 그대로 외워야 한다.

그러나 이후에는 그다지 좋지 않았다. 예를 들어 이틀 후에는 대로변에서 학살이 일어났다. 날씨가 좋은 목요일 오후였다. 마들렌부터 본누벨까지 이어지는 거리는 평화로운 시민들로 가득했다. 아마도 그곳 어딘가에서 지휘권을 갖고 있던 모르니가 정신을 잃었기 때문일 것이다. 또는 나중에 발표한 공식적인 설명이자 사과 내용처럼, 아마도 군대가 모두 술에 취해 있었기 때문일 수도 있다. 어떤 이유로든 끔찍한 카틸리나식 학살이 자행되었고, 포병과 보병이 혼잡한 대로에 10분간 사격과 폭격을 가했다. 아무도 죽은 사람을 세지 않았다.

이로써 유럽에서 가장 특이한 모험 하나가 끝나고 동시에 또 다른 모험이 시작되었다. 모험은 도달할 수 없는 것과 연결되어 있다는 점에서 단순한 위업과는 다르다. 밧줄의 한쪽 끝만 손으로 잡고 있고 다른 쪽 끝은 보이지 않으며 기도도, 대담함도, 이성도 그 것을 흔들 수 없다.

우리는 이후에 벌어지는 탐욕스럽고 궁핍한 사람들이 스스로 궁정을 구성하고 그들만의 방식으로 제국의 정복을 기뻐하는 광경, 또는 루이 보나파르트의 불분명한 박애 활동의 운명, 또는 25년 후 그가 왕관을 훔친 날, 정확히 말하면 학살이 일어난 목요일에 시작된 그의 몰락의 메커니즘을 구별할 수 있다. 곧 그에게 불운이 찾아왔다. 프랑스 내 모든 인쇄소에 자물쇠를 채운 사람들은 손쉽게 이를 은폐하고 물질적 흔적을 제거할 수 있었다. 그러나 이로 인해 공화파는 화해할 수 없을 정도로 그를 반대하게 되었고 시인들도 마찬가지였다.

그런데도 이 전능한 뮤즈들에게는 '제3제국'을 존경할 만한 중요한 이유가 있었다. 예를 들어 파리는 세계적인 도시가 되었다. 몽마르트르의 샴페인 문화부터 자유로운 평화의 거리(Rue de la Paix), 경이로운 몽파르나스의 대학까지, 파리라는 이름을 들으면 머릿속에 떠오르는 모든 것은 루이 나폴레옹의 업적이자 결과물이다. 즉, 미스 하워드의 친구, 모르니와 페르시니에게 기대하는 취향과는 별개로, 루이는 공화파에 대한 필연적인 탄압과 인류가 삶을 즐겨야 한다는 제국주의 이론을 결합하여 특정 정책을 추진했다.

파리는 세계의 다른 모든 도시를 사막으로 만들고 있던 청교도-산업주의에 반기를 들었다. 반동의 중심지로써 사람들이 삶을 즐기도록 격려하고 자극하는 세계 유일의 도시를 표방했다. 이곳에서 단 하나 금지된 주제는 정치 이야기였다. 여러분은 아마도 전제주의와 자유를 결합한 모델은 실행 불가능하다고 생각했을 수도 있지만, 제3제국의 파리는 그 논리가 틀렸다는 것을 증명해보였다.

어쨌든 도박꾼들이 가장 잘 이해할 수 있을 텐데, 이 행운의 단계에서 제국이 집행한 일들은 이 계획에 도움이 되었다. 먼저 공화파의 반란이 두려웠기에 오래되고 구불구불한 거리를 쓸어버리기도 했다. 그때까지 거리는 바리케이드와 매복 장소로, 기병이 빠져나오기 힘든 죽음의 함정으로, 포격에 대비한 천연 참호로 사용되었다. 이에 오스만 남작(Baron Haussmann)은 파리 개조 사업을 통해 파리를 치안 유지가 용이하면서도 구대륙에서 가장 바람이 잘 통하고 아름다운 도시로 만들었다.

파리 도심에 불로뉴숲(le Bois de Boulogne)이 있는 이유는 루이 자신이 나무를 사랑했기 때문이라는 사실도 잊지 말자. 즐거운 삶을 장려하고 다양한 방법으로 비용을 지출했어도 그는 시민들에게 구걸하지 않았다. 오히려 영국, 미국, 독일 등이 청교도 지역으로부터 대규모 이탈하면서 셀 수 없이 많은 '보이지 않는 수출품'이 프랑스로 유입되었다. 루이 보나파르트는 파리를 고대 로마 이후 세계 최초의 진정한 국제도시로 만들었다.

쉽게 상상하건대 황제, 모르니, 페르시니, 그리고 그밖에 가까운 친구들은 모두 연회를 즐길 때 자제할 필요가 없었을 것이다. 그러나 그들이 완전한 오락의 자유를 실천하는 단순한 해적 무리는 아니었다. 철학과 강령, 심지어 전통까지 가지고 있었기 때문에 그들의 향연은 근본적인 예절의 틀에 기초를 두고 있었다. 황제는 '옛 군주제의 관습과 제도를 부활시키겠다'는 뜻을 밝혔다. 이 행사에 참석한 귀빈들은 다양하고 흥미로운 기록을 남겼다.

"황제와 그의 궁정은 루이 필리프가 폐지한 무릎 반바지 복장을 복원했다. (콩피에뉴 성에서) 만찬은 보통 한 번에 100인분 씩 준비되었다. 수많은 궁정 고위 인사들은 모두 집무실에 새로 들어왔다. 의자 뒤에는 하인이 한 명씩 서 있었고 식사 내내 군악대가 음악을 연주했는데 아마도 상당히 시끄러웠을 것이다."

그러나 식탁이 치워지고 하인들이 물러나자마자 더 자유로운 즐거움이 시작되었다.

"그런 다음 우리는 이탈리아 황제의 사촌 중 한 명인 바치오키(Baciocchi)가 연주하는 손풍금 음악에 맞춰 춤을 췄다."

시간이 흐르고 황제의 낭만적인 결혼도 성사되었다. 그는 유럽의 가장 확고하고 유서 깊은 왕가들을 설득하여 신붓감을 얻고 동맹도 맺으려고 했으나 여러 번의 청혼이 모두 허사로 돌아갔다. 그를 좋게 생각하던 영국의 빅토리아 여왕조차도 이 점에서는 그를 도와줄 수 없었다. 마침내 그는 '마음의 소리'를 따라 부유하지는 않으나 에스파냐의 귀족 출신이며 많은 이가 미인이라고 인정한 스물여섯 살의 여성 외제니 드 몽티조(Eugénie de Montijo)와 정식으로 혼인한다. 황제가 자신의 배우자를 선택하고 발표한 연설은 그의 감정과 그 행보가 당시에 미친 영향이 얼마나 파격적이었는지를 보여준다.

"나는 어떤 대가를 치르고서라도 왕의 가문과 혼인 관계를 맺어
서가 아니라 위대한 국민이 공개적이고 자유로운 투표를 거쳐
이 자리에 올랐다는 사실로써 존경받을 수 있음을 전 유럽에 보
여줄 것이다. 내가 선택한 배우자는 정서적으로나, 교육받은 내
용으로나, 아버지의 군 복무에 대한 기억으로나 우리 프랑스인
이나 다름없다. 또한 그녀는 에스파냐 출신으로서 프랑스에는
직함과 보조금을 받아야 할 가족이 없다는 추가적인 이점도 가
지고 있다. 독실한 가톨릭 신자로서 은혜롭고 선량한 그녀는 분
명 선한 조제핀 황후의 미덕을 되살릴 것이다."

결혼 후 그의 예의 바름과 유쾌함은 더욱 두드러졌다. 미스 하
워드는 귀족 작위를 받았고, 강제로 프랑스에서 추방된 친구 한 명
을 제외하고, 관대한 그녀의 다른 친구들도 보상을 받았다. 황후는
400명의 아름다운 여인들로 둘러싸여 있었는데, 그중 옛 귀족 출
신은 한 명도 없었다.

황제 부부와 절친한 친구들은 모두 전원 생활을 좋아했다. 가족
과 친밀한 외교관인 휘프너에 따르면 1857년 콩피에뉴성에서 "천
막 아래에서 점심을 먹고 잔디에서 달리기를 한 후 우리는 말라
코프를 점령하며 놀았다. 요새를 대표하는 낮은 언덕을 황제와 그
의 친구들이 공격했고 황후와 시녀들이 방어했다. 그 장면은 너무
명랑하고, 너무 친밀했다." 이 마지막 축제에 대해 오를레앙파의
언론은 "황제가 네 발로 달려가서 숙녀들의 발을 붙잡았다"고 적
었다.

또한 신비하고 초자연적인 현상에 관심이 많던 황후의 요청으로 심령술사의 강령술이 벌어지기도 했다. 당시 유럽의 가장 유명한 영매인 홈(Home)은 자주 프랑스 궁정에 소환되어 여러 기이한 장면들을 보여주었다고 한다. 다른 나라의 오래된 궁정 생활에 익숙했던 품위 있는 휘프너는 당시 프랑스 궁정에 대해 "엄격한 의식과 무심한 듯한 관대함이 번갈아 나타났으며, 벼락부자가 너무 어려운 역할을 맡아 애쓰는 것 같은 인상을 받았고, 화려한 의상이나 수많은 하인, 과도한 금장식들이 모두 너무나 새로운 것 같았다"고 말했다.

대로에서 유혈 사태가 발생한 지 오랜 시간이 지난 후 루이 나폴레옹은 운명을 건 신들과의 게임에서 뜻하지 않게 좋은 패를 손에 쥐었다. 사실 그는 공화파에 대해 더 강경하게 대처해야 했고, 특히 결혼 후에는 그의 동맹이었던 가톨릭 세력과 부르주아 계급에 더 관대해야 했다. 당시 프랑스는 말 그대로 흘러넘치는 상태였다. 부자는 더 부유해졌고 빵과 포도주는 저렴했다. 약간 시적으로 말하면 황금시대의 시작 같았다. 그러나 루이는 훌륭한 시인들을 모두 추방했고, 사업가 중에는 하프를 연주할 줄 아는 사람이 거의 없었다. 또한 독일인들이 말했듯이 값싼 빵과 5% 금리, 관광산업의 발명, 공공사업 및 휴일에 대한 보너스로 그는 사람들에게 승리를 안겨주었고, 크림반도에서는 영국과 손잡고 러시아를 격파했다.

그러나 이 평온하고 배부른 시기는 오르시니 사건으로 끝나게 된다. 물론 그토록 화려하고 모호했던 시대도 없었고, 전체적으로 제3제국은 비밀경찰의 시대였기 때문에 오르시니에 대한 진실을 완벽하게 알고 있다고 주장할 수 있는 사람은 아무도 없을 것이다. 따라서 우리는 루이 보나파르트 미궁의 유일한 길잡이인 낭만을 고수하자.

당시 암살자 오르시니는 카르보나리의 일원이었다. 그와 그의 일행은 조직에서 벗어나는 길은 죽음뿐이라는 사실을 루이 동지에게 상기시키라는 임무를 받았다. 그래서 1858년 1월 어느 날 저녁, 황제가 마차를 타고 (몽팡시 거리에 있는) 오래된 오페라 극장에 도착했을 때 오르시니와 동료들은 그에게 폭탄 세 개를 투척했으나 빗나가는 바람에 행인 8명이 사망하고 150명 이상이 부상을 입었다. 이것이 폭탄을 정치적으로 사용한 최초의 사례였다. 당시는 진정으로 참신한 시대였다.

모든 사람과 자신을 동시에 기쁘게 하려는 그의 삶의 영감이자 위대한 이상은 점점 더 감당하기 어려워졌다. 사실 그는 점차 용기를 잃어가고 있었다. 아마도 끝까지 겉으로는 무감각했지만, 속으로는 걱정하고 있었을 것이다. 그는 인생의 모든 기쁨을 맛보는 데 지쳤으며 이제는 모험가에게 금지된 마지막이자 유일한 즐거움인 평화를 갈망했고, 의심할 바 없이 고통스럽고 만성적인 질환 때문에 육체적으로도 쉬어야 할 필요가 있었다.

모르니는 죽고 페르시니는 황후의 궁정 음모자들에 의해 쫓겨났다. 프랑스인들을 만족시키기 위해 영리하게 고안된 일련의 사업들이 연이어 실패했고, 그의 감상주의와 동정심은 그를 점점 깊은 늪지로 이끌었다. 그는 폴란드의 해방자로서 나섰다가 러시아에 수모를 겪고 그 문제에서 손을 떼야 했다. 아마도 가장 추악하고 대담한 실패는 멕시코에 라틴 제국을 건설하는 과정에서 생긴 사건일 것이다. 그가 멕시코의 황제로 추대한 오스트리아 대공 막시밀리아노 1세는 불행히도 버림받고 체포되어 총살당했다.

한편 이 불운한 도박꾼이 평정심을 차츰 잃어가고 있는 동안, 비록 전체 외관은 회색과 검은색으로 칠해졌으나 내부는 나폴레옹 자신의 제국만큼이나 깨지기 쉬운 재료로 만들어진 또 다른 낭만적인 건축물, 즉 이웃인 비스마르크 제국이 더욱 강력한 세력으로 성장했다. 여기에서도 역시 그 험악한 외관에도 불구하고 그것을 하나로 만들어주는 회반죽은 그 시적 침전물과 이를 지탱해주는 틀, 즉 민족주의와 자비로운 전제정치였다.

버섯이 하룻밤 사이에 커다란 잎을 대체하듯이, 루이 나폴레옹이라는 다 쓰러져가는 건축물은 20년 만에 좀 더 유기적으로 성장한 다른 건축물에 의해 대체되면서 입지를 잃었고 마침내 전복되었다.

정치에서는 낭만이나 감상은 어리석음으로 간주되고, 반대로 잔인함은 실용적이고 합리적인 것으로 받아들인다. 오직 이러한 관점에서 본다면 1914년 제1차 세계대전이라는 터무니없는 공포로 이어지는 비스마르크의 청사진은 선견지명이 담긴 천재적인 작품이라 할 수 있다. 그러나 보나파르트주의는 먼 사촌뻘인 '철혈정책'이라는 더 진지하고 냉철한 광기와 비교하면 아무것도 아니었다. 신 혹은 최소한 독실한 황후를 포함해 주변 여러 사람들을 기쁘게 할 수 있는 일을 필사적으로 찾아 헤매던 루이는 소국의 권리를 지지한다며 슐레스비히홀슈타인(Schleswig-Holstein)을 구해내겠다고 약속했다가 국내 평화당의 눈치가 보여 그 약속을 취소했다. 또한 프로이센에 대항하기 위해 이탈리아인들과 동맹을 맺었다가 교황이라는 대의를 포기해야 했기 때문에 그 동맹에서 탈퇴했다. 마침내 비아리츠에서 비스마르크와 동맹을 맺는 등 술에 취한 사람 혹은 죽어가는 사람처럼 비틀거리는 행보를 보였는데, 이는 그의 파멸이 가까워지고 있다는 징조였다.

그래도 한순간 그는 다시 제대로 일어서는 것처럼 보였다. 그가 내부의 적들에 대한 가혹한 조치를 완화하여 공화파들은 돌아올 수 있었고, 심지어 신문을 발행할 수도 있었다. 그런데 그들은 프랑스 전역에서 그의 약점을 매우 적절하게 사용하여 그를 에워싸고 자극하면서 그의 정치생명을 끝내고자 했다. 이때 그는 마지막 순간에 이 모든 것에 맞서는 용기를 가졌고, 공개적으로 펼칠 수 있는 마지막 일격을 준비했다.

이를 재미있다고 느낄 수도 있고 감동적이라고도 할 수 있지만, 그가 승리를 위해 마지막 돌파구로 사용한 수단은 역시 국민투표였다. 투표는 상당히 공정하게 진행되었다고 하는데, 그 결과는 찬성 7,358,786표, 반대 1,571,939표로 보나파르트는 역대 최다 득표수를 기록하며 압도적으로 승리했다.

그리고 몇 주 후, 황제와 그의 왕조, 그리고 프랑스 전체는 프로이센과의 전쟁에 돌입했다. 이렇게 피의 혼란 속에서 이야기는 끝난다. 역사적 전쟁의 최전선인 스당에서 루이는 망각과 모호함이 그를 덮치기 전 마지막 몸짓으로 황후에게 전보를 보냈다.

"전투에서 패배하고 병사들은 포로가 되었소. 나 역시도 포로 신세라오."

불쌍한 악마, 이 남자는 도무지 멋진 구석이 없었다.

제11장

이사도라 덩컨

"자연으로, 특히 자기 자신에게로 돌아가야 한다."

Angela Isadora Duncan
(1878년 5월~1927년 9월)

미국의 무용수. '자유 무용'을 창시하여 현대 무용(모던 댄스)의
어머니로 불린다. 고전 발레에 반발하여 자연주의를 추구했다.

이제는 또 다른 여성 모험가를 살펴볼 때가 되었다. 사실 적당한 사례가 이토록 드물지 않았다면 지금보다 좀 더 일찍 여성 모험가를 다뤘을 것이다. 우리는 여성을 향해 스스로의 삶을 찾아 나서라며 반쯤은 회유하듯이, 또 반쯤은 강압적으로 요구하는 시대를 살고 있으며, 따라서 여성이 단지 직업을 가지고 있다는 사실만으로는 만족하지 못하고 있다. 앞서 살펴본 롤라 몬테즈의 사례는 어쩌면 실망스러운 결론으로 이어지고 더 나아가 오히려 더 큰 의혹을 불러일으킨 것 같다.

그러나 비록 막연하게 보일지는 몰라도 어쩌면 그것이 궁극적으로 시간과 장소, 그리고 성격이라는 특별한 조건들이 맞아떨어질 때 나타나는 일반 법칙의 그림자는 아니었을까? 우리 시대의 특별한 인물 중에서도 이사도라 덩컨의 삶은 이런 질문에 가장 어울리는 이야기와 가치를 보여준다. 그녀 역시 자신의 인생 이야기가 '세르반테스나 카사노바가 기록하기에 딱 좋은 이야기'라고 생각했다.

그러나 나는 여러 이유를 따져봤을 때 그런 생각이 잘못되었다고 생각한다. 여기에 그려진 그녀의 삶을 악당 이야기나 그저 그런 불행한 사건으로 묘사해서는 곤란하다. 적어도 나는 그녀가 예술에 기여한 바가 크다고 믿는 그녀의 추종자, 모방자, 필사자의 의견에 동의한다. 예를 들어, 많은 프랑스 여배우들이 변덕스럽고 예상치 못한 행운의 흐름, 더 훌륭한 연인, 더 환상적이고 흥미로운 모험과 혼란 속에서 더 풍요로운 삶을 살았다. 이사도라 덩컨이 여기에 등장한 이유는 우리가 간과해서는 안 될 그녀 인생의 근본적인 내적 존엄성 때문이 아니다. 그녀가 여기에 소개된 여러 비범하고 때로는 현란한 인물들 옆에 나란히 설 수 있는 것은 객관적으로 보더라도 그녀가 규모와 용기, 정신이라는 측면에서 우리 시대의 그 어떤 여성보다도 먼저 자신의 삶을 모험으로 바꾸려는 가장 순수한 시도를 했기 때문이다.

그녀는 우리의 관심 대상인 운명의 미스터리에 대해 스핑크스에게 질문했고 이상한 답변을 받았다. 그녀 자신도 자신의 어린 시절의 우여곡절이 너무나 이상하다고 여겼던 것 같다. 그녀의 묘사에 따르면, 샌프란시스코의 덩컨 가족들은 초라하고 낭비벽이 있으며 영리했다. 그녀의 어머니는 피아노 개인 교습으로 돈을 벌었지만, 가족들은 권리인 양 돈을 빌리고, 의무인 양 돈을 쓰는 등 일종의 집시 같은 임기응변에 빠져 살았다. 나는 젊은 시절에 그러한 부류의 사람들을 가까이에서 경험한 적이 있는데, 당시에 혐오와 놀라움이 뒤섞인 나만의 이론을 세웠던 기억이 난다. 실제로 그런 사람들을 나는 '개인 소득을 실천하는 사람들'이라고 불렀다. 이 사람들은 모두 기본적으로 약간의 낭비벽이 있고 까다로우며, 매력적이면서 피상적인 교양을 갖추었다. 그러나 불행히도 그들은 돈이 전혀 없다. 결국, 진정한 정신적, 실제적 친밀감은 오직 유연하고 온전한 중산계층의 도덕성에서만 찾을 수 있다는 점을 쉽게 알 수 있다.

이제 우리는 이사도라의 성격에 결정적인 영향을 미친 유년 시절을 좀 더 자세히 살펴볼 필요가 있다. 이를 위해서는 그녀가 스스로 제시한 다소 값싼 낭만적인 견해만으로는 충분하지 않다.

두 가지 중요한 요소를 살펴보아야 하는데, 둘 중 조금 덜 중요한 것은 책에 대한 사랑과 그에 따르는 모든 문화적 취향이다. 그녀의 가족은 책을 많이 읽었는데, 아주 특별한 종류의 책을 아주 특별한 방식으로 읽었다. 그녀의 이웃들이 말했듯이 그들은 남다른 책만 골라 읽었고, 특히 아이들은 더 고차원적이고 낯설고 무엇보다도 특이한 세계를 보여줄 것 같은 제목의 책에만 관심을 가졌다. 예를 들어, 그들은 (접하기 쉬운 다른 소설은 말할 것도 없고) 셰익스피어나 셸리*의 작품에는 거의 매력을 느끼지 못했다. 그러한 이름은 너무 흔해 보였기 때문에 그 작가들의 명작들은 다른 계층의 어린이들에게 양보했다. 우리의 주인공 샌프란시스코의 덩컨 가족은 그리스어가 적힌 『마르쿠스 아우렐리우스의 명언』이라는 신비한 제목의 책이 보이는 서점의 창가에 멈춰 서기도 했지만, 그들은 그리스어를 배울 생각이 전혀 없었다.

이사도라는 자신의 회고록에서 이에 관한 일화를 소개한 적이 있다. 지방 소극장 건물에서 호출을 기다리는 동안 그녀는 마르쿠

✳ 이사도라의 기록에 따르면 어머니는 덩컨 가족에게 셰익스피어와 셸리를 읽어주었다고 한다.

스 아우렐리우스에 깊이 빠져 있었다. 하지만 아무도 그 상황을 눈치채지 못했고, 그녀는 그 상황에 짜증이 났다고 한다. 물론 그녀가 그 책을 끝까지 읽었을 리는 없었다.

따라서 그녀의 다양한 독서와 잡학 지식은 열광의 대상이 쉽게 바뀌는 성격과 빠르게 훑어보는 습관 등에서 비롯된 결과였을 것이다. 그리고 아마도 그녀는 제대로 된 지식과 열정적인 학습, 그리고 이에 기초한 것들에 대한 질투 섞인 혐오감이 생기면서 강한 편견을 가지게 되었던 것 같다.

그녀의 흥미로운 유년 시절에서 살펴볼 두 번째 중요한 요소로는 어머니의 결혼 실패에 따른 영향을 꼽을 수 있다. 이사도라는 여성의 일상적인 운명과 남편의 지원이라는 개념을 단호히 거부했다. 바로 이런 점 때문에 그녀의 삶을 모험이라고 부를 수 있는 것이다. 매우 긴 논쟁거리가 될 수 있는 주제이지만 간략하게 요약하자면, 결혼이라는 제도 때문에 여성은 엄밀한 의미에서 모험가가 되기 어렵다. 이사도라처럼 모든 의존에서 벗어나는 것이 여성 모험가가 되는 첫 번째 전제 조건이다.

그녀의 어머니는 이혼으로 끝난 불행한 결혼 생활 때문에 아이들에게 아버지가 악마이자 괴물이라고 가르쳤을 뿐만 아니라 자신의 종교도 바꾸었다. 그녀는 가톨릭에서 갑자기 로버트 잉거솔이 주창하는 무신론의 신봉자가 되었다. 그러나 그런 이유만으로 절대 결혼하지 않겠다는 이사도라의 결심이 어머니의 가르침과 연관되어 있다고 생각하면 안 된다. 그런 결심은 오로지 그녀 자신의 강한 용기와 자신감에서 비롯된 것이다.

양육이라는 마법이 더해지면서 이사도라는 아름다운 소녀로 자랐고 또래보다 더 품위 있는 모습을 보였다. 자신의 삶을 쟁취하기로 결심하고 신들에 맞서는 거침없고 단호한 그녀의 모습은 이 책에 등장하는 다른 인물들보다 한층 더 대담하다. 그러나 그녀의 영적인 몸짓이 아직은 완성되지 않았으므로 관심을 가지고 좀 더 지켜보도록 하자.

그녀 안에서는 그녀가 경멸하며 포기했던 남편의 보살핌 대신에 순수한 감성과 모호함으로 요약되는 사회 이론이 자연스럽게 조금씩 생겨나고 있었다. 이는 그 시대에 잉태되어 다음 시대를 지배하게 될 사회주의라는 씨앗으로 자라났다. 그녀는 남편이 그녀를 돌보고, 부양하고, 먹여 살려주기를 원하지 않았다. 그러나 누군가는 꼭 그 일을 해야 한다고 확신했다. 그녀는 그 누군가가 국가가 되어야 한다고 생각했다. 하지만 처음에는 그 부양자로 집주인, 부자, 대중을 떠올렸었다. 그녀는 친척과 부모에게 의지할 생각이 없었다. 대신에 그녀는 사회로 눈을 돌렸다. 이에 대한 아름다운 예는 그녀의 고백에서 자주 나타난다.

뉴욕에서 공연 후 박수와 돈, 칭찬을 받은 그녀는 서슴지 않고 주최자인 귀부인을 찾아가 돈을 요구한다.

"6천만 달러를 가진 이 부자 여성은 책상으로 갔고, 우리의 상황에 대한 설명을 듣더니 수표를 한 장 써주었다."

겨우 50달러였지만 비슷한 일들이 자주 반복되었다. 그녀가 아주 어렸을 때, 집에 먹을 것이 떨어지면, 그녀는 항상 자원해서 정육점에 가서 주인을 설득해 돈도 내지 않고 교묘하게 커틀릿을 얻어냈다. 빵집에 가서 신용으로 빵을 살 수 있는 사람도 그녀였다. 만일 그녀가 이 나이에도 그러한 행위에서 최소한의 모욕을 분별할 수 있었다면 분명히 그녀는 분개하여 그것을 거부했을 것이다. 그녀에게 그것은 가진 사람이 주어야 한다는 단순한 정의의 문제로 보였다.

가난한 사람들의 권리라는, 사회주의적인 생각은 아니지만 본질적으로 사회적이면서도 반(反)니체주의적 개념에 대해서는 많은 남성이 동의하지 않을 것이다. 한편 마음속으로 동조하는 여성도 얼마나 많을지는 모르겠다. 사실, 어디에서나 일관되게 추진되고 있는 현대 국가의 형태는 남성적인 사회적 이상과는 구별되는 여성적인 사회적 이상과 매우 닮았는데, 그 일치는 결코 우연이 아니다. 그 끝 어딘가에는 위대한 부양자이자 모든 여성의 남편이자 모든 자녀의 아버지인 국가가 있다. 이는 공상가들에게 흥미로운 연구 주제이다. 만약 그렇다면 모험적이고 비사회적이며 남성적인 삶은 훨씬 더 엄격하게 반란의 성격을 띠게 될 것이다.

이사도라의 삶은 어릴 때부터 성실하고 의심할 여지가 없이 사회적 의존과 그 정서를 포함하고 있다. 그녀는 무대를 떼어놓고는 삶을 상상하기 어려울 만큼 삶의 대부분을 아름답게 장식된 자신만의 무대에서 보냈다. 그녀는 나중에 '고전 무용'이라는 적절하지 않은 이름으로 알려진 자신의 발명품에 대해 매우 솔직하게 설명했다.

그녀는 자신의 춤 앞에는 '고전'이 아니라 '낭만'이 더 잘 어울린다고 얘기했다. 개인적인 기분과 취향을 표현하는 자신의 예술은 확실히 고대 그리스 도예가들의 장식적인 태도를 차용한 것이며, 이는 아마도 어떤 기발한 모방을 암시한다는 표현 같다. 이 모호한 주제에서 확실한 점은 전성기의 그리스 춤과 이사도라의 춤은 닮지 않았다는 사실이다.

6살이 되자 그녀는 춤추듯이 뛰어다니기 시작했다. 유난히 활기차고 우아했을 그 모습을 본 다른 아이들이 환호하자 그들에게 동작을 가르쳐주었는데, 아이들의 부모들이 수강료라며 약간의 돈을 내놓기도 했다. 이 무용 수업은 덩컨 가족의 실천철학에서 나온 아이디어의 첫 번째 결과였다.

훗날 그녀의 어머니는 무용에 어느 정도 미래가 있을지도 모른다고 생각하고, 딸을 정규 발레 학교에 보내 정식으로 무용을 배우도록 했다. 발레 학교에 간 이사도라는 샌프란시스코에서 가장 유명한 발레 선생에게 춤을 배우게 되었다. 그런데 여기서 배우는 자세가 '추하고 자연에 어긋나기 때문에' 마음에 들지 않는다고 당당하게 말했고, 그 거장은 이 어린 소녀에게 제대로 답하지 못했던 것 같다. 그녀는 세 번째 수업을 받은 이후에는 학교로 돌아가지 않았고, 그때부터 스스로 춤을 추기 시작했다.

금세기(20세기-옮긴이)까지 지속되어온 (무용뿐만이 아닌) 예술의 감정, 이론, 실천의 직접적인 산물을 잠시 짚어보자. 그것은 그녀가 펼친 모험의 도구이자 지도, 혹은 칼이었으므로 우리는 다시 한번 멈춰서 이를 주의 깊게 살펴봐야 한다. 순전히 학문적인 관점에서 볼 때, 이 자유예술(Free-art) 이론은 명목상 영국 서정학파와 같은 낭만파의 영감주의(Inspirationism)에서 나온 것이며, 그리고 좀 더 고귀한 기원을 찾는다면 디오니시오스나 이사야와 같은 거친 신탁까지 거슬러 올라갈 수도 있다.

이사도라는 예술가라면 '자연으로', 특히 자기 자신에게로 돌아가야 한다고 생각했다. 그녀의 생각은 다른 모든 현대 예술에서 동시에 활용되는 생각과 일치한다. 더 이상의 규칙도 없고, 전통도 없다. 그녀와 동료들은 '인위'라는 단어 하나로 이 '자연'에 반대되면서 진부하고 거짓된 모든 나쁜 것을 함축하여 표현했다.

나는 이사도라가 어린 시절에 가졌던 생각, 예술가가 배우지도 않고 과거 천재들의 도움을 거부한 채 단지 자신의 불쌍한 자아만을 표현해 한다는 데 동의할 수 없다. 자연을 새롭게 정의하는 일은 어느 한 천재의 임무가 아니며 그런 천재는 매년은 아니지만 특정 시대에 아주 드물게 나타난다. 실제로 일반인이 교육받지 않은 채 자기표현만으로 예술을 한다면 쓰레기 같은 시, 음악, 춤을 만들어낼 확률이 높다.

어쨌든, 그녀는 훌륭한 능력을 가지고 있었고 그것을 영리하게 활용하였다. 그녀는 자신의 본성을 끌어내기 위해 그리스 꽃병에 그려진 춤사위를 채택했다. 그녀는 순수한 영감에 힘입어 점차 자신만의 복잡한 기술을 구축해 나갔고, 어떤 면에서는 이전의 기술들을 능가했는데, 어떤 기술은 너무 늦을 때까지 기다렸다가 시도한 탓에 완전히 습득하지 못했다. 그녀의 춤은 댜길레프의 발레에

많은 영향을 미쳤지만, 그녀 스스로는 절대 발레를 할 수 없었다.

그녀가 그 어떤 미국 여성이 달성한 것보다 더욱 큰 명성과 영향력을 얻기 위해 가족들과 함께 배낭만 메고 세계 정복에 나섰을 때, 위대한 생각은 마치 목검처럼, 여전히 유치하고 미숙했다는 사실을 잊지 마라. 매우 색다른 강렬함, 이론이 아닌 실질적인 재산, 꽃피운 젊음, 활기찬 아름다움, 뛰어난 건강, 이것들이 합쳐지면서 나오는 단순함과 에너지…… 직설적으로 말하면, 그녀를 성공으로 이끈 요인은 난해한 음악을 점프와 팔 동작으로 바꾼 그녀의 해석 능력이라기보다는 그녀의 맨발이었다.

그 성공은 놀라울 정도로 빨리 이루어졌지만, 그녀의 신념은 너무나 순수해서 스스로에게는 참을 수 없을 정도로 길게 느껴졌다. 그녀와 자주 만나지 않는 사람들조차도 그녀의 열정적이고 추상적인 말들, 무의식적이고 매력적인 포부, 완전히 새로운 턴을 선보이는 이 순진한 작은 미국 소녀에게 매료되었다.

'모두가 궁금해하는' 비극적인 표현을 위해 그녀는 자유의 여신상과 같은 하늘거리는 의상을 입고 멘델스존의 <봄>에 맞춰 춤을 추었고, 그 후 그녀의 여동생은 앤드루 랭이 번역한 테오크리토스의 시를 낭독했다. 그런 다음 그녀의 오빠가 청중에게 '춤과 그것이 인류에 미칠 미래의 영향'에 대해 강의했다.

영국인들은 이사도라의 밝은 눈뿐만 아니라 강의와 시 낭송도 그다지 좋아하지 않았다. 그녀는 자신만의 방식으로 런던 사회의 다양한 계층과 모임을 알아갔지만, 어느 곳에서나 그녀의 열정을 꺾는 차가운 반응, 다시 말하면 정중한 냉담함이 느껴졌다. 런던에서 덩컨 가족은 단지 발음 문제 때문에 공연 내용 중 말하는 장면을 포기했다. 대조적으로 이사도라는 개인적으로 분명 놀라운 성공을 거두고 있었다. 그러나 곧이어 그녀의 어린 시절처럼, 임대료를 납부하지 못하고, 공원 벤치에서 명상하는 시기가 다시 시작되었다. 무대 예술가들의 전기를 보면 눈부신 성공을 거둔 후에 이렇게 갑자기 무명과 빈곤 상태로 추락하는 상황이 종종 발견된다. 한편 박물관을 방문한 가족 중 한 명은 샌들을 발명했고, 이사도라 자신은 젊은 시인들과 어울리며 플라토닉 유희에 빠졌다.

그다음 도시는 당연히 파리였다. 런던과 파리의 환대와 박수에는 큰 차이가 있었고 그녀도 그것을 알아차렸다. 다만 평생 그녀의 믿음 중 일부를 차지했던 민족주의라는 신념 때문에 그 원인을 정확하게 파악하지는 못했다. 그 차이는 막다른 골목과 뻥 뚫린 고속도로의 차이만큼이나 극명했는데, 단지 영국인은 차갑고 냉담한 반면 프랑스인은 활기차고 예술을 사랑해서 훨씬 따뜻하게 반응하기 때문이 아니었다. 영국인들이 감정을 드러내지 않을 수도 혹은 그 반대일 수도 있겠으나, 영국 문명은 확실히 새로운 것을 싫어한다. 영국인들은 교육과 그 부산물인 신경쇠약으로 예술을 즐길 때조차도 종교에서처럼 숭상하고 조용히 경배할 대상을 찾으며, 그 숭배의 대상이 되는 필수 요소는 전통이다. 만약 오늘날, 이사도라가 나이 들고 힘은 빠져도 여전히 인정받는 인물이 되어 다시 런던에 방문할 수 있다면, 그때에는 영국의 냉담함에 대한 그녀의 생각을 수정해야만 할 것이다.

이에 비해 현대 문명을 대표하는 프랑스에서는 독창성이라는 요소가 가장 중요하며 기시감(Déjà vu)은 용서할 수 없는 비난의 대상이 된다. 당시 프랑스인들은 이사도라가 새로울 뿐만 아니라 현대적이라고 생각했다. 미국 청교도주의의 거센 물결이 그녀에게 영감을 준 '자연으로 돌아가라'라는 주제는 독창성을 강조하는 프랑스의 취향과 어우러져 모든 예술 분야를 지배하기 시작했다. 모두가 이사도라처럼 말했고, 모두가 위대한 비밀을 발견하고는 그녀처럼 기본 개념을 배우기 거부했다. 예술에서 자기표현이라는 향연이 준비되는 동안 이사도라가 전채 요리를 들고 나타난 것이다. 이로써 용감하고 어린 무용수의 공적인 경력을 격려하고 인정하는 환경이 만들어졌다. 프랑스에서는 처음에는 매년, 거의 매달 그녀의 명성이 높아졌다.

그녀는 꽤 일찍부터 보수는 좋으나 품위가 떨어지는 베를린 공연장과의 계약을 거절하는 통찰력을 보였다. 그러나 모든 진정한 모험가들의 평범한 역설, 즉 위험을 감수하는 이 사람들의 의지를 도덕이라는 잣대로 해석하려는 상황이 그녀에게도 찾아왔다. 이사도라는 무서운 속도로 목표를 향해 가고 있었지만, 그 방향에는 명분이 있어야 한다는 생각으로 고민에 빠졌다. 그녀는 언젠가 독일의 기획자에게 "춤을 통해 종교의 재탄생을 가져오고자 유럽에 왔다"고 대답하기도 했다.

오랫동안 그녀는 자신의 예술적 이상과 막연한 박애주의의 원칙, 즉 희미한 사회주의 사이의 연관성을 찾고자 했다. 채식주의는 그녀의 계획에 포함되었다가 다시 거부되었고, 가난한 아이들에 대한 국가의 지원은 '스파르타로 돌아가라'라는 구호와 뒤섞였다. 그녀는 자신이 의미하는 바를 공식화하기 위해 부단히 노력을 기울였다.

그녀는 신성한 인간의 영혼을 육체적으로 재현해내는 방법을 찾기 위해, 어머니를 놀라게 한 황홀경 속에서 몇 시간 동안 서 있었고, 마침내 자신이 발견한 것을 흐릿한 공식으로 요약했다. 예언자 같은 그녀의 필사적인 모습은 우리가 앞서 살펴보았던 초기의 쿠란 경구를 만들던 무함마드의 모습과 묘하게 닮았다. 그 수수께끼 같은 결과는 그녀의 추종자들에게 맡기고, 그녀의 다른 의도에 대한 편견은 버린 채 우리가 주목해야 하는 것은 그녀가 젊은 육체라는 매력과 그녀의 예술을 분리하려 했다는 점이다.

그녀는 자신의 춤이 하나의 예술이 되려면 열아홉 살의 미인뿐만 아니라 중년의 여성도 해낼 수 있어야 한다는 사실을 어렴풋이 알게 되었다. 나이 든 발레리나도 적어도 갓 데뷔한 발레리나만큼 여전히 만족스러울 수 있다. 그러나 그녀가 고전 무용을 (이러한 매력이 퇴색하거나 두꺼워지면 견딜 수 없고 참을 수 없는) 가벼운 옷차림의 님프들이 만들어내는 매혹적인 광경 이상의 것으로 만들 수 없었을까?

이에 대한 대답은 나의 일이 아니기도 하고 내 능력 밖의 일이지만, 현재 그리고 그녀의 인생이 끝날 때까지 그녀가 그 문제에 기울인 관심과 그 깊이에 대해서는 언급하고 싶다.

한편, 그녀는 유럽의 여러 도시에서 성공을 거두며 꾸준한 상승 곡선을 그렸다. 그녀는 특히 상트페테르부르크를 좋아했고, 그곳에서 러시아 발레단의 비공식 창시자인 세르게이 댜길레프, 그리고 안나 파블로바와 바츨라프 니진스키를 만났다.

그녀의 사적인 사랑의 모험에 관해서는 그녀가 자서전을 통해 세상에 말한 것을 다시금 연대순으로 자세히 설명할 생각이 없다. 연애 문제를 흥미롭게 묘사하는 것보다 어려운 문학적 과제는 없을 것이며, 이사도라는 고백을 주저하지 않는 훌륭한 용기를 가졌으나 (진정성에도 불구하고) 좋은 작가는 아니었다. 그녀의 연애사 자체는 이해하기 힘들 정도로 평범하고 진부했다. 등장하는 남성들은 마치 소녀가 표현하듯 묘사되어 당황스러울 정도로 어색하고 이상해 보일 뿐만 아니라, 이 완전히 무심한 소녀와의 관계에서 거미나 곤충들 사이에서 보이는 비참한 수컷의 역할로 전락해버렸다.

세상에 잘 알려진 것처럼, 말로 표현할 수 없는 이 모든 시의 결과는 두 명의 아름다운 아이들이었다. 또한 센강에 빠진 택시 사고로 안에 타고 있던 가정교사와 함께 그 두 아이가 익사했다는 사실도 잘 알려져 있다. 사실 이 사고도 리스본 지진, 샌프란시스코 지진, 메시나 지진(1908년 이탈리아 남부 메시나에서 발생하여 75,000여 명이 사망한 대지진-옮긴이), 제너럴슬로컴호 화재(1904년 뉴욕 이스트강에서 유람선 화재로 침몰하여 1,030명이 사망한 사고-옮긴이), 타이타닉호 침몰, 파리 자선바자회 화재(1897년 자선 행사 화재로 여성 126명이 사망한 사고-옮긴이)와 같은 자연적인 재앙이었다.

낙관주의가 마약보다 효과적이라고 주장하려면 먼저 현실을 있는 그대로 바라봐야 한다. 불행하게도 그러한 잔인함에 대한 보상과 미래의 삶에 대한 호소는, 설사 그것이 백만 년의 행복과 망각으로 이루어졌더라도, 고통을 피하게 해주지 못한다. 그뿐만 아니라 아이들이 물에 빠져 익사하는 그 숨 막히는 순간을 잊을 수 있도록 천상의 사탕 봉지를 쥐어주는 상상을 한다 해도 우주에서 구경꾼인 우리의 마음은 편안하지 않다. 만약에 인생 전체를 놓고 볼 때 고통에 비하여 기쁨이 컸다고 하더라도, 이런 공포는 대단히 상업적인 마인드를 가진 사람들을 제외하고는 핏빛 붉은 염료로 남아 직물 전체를 얼룩지게 한다. 위험과 그에 따른 정서적 부속물인 공포는 우주의 필수적인 두 가지 요소다.

모든 삶은 절박한 모험이며, 좋건 나쁘건 참여자로서는 탄생이 죽음보다 더 위험하고 더 모험적이다. 모험가는 괴물에 맞서기 위해 야외로 나가지만, 대중과 함께 실내에 머무는 우리도 그에 못지않게 위험을 감수한다.

어떤 삶이든, 가장 거칠고 엄격한 것은 반드시 그러한 한 번의 타격으로도 두 동강 나기 마련이며, 때로 그것은 인간이 가진 회복력의 한계를 훨씬 넘어선다. 그러므로 오직 형이상학적인 의미에서만 인격의 연속성이 가능하다. 이런 사건으로 인격은 분명히 분절되며 위장을 포함해 다양한 모습으로 나타날 수 있다. 가장 확실하면서 또한 가장 추한 반응은 죽거나 미치거나 자살하는 것이다. 그리고 인내의 한계를 넘는 고통을 겪은 사람들만이 알고 있는 자살의 한 형태는 바로 자신을 이미 죽은 것으로 여기는 것인데, "그때 나는 죽었다"라고 말한 이사도라도 여기에 속할 것이다. 단지 겉으로 피를 흘리지 않았을 뿐이다.

이후 이사도라의 모습은 단순하고 무딘 자들에게는 기만적으로 보였을 수도 있다. 같은 사람, 같은 삶이 같은 방향, 같은 계획으로 계속 나아가는 모습은 너무나 순조로워 보여서, 외부에서 보기엔 영적인 취향에 따라 감탄할 수도 있고, 또는 은밀하게 무자비하다고 비난할 수도 있다. 우리는 그러한 속임수에 빠지지 않을 것이다.

우리가 알고 있는 밝고 약간은 모호하며, 약간은 우스꽝스러운 그녀, 지난 10년 동안 거의 모든 유럽 문화를 삐딱한 길로 인도한 관대한 소녀 이사도라 덩컨은 이제 끝났다. 같은 이름을 가진 다른 사람이 계약을 마무리하지 않은 채 죽은 소녀의 모험을 이상하고 끔찍한 결론으로 끌고 갔다. 이 모험은 전과 같지 않았다. 내가 보기에 이야기의 맥락과 그 모든 세부 내용이 눈에 띄게 거칠어지고 진부해졌다. 빛나던 작은 선지자는 어느새 프리마돈나가 되었고, 매년 놀라운 발견에 열광하기보다는 더욱 진중해졌다. 그녀의 춤에 새로운 것이 추가되지 않았지만, 그녀의 기술은 더욱 어려워지고 풍부해졌다.

인간성에 대한 그녀의 순진한 주장은 점점 더 노골적인 사회주의로 변하고 있었다. 사실 그녀가 레닌주의를 지지한 데에는 지적인 기반이 부족해서였지만, 깃발을 휘날리며 붉은 튜닉을 입은 모습은 이전의 이사도라가 꿈꾼 흥미진진한 백일몽이라기보다는 광적인 한 여성의 간절함에 더 가까웠다.

그녀의 친구 두 명이 그녀의 러시아 방문 일화, 예세닌과의 결혼, 미국으로 돌아온 후 비난당한 이야기들을 역사적 의무로서 매우 자세하게 기록하여 세상에 전했지만, 나는 그 이야기가 흥미롭기보다는 고통스러웠다. 그녀는 러시아가 세기에 걸쳐서 자신 있게 거둬들인 최초의 수확물인 루나차르스키파, 마리엔고프파, 이마지니스트파(Imaginists), 뒤늦은 미래파 사람들과 어울렸다. 그리고 이전과는 달리 그들을 자신의 장엄한 삶이라는 춤의 기괴한 배경으로 삼지 않았다.

그녀에게는 (발레) 무용가이자 모스크바에서 추방당한 예술가 소유의 공동주택이 제공되었는데, 그녀는 이를 수락하면서도 잘 갖춰지지 않은 가구를 비판했다. 부르주아 여성들에게서 압수한 막대한 양의 모피 재고품을 둘러보던 그녀는 무료라고 생각하고 코트를 골랐다가 감독관으로부터 무시당하기도 했다. 한번은 오케스트라 지휘자에게 러시아 어린이들을 돕기 위해 많은 것을 희생했다고 얘기한 적이 있는데, 그 말을 들은 그 공산주의자 지휘자는 경멸적인 표정을 지으며 단원들을 데리고 나가버렸다.

이런 모든 실망스러운 일화 중에서도 최악은 젊은 세르게이 알렉산드로비치 예세닌과의 결혼이었다. 그는 러시아 문학계의 신진 거물 중 한 명이었으나 그의 매력은 번역을 거치면서 빛을 발하지 못했다. 모두 새로운 정권의 열렬한 지지자였던 문학인들은 자신들의 재능과 천재성도 이전 소유주들로부터 강제로 빼앗은 부나 재산과 같다고 생각했던 것 같다. 그들은 예술의 프롤레타리아에게 천재성을 압수당한 채, 자신들이 썼거나 알고 있는 것보다 더 많이 술에 빠졌고, 거의 항상 취해 있었다. 그들의 삶은 모든 것이 집단 체제였기 때문에 함께 살고, 싸우고, 심지어 사랑했으며, 그들이 한 일에 대해서도 집단적으로 비판하고 판단했다.

그러나 부랑자, 깡패, 불량배 등의 삶을 배경으로 하는 예술적 어조와 주제의 선택은 독창적일 수도 있고 혹은 진정한 민족주의에서 나왔을 수도 있지만, 그들의 기법과 이론은 대부분 10~12년 전 카르티에라탱(Quartier Latin, 라틴 지구로도 불리며 학문의 중심지이자 예술가들의 활동 무대가 되는 파리의 한 구역-옮긴이)에서 유래된 계보를 잇는 것처럼 보였다.

우연히도 여기저기 놓인 발랄라이카 칵테일을 마신 예세닌과 쿠시코프(Koussikoff)를 앞세워 이사도라의 고요한 사원으로 뛰어들어간 이 젊은 자기표현주의자들은 한 세대 전에 자신의 힘으로 완전히 새로운 춤이라는 예술을 창조했던 젊은 이사도라의 정신적 원기를 마주하게 되었다. 이런 사실을 바탕으로 이사도라와 젊은 남편의 첫 만남에서 무슨 일이 일어났을는지 나름대로 상상해보기 바란다.

"그녀는 소파에서 일어나 피아니스트에게 쇼팽 왈츠를 연주해 달라고 부탁했다. 그 곡이 금발 시인의 서정적 영혼에 호소할 수 있을 것 같았기 때문이었다. 그녀는 황홀한 기쁨과 매혹적인 우아함으로 리듬에 맞추어 몸을 움직였다! 음악이 끝나고 그녀는 반짝이는 눈으로 천진난만한 미소를 지으며 앞으로 나와, 동료들과 큰 소리로 이야기를 나누고 있던 예세닌을 향해 손을 뻗으며 자신의 춤이 어땠는지 물었다. 통역사가 그녀의 말을 전했다. 그러자 예세닌은 무언가 거칠고 난폭한 말을 뱉어냈고 술에 취한 그의 친구들 역시 거칠고 난폭한 웃음을 터뜨렸다. 통역을 맡은 친구가 머뭇거리는 표정으로 이렇게 말했다. '그가 말하길 정말 끔찍했고…… 자기도 그보다는 더 잘 추겠다고 하는군요.' 굴욕감을 느끼며 의기소침해진 이사도라에게 그가 내뱉은 말 전체가 통역되기도 전에 그 시인은 미치광이처럼 방을 돌아다니며 춤을 추고 있었다."

이 사람과의 결혼 생활은 사실상 이사도라의 남은 인생을 채웠기 때문에 그녀의 모험은 여기서 끝난다. 나에게 이런 결말은 앞서 살펴본 모든 이야기 중에서 가장 비극적이지만, 결혼 생활에는 외적인 측면뿐만 아니라 내적인 측면도 있기 마련이다. 이사도라는 그를 러시아 밖으로 데려가서 유럽이 가진 아름다움과 미국이 가진 경이로움을 모두 그에게 보여주고 싶었기 때문에, 요컨대 그에게 삶을 즐길 기회를 주기 위해 그와의 결혼을 결심했다. 청혼을 즉시 수락한 이 남자는 한때 영국 군인들 사이에서 흔히 볼 수 있었던 머리 장식품을 사용하여 머리카락을 이마 위로 깔끔하게 넘긴 잘생긴 청년이었다.

전형적인 거짓 모험가인 그는 한동안 사람들의 관심을 끌었다. 그는 그녀보다 십몇 년이나 어린데, 폭음 습관 때문에 이미 만성질환을 앓고 있었다. 그는 러시아어밖에 몰랐기 때문에 둘 사이에는 거의 대화가 불가능했다. 그는 자신의 시적 야망과는 별개로, 삶에 대한 일반적인 태도로써 자신이 모험가라고 주장했으며, 자신을 가장 대담하고, 가장 사심 없고, 가장 경쾌한 사람이라고 여겼다. 그는 하루살이처럼 생활하면서, 뒷감당을 고민하지 않은 채 당장 쓸 수 있는 것은 모두 써버렸고, 빚을 갚지도 않았으며, 손닿는 곳에 있는 깨지기 쉬운 것은 무엇이든 깨뜨렸으며, 매일 저녁 시끄러운 말다툼을 벌이는 자신의 패거리들 외에는 모두를 멸시했다. 한마디로 그는 진보한 랭보의 사상(Rimbaudism)에 따라 글을 썼고, 자신이 생각하는 멋진 인물상에 어울리는 삶을 살았다.

한편 이사도라가 세계의 절반을 여행하면서 그녀 자신을 힘들게 했던 자기표현이라는 거대한 꾸러미 포장 안에는 소유욕과 자기 보호 본능이라는 매우 평범한 핵심이 감춰져 있었다. 예세닌은 부르주아적 윤리관을 공개적으로 경멸하면서도 비행기, 자동차, 고급 호텔의 스위트룸, 일반적으로 저명인사들이 모이는 이사도라의 연회장에서 차지하는 명예로운 위치 등을 받아들였다. 예세닌은 점점 괴팍해졌고 아들론 호텔로 돌아온 이사도라는 잊을 수 없는 (그녀의 자녀인) 디어드라와 패트릭의 사진첩을 보며 울고 있었는데, 그 모습을 발견한 그는 술에 취해 울부짖으며 그녀의 손에서 사진첩을 빼앗아 불 속에 던졌다.

소중한 추억의 물건을 지키려는 그녀를 막아서며 그는 이렇게 얘기했다. "당신은 저 아이들을 생각하느라 너무 많은 시간을 쓰고 있어." 실제로 그는 동료들에게 보낸 편지에서 요약한 다음의 신조를 성실하게 실천했다. "우리 야만인이 되자. 고약한 냄새를 풍기

자. 모든 이들 앞에서 뻔뻔하게 등을 긁자.”

그가 술에 취해 고함을 지르고 난동을 부리는 바람에 그녀는 파리의 호텔에서 쫓겨나기도 했다. 그의 난동은 언제나 경찰이 나타나면 멈추곤 했다. 성미 급하고 다혈질인 파리 경찰들이 오면 그는 ‘봉 폴리차이(Bon Polizei, 순경 나으리)’라고 굽신거리며 온순한 어린 양처럼 변했다.

이사도라의 길은 일종의 늪지로 이어졌다. 유쾌하고 대담하게 시작된 그녀의 비행에 관심을 가지는 이유는 항로 이탈이 모든 여성의 모험에 일정하게 나타나는지를 확인하고 싶었기 때문이다. 도덕적인 칭찬이나 비난은 우리의 관심사가 아니지만, 맹목적인 운명의 법칙이 아니라 일종의 잘못된 취향, 즉 ‘거짓말의 채택’이 작용하고 있음을 쉽게 알 수 있다. 어떤 의미에서 예세닌은 이사도라가 평생 설파했던 이상을 거의 완벽하게 구현했다.

그녀가 그렇게 살지 못했던 이유는 품위 때문이었다. 단순히 다른 사람의 소유와 안락뿐만 아니라 소유와 안락 자체에 대한 진정한 경멸은 완벽하게 가능하지만, 그러기 위해서는 스스로 금욕주의자, 은둔자의 삶을 살아야만 한다. 즉, 낭비, 파괴, 과시, 최고급 호텔, 자극적인 술, 좋은 친구, 육체적 쾌락을 사랑하는 사람들은 그에 맞는 돈을 벌거나 아니면 추악한 보호색을 가진 기생충이라는 비난을 감수해야 하고, 또한 보헤미안을 이상형으로 삼지 않도록 주의해야 하는데, 그렇지 않으면 언젠가 보헤미안과 함께 세계를 돌아다녀야 할 수도 있기 때문이다.

불행히도 이 결혼은 냄새 나는 고인 물과 같았다. 그녀가 자신의 우주에 구축해놓은 깨지기 쉬운 다른 오류는 곧 그녀를 무너지게 만드는 약점이 되었다. 그녀의 춤은 물론 가난하고 교육받지 못한 사람들에 대한 맹목적인 그녀의 사랑조차도 그녀 자신의 꿈이 실현된 러시아에서 그녀를 끔찍하게 배신했다.

사람은 잘 짜놓은 상상력을 바탕으로 자신의 삶을 규정하며 살아갈 수 있다. 우리는 위인에 관한 책을 탐독한 칼 12세가 러시아로 먼 길을 떠나는 모습을 확인했다. 그러나 굳게 믿었던 오류가 지나치게 크면 가장 강한 생명조차 약하게 되어 가장 위대한 모험을 고름처럼 썩게 할 수 있다.

만약 이사도라가 자신에게 완전히 솔직했다면, 승리한 러시아 프롤레타리아를 위해 그녀가 만들어낸 예술이 실패했다는 사실과 러시아의 광활한 지역을 통과하는 길고 힘든 여정이 결국은 황홀한 성공을 거둔 전통적인 발레리나의 발자취와 다를 바 없다는 사실을 인정해야만 했을 것이다. 그리고 이런 사실들이 예세닌에 대한 실망보다 더 큰 상처를 주었을 것이다.

그럼에도 무대, 가면, 젊고 날씬한 몸, 조명 및 음향 기술의 도움으로 그녀의 춤 자체는 물론이고, 어느 정도 인정받는 그 각색 혹은 단순한 표현은 여전히 유럽 전역에서 관객을 끌어모으고 있었다. 너무 모호하고 난해한 파생 요소들은 아마도 그녀의 희망대로 사라지거나 대체될 수 없는 예술의 레퍼토리에 추가될 것이었다.

우리 시대 여성의 야망을 감안하더라도 이사도라의 삶은 규모,

명성, 독창성 등의 측면에서 독보적이다. 그러나 결국 그녀의 비극적인 이탈은 이해할 수 없는 운명의 끔찍한 외부적인 개입으로 발생했다. 롤라의 삶에서도 운명이 여성 모험가에게 잔인하다는 점에서 신이 여신이 아닐까 하고 언급했다.

지금까지 나를 따라온 사람이라면 다시 언급할 필요가 없겠지만, 이사도라는 평생 프랑스 의류업에서는 플루(Flou)라고 부르는 헐렁하고 하늘거리는 옷을 선호했다. 어느 날 저녁, 많은 새로운 계획을 세우던 그녀는 니스의 영국인 산책로에서 즉사했다. 질주하는 자동차의 바퀴에 끼어 마치 악의에 찬 분노에 휩싸인 듯 그녀를 갑자기 잡아당긴 것은 그녀의 스카프였다.

제12장

우드로 윌슨

"이것은 모든 전쟁을 끝내기 위한 전쟁이다."

———◆———

———◆———

Thomas Woodrow Wilson

(1856년 12월~1924년 2월)

미합중국 제28대 대통령. 독실한 장로교도인 그는 저명한 역사
가이자 정치학자로, 민족자결주의를 제창한 것으로 유명하다.
1919년 노벨평화상을 수상하였다.

TWELVE
AGAINST
THE
GODS

흔히 성(姓)으로 불리는 윌슨을 책의 마지막에 등장시킨 이유는 이런 구성이라야만 지붕을 덮고 건물을 완성할 수 있다는 확신 때문이다. 역사상 윌슨만큼 건물의 메인 홀과 탑, 그 위로 우뚝 솟아오른 갤러리와 다락방을 하나로 아우를 만큼 충분한 규모와 다양성을 갖춘 인물은 없었다. 그의 세계 탐구를 하나의 모험으로, 그리고 그를 가장 높은 수준의 모험가로 부르는 것이 어색하게 여겨질 수도 있다. 그러나 이 사람처럼 모험가의 전형에 완벽하게 들어맞는 인물도 없다.

그에 대한 진부한 비난 중 하나는 그가 자신을 스스로 고립시켰다는 점이다. 그러나 그가 서명을 거부한 것은 혼자서 모든 일을 감행했다는 충분한 증거였으며, 이는 우리가 이전부터 알고 있듯이 순수한 모험가에게 낙인을 찍는 가장 확실한 방법 중 하나이다.

당연히 이 낙인은 순전히 정치적인 것이지 앞서 살펴본 경우처럼 도덕성과는 조금도 관련이 없다. 이미 우리는 공정함이라는 특권을 얻기 위해서 비난이나 칭찬은 접어두기로 했다. 그리고 윌슨의 위대한 행동은 알렉산드로스, 콜럼버스, 나폴레옹의 삶에서 언급한 세계 정복, 세계 발견, 세계 전복이라는 탁월하지만 이견이 있을 수 있는 업적과도 밀접하게 관련되어 있다.

그는 미국이라는 대륙 제국의 최고 수장이었다. 그는 이런 거대한 권력을 마치 칼을 칼집에 집어넣거나 뽑아서 휘두르듯이 마음대로 사용한 인물이다. 그는 바로 이 권력으로 세계 전쟁을 끝냈고, 이후에는 인류를 구하기 위해 직접 나섰다. 이런 행보는 적어도 로맨스와 비견할 수 있는, 인류애를 실천하는 행동이자 실현이다.

그는 모험가들의 모임에 들어올 수 있는 완벽한 조건을 갖추었고, 나아가 훌륭한 행동까지 더해졌으나, 내 생각에 의지의 방향이라는 점에서 그는 다른 인물들과 근본적인 차이를 갖고 있는 것 같다. 그는 불타오르는 열망으로 더 높은 목표를 향했다. 다른 모험가들은 자신을 위해, 기껏해야 가족을 위해, 혹은 무함마드처럼 고향을 위해 싸웠지만, 윌슨은 인류 전체를 위해 싸웠다. 그의 동기는 너무나 순수했고, 그의 정적들은 가장 무해한 개인적인 허영심, 즉 최소한의 인간적인 허영심을 제외하고는 아무런 흠결도 찾아낼 수 없었기 때문에, 그의 모험은 어떤 의미로는 인류 그 자체의 모험이라고도 할 수 있었다.

다른 모험가들과는 달리, 윌슨의 이야기에서는 온 인류가 우주와 그리고 신들과 씨름한다. 이런 이유로 그가 모험가를 찾아 떠난 우리의 여정을 마무리하게 되었다.

먼저 모험가만이 위험에 빠진다는 생각에서 벗어나기를 바란다. 벽이 아무리 두껍고, 보루와 국가, 사회, 헌법이 아무리 강하다할지라도, 집을 떠나지 않는 자들도 좋든 싫든 생사를 건 집단적인 모험을 하고 있다. 지붕은 위협적이거나 희망적인 하늘을 가릴 수 있지만, 위험은 에테르와 같아서 모든 물질에 스며들어 있다. 우리의 모험은 지구의 자전과 태양계의 충격 속에서 무한한 광활함을 통해 계속된다. 새로운 곳으로 모험을 떠나는 모험가는 자신의 위험을 인지하지만, 무리 지어 있는 우리들은 그렇지 못하다.

거대한 인류 집단은 함께 모여서 이리저리 휘둘리다가 위로 던져져 진보를 만나거나 아래로 내쳐져 암흑시대를 만났다. 그때 마침 용감한 누군가가 방향타 없는 이 난파선을 제자리로 끌어오려고 했고 더 나아가 암초에 좌초된 배를 빼내어 구하려 했다. 당연하게도 그러한 모험이야말로 가장 야심 찬 모험이라고 할 수 있다. 이를 다르게 풀어쓴다면, 그 용감한 누군가는 바로 윌슨이었고, 그는 민주주의를 위해 세상을 구하고자 했다.

다행히도 이제 모든 사람이 민주주의라는 놀라운 단어의 배경이 되는 수많은 요구 사항을 이해한다. 따라서 우리는 윌슨이 펼친 모험의 과정과 결론에 영향을 미친 가장 중요한 구성 요소 중 몇 가지만 상기하면 된다.

오늘날 민주주의는 정부 체제의 한 형태이자 인류의 가장 확고한 희망으로 여겨지며 다행히도 사실상 의무 사항이 되었다. 그러므로 우리는 이에 대해 길고 어려운 조사를 하지 않아도 된다. 마치 중세 유럽의 철학자가 자신의 세상을 '기독교국'이라고 부르듯이, 윌슨은 '민주주의'를 자신이 알고 있는 인류 전체의 동의어로 사용했음이 분명하다. 간단하게 말하면 민주주의는 인류의 희망에 기반한 정부 체제이다.

즉, 민주주의는 모든 인간의 희망과 마찬가지로 각 개인이 무엇이 자신의 이익에 부합하는지 알 만큼 현명해야 하고, 그 이익을 동료들의 이익으로 끌어올릴 만큼 이타적이어야 한다는 바람에 뿌리를 두고 있다는 이야기다. 또한 이러한 의지 표현의 총합은 간단한 산술을 통해 하나의 의지로 요약될 수 있고, 이는 국민의 의지라고 부르며 항상 공정하고 오류가 없으며 현명하다고 볼 수 있다.

그러나 실제로는 이러한 단순한 원칙에도 수많은 수정과 조율이 필요하다. 거의 모든 정치사와 과거 정치철학의 발전은 이러한 개선 과정의 결과였다. 민주주의 원칙에 따라 모든 시민이 동시에 모여 자신의 의지를 통합하는 것은 사실상 불가능하다. 파리의 거리와 광장에서 가능한 많은 대중을 모으고, 그들이 정의와 권리를 지지하도록 격려했던 로베스피에르처럼 이론을 순수하게 실제에 적용하려는 시도는 비참한 결과를 낳았고 때로는 사상가의 처참한 죽음으로 이어졌다. 그 이후로는 국민의 타고난 미덕이 선거라는 도구를 통해 극대화되고 정제되는 영국의 방식이 일반적으로 사용되었다.

여기서 사람들이 순수이론을 실제로 구현하는 데 필요한 여러 방식을 모두 나열하기는 불가능하며, 만약 그래야 한다면 현대 진보의 역사를 써야 할지도 모른다. 몇몇 위대한 인물들은 교육을 통해 인간에게 자연스럽게 드러나는 본능적 의지를 정화해야 한다고 조언했고, 우리에게 일간지를 제공함으로써 이를 간접적으로 실천하고 있다. 이 문제에서 극적인 역할을 맡게 된 볼셰비키나 공산주의자들은 이런 생각을 가장 적극적으로 실천했는데 이들은 결국 정반대 방향을 택하여 가장 순수하고 가난한, 즉 가장 많은 사람이 정부에 참여하는 방식을 거부했다.

군중의 함성과 불만을 신중한 정치적 계획으로 바꾸기 위해 신탁이라는 전통이 고안되었다. 그러나 실제로 '신중한 정치적 계획'에 전혀 영향을 받지 않는 투표는 인간 본성의 기초가 되는 훌륭한 본성의 총합이 아니라 허영심, 두려움, 게으름 등 좋지 않은 본성만을 드러내는 경우가 너무나 많다. 앞서 두 나폴레옹 모두 직선 투표에서 거듭하여 국민의 압도적 다수를 확보하지 않았던가? 이를 보면 대중의 목소리를 제대로 이해하기 위해 조화로운 해석 기술이 필요한 것 같다.

우드로 윌슨은 자신의 신념뿐만 아니라 실천, 교육, 연구를 통해 순수한 민주주의 교리와는 엄격하게 구별되는 세련된 형태의 전체 복합체를 구현한 인물이었다. 즉, 윌슨은 시에예스, 심지어 볼테르부터 글래드스턴, 가리발디와 링컨에 이르기까지 이전 세기의 위대한 온건 개혁가들을 모두 자신의 이름으로 통합했다. 그는 대중의 주요 희망, 즉 유일한 보편적인 행복을 위해 신성하게 임명된 수호자였다. 그는 성실하고 믿음직하며 한 치의 오차도 없이 자신의 힘으로 열정적으로 직무를 수행했다.

모험의 규모를 이해하려면 이 점을 분명히 명심해야 한다. 윌슨은 민주주의 교리의 화신이었다. 그는 그것을 믿고, 꿈꾸며, 그것을 위해 싸워온 모든 이들의 대표자였다. 행동하는 사람인 그는 셸리,

위고, 하이네(Heine, 독일의 시인-옮긴이), 제퍼슨, 밀, 마치니(Mazzini, 이탈리아의 애국자-옮긴이) 등 위대한 철학자와 시인의 사상을 실행하는 도구였다. 그는 그들의 정신과 과학의 도움으로 인류를 구원하고자 했다.

세계사에서 그의 역할과 위치를 알아봤으니, 이제는 그의 개인사를 살펴보자. 민주적 신앙 전체로 가는 여정에는 복음주의 기독교와 법학이라는 두 가지 넓은 길이 있는데 윌슨은 이 두 가지 길을 차례로 걸었다. 그의 아버지는 교회 정부의 민주적 형태 중 하나인 장로교 소속 목사였다. 그가 특별히 경건한 사람이었다는 얘기는 어디에도 나오지 않지만, 어쨌든 여기에서 인류 전체를 위한 공통적이고 예정된 선이라고 하는 민주주의의 밑바닥에 깔린 뿌리 깊은 희망을 받아들였다. 이러한 환경에서는 삶의 방향을 선택할 여지가 거의 없었다. 이에 대해 윌슨은 다음과 같은 글을 남겼다.

내가 선택한 분야는 정치였고, 내가 몸담은 분야는 법이었다. 전자에 들어간 이유는 그것이 후자로 이어지리라는 생각 때문이었다. 한때 그것은 안전하고 확실한 길이었는데, 오늘날에도 의회에는 변호사들로 가득 차 있다.

그는 다양한 대학들에서 자신의 진정한 목표를 잃지 않고 원칙을 따르면서도 폭넓게 독서했고 시험 성적도 꽤 잘 나왔다. 존스홉킨스대학에서는 프린스턴대학이나 버지니아대학에서처럼 자신의 전문 과목에 대한 관심이 너무 강한 나머지 그는 때때로 교수들에 대한 긍정적인 적대감(Positive hostility)을 품게 되었다. 그에게 수업이란 출석을 위한 것이라기보다 학업을 방해하기 위한 것으로 보였다. 당시 그가 읽은 독서 자료 목록이 잘 보존되어 있는데, 거기에는 실제로 그가 열렬히 추구하는 목적에 부합하는 도서가 기록되어 있고, 그의 신념을 방해하는 저자는 전혀 포함되어 있지 않았다.

이후 그는 놀라운 미래를 향해 매우 올바른 한편 매우 특이한 길을 선택했다. 그는 박사학위를 취득하고는 교수로 활동했는데, 내가 아는 한, 교수에서 미국 대통령이 된 사람은 윌슨을 제외하고는 아무도 없다. 전통을 깨면서도 자신의 목표를 포기하지 않았던 그는 이런 면에서도 강한 모험심의 전형적인 특징이 보여준다.

그의 작품은 『의회 정부론』으로 시작하여 1889년에 출판된 『국가』에 이르기까지 그가 집필한 저서들의 내용은 흥미로울뿐더러 그가 누렸던 명성으로 이어지는 중요한 디딤돌을 제공했다. 또한 이를 통해 그가 민주주의 교리를 어느 정도 흡수했는지 알 수 있다. 이런 집필 활동 덕분에 그는 프린스턴대학에 정착하고 전문 저널에 실린 소규모 연구를 통해 공공 생활에 적극적으로 참여하게 되는 기회를 얻었다.

윌슨이 그곳에서 투쟁했던 이야기는 고대 도시 국가의 영웅을 그린 전형적인 플루타르코스의 서사시처럼 들리기도 한다. 표면적으로 그 규모와 범위가 도시 공동체의 수준에 불과하며, 그 안에 갈등이라고 해봐야 휴게실에서 벌이는 교직원들의 사소한 말다툼

쯤으로 쉽게 여길 수 있으나 주인공들과 얽힌 정치적, 윤리적, 문화적 문제는 실제로 굉장히 중요했다. 학교는 아주 작은 세부 사항까지 완벽하게 맞아야 작동되는 시스템의 모형과 같았다. 즉 그 모델은 축소된 엔진을 장착한 강철 미니어처처럼 무한하게 확대될 수 있었다. 크기만 작을 뿐 거대한 세계를 충실하게 압축한 이 소우주에는 세세한 사건들이 너무도 풍부하고 다채로워서, 오랜 후에 윌슨은 자신이 국내 정치에서 자기 역할에 익숙해졌을 때에도 당시의 학교 문제에 대한 실마리조차 추적하기가 어렵다고 했다.

그러나 완전한 외부인인 나는 우리가 살펴보는 주제의 성격과 방식에 관한 귀중한 통찰력을 잃지 않기 위해 그 사건을 추적해보려고 한다.

우리는 윌슨의 모험에서도 특정한 이중성을 마주하게 된다. 그는 민주주의의 옹호자였다. 미국의 모든 위대한 대학들과 마찬가지로 당시 프린스턴대학도 어떤 방향을 향해 발전하고 있었는데, 그것을 정확히 정의하기는 어렵지만 분명히 민주주의 제도는 아니었다. 대학은 사회적인 측면에 따라 점점 더 발전했고, 스포츠와 사교성을 함양하기 위한 클럽과 사교 모임이 곳곳에 빠르게 생겨나면서 대학 기관의 근본 목적을 잠식하고 있었다. 그들의 첫 번째 회원들은 주로 학업에는 관심이 별로 없고 시간은 많이 남는 사람들, 간단히 말해서 부유한 사람들이었다.

윌슨이 총장이 되었을 때 대학에는 이미 이런 분위기가 상당히 만연했다. 클럽 회원이 되는 일은 대학이 제공할 수 있는 그 어떤 학문적 특질보다 더 중요하게 여겨지는 분위기였다.

> "클럽을 창립하는 일은 좀 더 낮은 계층 남성들의 최대 관심사
> 중 하나가 되었다. 2학년생의 약 4분의 1에서 3분의 1은 매년 자
> 신들이 제외되어야 한다는 사실을 알고 있었다. 신입생에게는
> 클럽 회원이 되는 것이 대학 생활의 주된 보상이었다. 부모들은
> 사회적 지위를 얻기 위한 길을 닦으려고 프린스턴에 자식을 보
> 내기도 했다."

그는 "서비스 공연이 정작 메인 서커스를 삼키고 있다"라며 이
러한 상황 자체를 학문의 존엄성에 대한 모욕으로 여겼다. 그러나
더 깊고 심각한 문제는 이것이 그가 가진 근본적인 신념에 대한 도
전이었다는 점이다. 뻔뻔하게 행동하는 상류층이 만들어지는 모
습이 그의 눈앞에 선했다. 그가 보기에 그것은 민주주의 국가인 미
국을 부정하는 일이었다. 그의 이상을 상징하는 사원인 대학 안에
서 이런 클럽들은 유한계급과 지배계급을 키워내고 있었다. 따라
서 클럽을 상대로 한 그의 신랄하고 끈질긴 반대 활동은 사소한 일
이 아니라 민주주의 국가 미국을 구하고자 벌이는 전투의 핵심이
었다.

처음에는 상대가 수세에 몰렸다. 그들은 아마도 학생들이 여가
시간을 어떻게 보내야 하는지에 대한 논쟁을 뛰어넘는 싸움의 본
질, 즉 어린 귀족과 신중하고 잘 무장된 민주주의 옹호자 사이의
투쟁을 분명히 알고 있었을 것이다. 베이커 씨의 보고에 따르면 그

들 중 누군가가 다음과 같이 단호하게 말했다고 한다.

"신사를 촌뜨기들과 어울리게 해서는 안 되지."

그러나 다양한 원칙, 행동 규칙 및 인용은 모두 윌슨 편이었다. 해밀턴(Alexander Hamilton, 강력한 중앙 정부제를 주창한 미국의 초대 재무장관-옮긴이)의 몰락 이후 미국에는 가장 순수한 민주주의 외에는 아무것도 공언할 수 없었기 때문이다. 윌슨의 손에는 든든한 기반이 있어 안전한 온갖 무기들이 있었다. 그를 반대하는 사람들조차도 선거기간 내내 자신들의 주장을 공개적으로 떠벌릴 수 없었다.

그들은 윌슨이 반대하는 '대학의 사회적 역할'을 옹호하는 말은 한마디도 하지 않았다. '귀족'이나 '문명' 같이 암시적이고 강력한 단어를 사용하기 꺼렸으며, 대학이 단순한 훈련 학교 또는 극단적으로 말하면 실험실이라는 철학적으로 논박할 수 없는 그의 견해에 대해 그 어떤 반론도 제기하지 않았다. 그들은 그의 이론이 아니라 그가 말하는 사실에 대해서만 이의를 제기하고 기다렸다. 이렇듯 느리고 기만적인 전쟁에서 반대파의 수장은 천성적으로 비민주적이고 귀족적인 정신의 소유자인 앤드루 웨스트(Andrew West) 학장이었다.

"그보다 더 섬세하게 라틴어 비문을 만들거나 의례적인 행사에서 장엄한 광경을 연출할 수 있는 사람은 아무도 없었다. 그는 외적인 안락, 지위와 명성, 화려한 장식을 좋아했다."

유럽, 특히 영국으로의 여행은 웨스트에게 강한 인상을 남겼다. 옥스퍼드에서의 생활, 인상적인 건물, 놀라운 풍경이 그를 완전히 사로잡았다. 10월 4일 그곳에서 웨스트가 윌슨에게 보낸 편지에는 옥스퍼드 풍경이 담긴 책에서 발췌한 사진 네 장이 첨부되어 있었다. 웨스트는 윌슨과 천성적으로 정반대였지만, 특이하게도 이 둘은 비슷한 출신 배경을 가지고 있었다. 수동적인 의미에서 웨스트는 확실히 예술가였다. 반면에 윌슨의 경우에는 그의 생활 방식과 모험을 제외하고는, 그의 연설문을 한 번만 읽어봐도 알 수 있듯이, 그 어떤 면에서도 예술가가 아니었다. 어떤 측면에서 볼 때 민주주의란 그것을 필요로 하지 않고 용납하지도 않는 시인과 예술가, 그리고 열정적인 모험가들의 창조물이자 꿈의 결정체이다. 그렇지만 프랑켄슈타인은 자신의 창조자를 죽이지 않았던가?

총장과 학장 두 사람 사이의 이 단순하고 우화적인 대립은 비밀스러운 유대, 즉 전투를 흥미롭게 만드는 특성이 숨어 있다. 예술가인 웨스트 학장은 본질적으로 이단적인 자신의 속마음을 숨겨야 하고, 고독한 모험가인 윌슨은 비사회적인 전술을 따르지만 자신의 사회적 목표에 대해서는 완고하게 사회적이기 때문에 멀리서 보면 둘 다 똑같이 잘못된 상황에 있었다. 귀족은 군중을 선동하고, 민주주의자는 다수를 상대로 싸우게 된다. 한 가지 분명한 점은 일반적으로는 웨스트를 선호했다는 사실이다. 대학의 진정한 중추인 졸업생들, 그리고 이사회, 심지어 교수 대부분도 그의 편이었다.

사건은 두 개의 진원지에서 발생하였는데, 둘 다 옥스퍼드의 아름다움과 견줄 만한 대학원 건물을 짓고자 한 웨스트의 계획과 관련이 있었다. 윌슨은 대학원을 캠퍼스 부지 내에서 대학의 필수적인 부분으로 보았다. 하지만 웨스트는 본관에서 멀리 떨어져 골프 코스가 내려다보이는 웅장한 풍경이 있는 곳에 건물을 세우고자 했다. 효용보다는 통제, 이상, 생활 방식에 대한 두 견해의 충돌이었다. 진짜 문제는 웨스트 학장이 독재자처럼 대학을 운영한다는 점이었다.

웨스트는 친구가 제공한 약 50만 달러의 돈을 자신의 계획을 진행하기 위한 배경으로 제시했다. 당시 상황에서 상대가 윌슨이 아니었다면 이 큰 금액 덕분에 웨스트는 확실히 승리를 거둘 수 있었을 것이다. 그러나 마지막 순간에 윌슨은 이사회가 이 돈을 거부하도록 하는 데에 성공했고, 이는 미국 사회 전체에 놀라움과 분노, 찬사를 불러일으켰다. 이로써 미국 전역에 윌슨의 이름이 처음으로 알려지게 되었다.

그러나 이 순수한 민주주의를 찬양하는 노래는 마지막 구절에서 변주되었다. 웨스트가 이번에는 조건 없이 자신의 신탁으로 수백만 달러의 또 다른 유산을 받았고, 이에 윌슨은 싸움을 포기했다. 그가 총장직을 사임한 일은 작은 사건이 아니었다. 그는 시의적절하게 추진력을 갖고 다음 행보를 이어갔다. 불순한 모험가들은 도약하려 할 때 비틀거리게 된다. 그러나 윌슨은 도약에 성공하여 그를 기다리고 있던 건너편 도랑에 안착했고, 괴팍하고 낙담한 객원 교수직에서 벗어나 이제 그의 주요 경력이 될 새로운 활동을 시작했다.

모든 모험적인 삶처럼 그에게 일련의 사고, 만남, 기회가 이어져 그는 처음으로 뉴저지 주지사 선거에 출마했다. 이후 놀라운 기세로 주지사를 거쳐 대통령 후보, 그리고 마침내 미국 대통령이 되었다. 이 높은 탑에서 그는 세상 전체를 내려다볼 수 있었다. 직위상 그는 가장 강력한 통치자였고, 용기 및 도덕적 전략의 결과로 아마도 이전의 어떤 대통령보다도 자신이 속한 당의 보이지 않는 통제로부터 자유로웠다. 사실 본질적으로 그의 상황은 국민투표의 힘과 완전한 독립성이라는 측면에서 나폴레옹 황제의 상황과 비슷했다. 그는 자신에게 해가 될 짐이 없는 상태에서 대학 내 정치의 패배를 이 같은 승리로 바꾸었다.

윌슨은 이전 한 세기의 역사를 통해 민주주의의 성인들에게 전달된 전통 교리의 수호자였으며, 더욱이 그의 영적 전임자들과 달리 완전한 지식과 확고한 신념으로 자신의 힘을 사용했다. 대중은 희망을 갖게 되었지만, 이제 우리는 왜 바로 이 순간에 그런 사람이 필요했는지 기억해야 한다.

사람들은 아주 어린 시절부터 허영심, 두려움, 게으름을 좋아하는 경향이 있으며, 부, 지능, 교육의 정도가 주요 대중, 즉 민주주의의 가장 확고한 희망의 영지이자 성지인 국민을 향해 내려갈수록 이러한 경향은 더욱 강해진다. 이 세 가지 나쁜 본성 중에서 '게으름'은 주로 민주적 희망의 경제적 부분에 영향을 미치고, '두려움'은 도덕적인 부분에 영향을 미친다. 그러나 무엇보다도 가장 위험하고, 가장 강력하고 일반적인 오류는 '허영심'인데, 이것은 항상 전쟁으로 이어지는 경향이 있다.

이제 전쟁 문제는 인류의 주된 관심사가 되었다. 민주주의 시대 이전에는 그런 시기가 없었고, 수백 년이라는 매우 긴 시간 동안 알렉산드로스나 칼 12세가 벌인 전쟁 등 예외적인 경우를 제외하고는 전쟁 문제는 전염병 정도의 큰 걱정거리는 아니었다. 역사를 연구하는 학생들은 민주주의 정부가 (일정하지는 않더라도) 꾸준히 발전함에 따라, 전쟁의 파괴력이 더욱 강해지고 그 빈도도 증가했을 뿐만 아니라 전쟁이 미치는 영향력이 훨씬 더 커졌다는 사실에 큰 충격을 받았다. 물론 이런 일은 가장 독실한 진보주의자들에게도 나타났는데, 이렇게 해서 전쟁의 진짜 이유가 부자, 군수산업, 신문이 같이 계획한 국제적인 음모이며 젊은 무관의 계획을 훔쳐내는 미모의 부도덕한 여성 스파이 이야기 같은 잘 알려지고 그럴듯한 전설이 생겨났다.

이런 민화 같은 이야기 외에도 과학의 진보가 원인이라는 좀 더 객관적인 주장도 있다. 나는 나폴레옹이 징병 제도 개발에 책임이 있다고 주장하는 좀 더 독창적인 이론을 선호한다. 왕들은 대개 방랑자와 부랑자, 그리고 영적인 방랑자, 즉 귀족의 낭만적인 차남과 삼남들을 제외하고는 누구에게도 자신들을 대신해 죽이거나 죽으라고 요구하지 않도록 조심했다. 징병은 소소한 몇 가지 선례를 제외하면 민주적인 제도이다. 나폴레옹은 명백하게 표현된 인민의 의지에 따라 황제가 되었다는 사실을 잊어서는 안 된다.

그러나 이 위대하고 엄격한 민주주의의 스승은 잉여 인구 중에서 희생자를 선택하는 대신에 무리를 지어 죽임을 당하도록 강요하는 습관을 심어주었을 뿐만 아니라 대량 학살을 더 자주 발생시키는 형태를 부추겼다. 한편 민족주의는 시적이며 고고학적이지는 않더라도 언어적이며 역사적인, 즉 실제로 문학적인 국가를 형성한다. 이는 인류의 끝없는 허영심 중에서도 비합리적이고 강력한 부분에 호소하기 때문에 민주주의자들의 눈에도 위험한 전쟁 선동자로 보인다. 그러나 민주주의자들은 무해하고 심지어 유익하다고 생각되는 특별한 종류의 희석된 민족주의를 가지고 있다. '옳든 그르든 내 조국'과 '모든 국가가 스스로 처분할 권리'를 정확히 구별할 수만 있다면 나는 기꺼이 그런 민족주의를 믿고 싶다.

현재로서는 그런 민족주의의 불신자들은 여전히 대규모 전쟁이 민주주의의 전형적인 활동이고, 전쟁만큼 투표에 대한 순수한 열정을 자극하는 것도 없으며, 인류는 지금까지 완전히 단결된 의지와 노력으로 조화롭게 모인 적이 없다고 생각한다. 그렇다면 그들은 윌슨이 점차 깨달았듯이 이러한 성향이 치료되거나 억눌리거나 근절될 수 없다면 민주주의나 인류 둘 중 하나는 반드시 멸망할 것이라고 믿어야 한다.

우리가 다루고 있는 지난 전쟁이 철저히 민주적인 사건이었다고 강조할 필요는 없다. 영국은 자원자들만 전쟁터에 보내 죽게 만드는 옛 군주제의 원칙을 유지하려는 시도에도 불구하고 결국 완전히 민주적인 징집 제도를 채택했다. 압도적이며 공개적으로 표현된 전체 국민의 의지에 반하는 전쟁을 치른 유일한 국가는 바로 러시아였다. 독일에서는 근로자 의무보험 안건을 제외하고는 이번 전쟁이 유일하게 대중적인 법안을 따른 것이었다.

미국에서는 오랫동안 윌슨이 국민의 뜻에 반대하며 전쟁에 참여하지 못하도록 막았다. 사실 그는 2~3년 동안 자비로운 독재라는 중대한 죄를 지은 것이 분명했다. 그가 어떻게 독재와 자신의 양심을 결합할 수 있었는지는 그 자체로 흥미롭고 어려운 연구 주제이다. 그러나 결국 그는 참전을 허용했다.

그러나 그의 동기는 절대적으로 확실하고 안전했다. 그는 전쟁을 종식시키고 새로운 전쟁으로부터 민주주의를 구하기 위해 전쟁에 나섰다. 그 선택은 의심할 바 없이 민족주의적 이익을 이유로 이루어졌다. 그의 행동과 연설, 그리고 그의 삶이 증명하듯이 그의 목표는 온 인류의 유일하고 완전한 희망인 민주주의에 대한 순전히 이타적인 사랑이었다.

그의 개입 과정, 즉 미국 참전 후 모든 승리와 패배가 팽팽하게 부풀어 오르다가 매듭이 갑자기 끊어졌다는 이 이야기가 세계 모든 나라의 교과서에 실려 있기를 바란다. 일반적으로 이 세계대전의 승리를 이끈 가장 큰 요인이 그의 연설, 특히 그가 직접 쓴 요점, 세부 항목, 원칙, 목적을 포함한 『14개조 평화 원칙』이라고 알려졌지만, 이런 평가는 완전히 순수한 동기에서 나온 것이 아니라 그의 군대가 수행한 군사적 역할을 최소화하려는 허영심에서 나온 것으로 보인다. 내가 전직 군인으로서 증언하건대 연합군에게 절대적으로 필요했던 사기 진작과 독일군을 붕괴시킨 선전 효과가 포함된다면, 거기에는 어느 정도 타당성이 있다.

이 평화 원칙에는 특히 주목할 만한 두 가지 특징이 있다. 하나는 민주주의를 위해 미래의 전쟁 발생 확률을 없애려는 분명한 의도이고, 다른 하나는 다소 치명적인 표현의 불확실성이다. 예를 들어, 『14개조 평화 원칙』에는 지역적으로 서로 얽혀 있을 뿐만 아니라 윌슨의 생각이 논리적으로 명확하게 표현되지도 않았으며, 그것이 아무리 민주주의적 신념을 위한 것일지라도 전쟁의 궁극적인 원인을 '비밀 외교'로 돌리는 애매한 이론을 지나치게 강조하고 있다. 물론 십계명 자체에도 비슷한 결함이 있다. 그러나 '가능하다면', '동의에 따라' 등의 문구가 너무 반복해서 등장한다는 점은 심각한 문제이다.

발표 이후 이 문서를 작성한 이 남자는 이미 미묘하게 달라졌고, 프린스턴대학과 뉴저지에서의 당당했던 윌슨만큼 대담하지 않아 보였다. 그는 웨스트에게는 그런 식으로 말하지 않았다. 그러나 기저에 깔린 생각은 단순하고 숭고하다. 전쟁은 주로 세 가지 포기 조치를 통해 예방되어야 한다. 첫 번째인 민족자결권은 주요 열강들에게만 요구되었고, 나머지 두 개는 비록 좀 더 소심한 어조였지만, 민주주의의 자식들인 전 세계에 요구되었다. 하나는 군축과 그에 따른 공·해상 항해의 자유이고 다른 하나는 일반적인 자유 무역이었다. 그러나 둘 다 '가능하면'이라는 문구를 포함했다.

물론, 윌슨이 진정으로 관심을 가졌던 유일한 이 가능성은 인류의 의지에 달려 있어서 정확하게 측정될 수 없다. 그러나 대통령의 유럽 방문으로 한 달, 2주, 어쩌면 단 일주일이라는 아주 짧은 시간 동안 모든 한계가 철회되었다는 사실은 결코 반박할 수 없다. 이는 영국, 프랑스, 독일의 일반 대중들이 자신들을 구원해준 그 남자에 대한 열렬한 사랑을 통해 가능했다.

만약 윌슨이 유럽 땅에 발을 디디자마자 세계 군축, 즉 영국 함대와 독일군 및 프랑스군, 이탈리아 잠수함, 지브롤터, 몰타, 아덴의 해체와 자국부터 시작하여 모든 국가의 관세 장벽 철폐를 선언했더라면, 나는 그가 이제까지 살았던 그 어떤 인간보다 더 큰 운명을 완수하고 전 인류를 위해 새롭고 매혹적인 미래의 문을 열었을 것이라고 확신한다. 그가 지나는 나라마다 사람들은 그를 향해 지지의 목소리를 외쳤다. 그것은 확실한 외침이었다.

그런 환호는 처음이었고, 그 환호를 파리 거리에서 들었던 나는 그 소리를 평생 잊지 못한다. 나는 포슈(Foch, 제1차 세계대전 연합군 총사령관), 클레망소(Clémenceau, 프랑스의 정치가), 로이드 조지(LloydGeorge, 파리강화조약 시 영국 총리), 여러 장군, 깃발을 흔들며 귀환하는 군인들을 보았다.

당시 프랑스의 거의 모든 도시, 거의 모든 지역에는 한때 윌슨 거리(Rue Wilson)가 있었다. 그것은 베르사유조약 때문도 아니고, 베르사유조약에서의 그의 역할 때문도 아니었다. 그런 거리의 이름은 모든 이들이 윌슨에게 열광하던 평화 초기의 과잉 흥분 시대에 생겨났다. 그 이후로는 대부분의 거리 표지판이 철거되었다. 그러나 때때로 여전히 시골길 어딘가의 모퉁이, 그들이 가장 자랑스러워하는 주요 도로인 불바르에서 한참 떨어져 있는 작은 마을의 샛길에서 못에 박혀 있는 그 표지판을 만날 수가 있는데, 그럴 때면 윌슨이 그 거칠고 예상치 못한 일주일 동안만이라도 조금 미쳤더라면 무슨 일이 일어났을지 생각해보게 된다.

그러나 그는 온전히 제정신이었고 항상 의식이 있었다. 이제 안도감은 다른 사람들에게 맡기고 우리는 그의 14개 조항이 베르사유조약으로 이상하게 변형된 원인을 간략하게 조사해보자. 일단 실패의 위대한 보호 장치, 재난이 닥쳤을 때 위대한 사람들과 그들의 추종자들이 내놓은 변명, 즉 나쁜 충고, 사악한 조언자들은 배제되었어야 했다. 위대한 대통령의 주요 측근들은 대통령보다 더 대담하다. 국내 금융가, 기업가, 정치인 등 거대하고 오래된 권력들이 미치는 막대한 영향력은 (실제로 비방을 받지 않았다면) 그들이 게임에서 패한 지 오래된 후에 나타난다. 윌슨이 자유롭고 외로운 사람으로 남는 방법을 몰랐다면, 나는 알렉산드로스로 시작하는 이 모험가들의 모임에 윌슨을 포함하지 않았을 것이다. 내가 선택한 모험가들의 목록은 프린스턴대학의 아이비클럽이나 영국 왕들의 명단보다 훨씬 더 배타적이다.

윌슨의 행동은 전적으로 그 자신의 뜻이었고, 그는 죽음이라는 행위에 대한 고립된 책임을 갖고 이 회의를 견뎌냈다. 모든 것은 시작되기도 전에 완전히 사라졌고 죽음을 지켜보는 다소 소름끼치는 관심만이 남았다. 그는 선지자에서 간구하는 자로 변했고, 다른 사람들에게 너무 강하게 밀어붙이지 말라며 애원했다. 그러나 그는 용감하게 잘 싸웠다. 그들이 온 마음을 다해 감히 그를 공격하기 전에 그가 먼저 그들에게 국제연맹 계약을 강요했다. 전쟁 배상금을 위한 백지 수표, 비밀 조약의 이행 등 베르사유조약의 잔인한 탐욕이 가차 없이 그를 괴롭혔다. 그는 조국의 직접적인 국익이 작용할 때 자신의 원칙을 지킬 수도 없었기에 산둥반도를 일본에 양보할 수밖에 없었고, 그런 이유로 중국인들의 끔찍한 분노를 샀다.

예를 들어, 그는 라인강 서쪽 지역의 병합과 같은 더 나쁜 일들을 막기 위해 비용을 치러야 했다. 승리한 민주주의 국가들이 넘겨받은 적을 산산조각 내지 못하도록 동맹국과의 약속을 통해 미국의 미래를 담보로 비용을 부담해야 했다. 국제연맹의 회원국으로 국제 분쟁 시 미국의 자동 개입을 규정한 제10조에 따른 부담도 감수해야 했다.

이런 것들로 윌슨은 일방적으로 (그리고 외부로부터) 큰 압박을 받았고, 그가 서명한 조약에는 주석이 달린 세부 사항들이 담겨 있다. 이는 주요 강대국들의 해체보다도 (단지 몇 년 동안이었지만) 그의 세계 전역에 걸친 영적 제국의 완벽한 분할을 요구했다. 그리고 그는 끝까지 그것을 고수했다.

모든 위대한 것들을 희생한 후에도 그는 크로아티아의 피우메 항을 이탈리아에 넘기는 것을 주저했다. 프랑스와 영국에 모든 것을 양보했지만 만약 그가 육체적으로 반쯤 죽어 있었다면 단지 이탈리아에 복종한다는 생각이 그를 자극했을 것이다. 이탈리아는 그로부터 피우메(Fiume)를 얻지 못했지만, 이 마지막 전투에서 그의 모습은 비장할 뿐만 아니라 슬프기까지 하다.

나는 그가 유럽에 도착했을 때 세계를 향한 호소의 효과와 그것이 가져올 결과를 이미 추측했다. 이제 마침내 상상할 수 없을 만큼, 절망적으로, 늦게나마 그의 외침이 전 세계 사람들에게 울려 퍼졌다! 그가 그토록 오랫동안 참아왔던 강력한 신호였지만 그에 응답하는 것은 우렁찬 메아리뿐이었다. 세상은 그 몇 달 동안에 한 세기 더 앞으로 나아갔다.

이 장대하고 비극적인 몰락의 원인, 규모와 중요성 면에서 전쟁을 훨씬 뛰어넘는 이 재앙의 원인은 우리에게 비밀도 아니고, 모험의 역사에서 예상치 못하거나 드물지도 않다. 윌슨이 쓰러진 이유는 그가 허영심에 빠지거나 어리석어서도 아니요, 적들의 악의 때문도 아니다. 모든 위대한 드라마가 끝나듯이 구조적 결함이 그 거대한 희망을 파멸로 몰고 갔다. 윌슨은 두려웠다. 모든 도덕률에서는 용서가 되더라도 운명 앞에서는 용서받을 수 없는 책임감 때문이었다.

"그들은 그에게 볼셰비즘(20세기 초 러시아에서 형성된 혁명적 마르크스
주의자들과 이후 형성된 공산주의자들의 사상적 경향)의 망령을 내세웠고
그는 감히 위험을 무릅쓰지 못했다."

여기서 '그들'은 누구인가? 클레망소와 로이드 조지였을까? 그들도 그와 마찬가지로 겁을 먹었다. 윌슨의 모험은 세계의 모험이었기 때문에, 등반가들을 정상에서 끌어내리는 현기증이 알프스 산맥의 술책이 아니듯이 그는 물론 그와 함께 한 세계는 저속한 속임수의 희생자가 아니라는 사실을 언젠가는 세상이 알게 될 것이다. 우리가 떨어진 이유는 너무 높이 올라갔기 때문이고, 그가 세

계의 모든 나라, 그가 평생 숭배했던 수많은 일반 대중의 모습을 보았기 때문이다.

이 사실을 알게 되자 엄청난 현기증이 밀려왔다. 그날들은 마치 백 년이 지난 것처럼 우리의 기억에서 완전히 사라졌다. 그러나 그 일을 겪고 윌슨이 올라선 단상 근처에 있던 몇몇 사람들은 마치 어딘가에서 읽은 것처럼 열정적인 환희가 뒤섞인 그때의 광기와 순수한 공포를 막연하게 기억하고 있다.

폭풍은 이제 사라졌고 볼셰비즘이라는 단어는 오직 반향만 남았다. 그러나 그 당시에는 무슨 일이든 일어날 수 있었고, 승리를 위해 파리를 완전히 파괴할 계획까지도 꽤 구체적으로 고민했던 클레망소는 레닌의 물밑 협정을 생각하면 회색 벙어리장갑을 낀 손이 떨릴 정도였다. 그는 살아남았고, 대규모 학살은 끝났지만 여전히 피비린내가 남아 있었다. 윌슨은 그 냄새를 맡으면서 또 다른 위험을 무릅쓸 수 있었을까?

그는 그러지 않았고 결국 모든 것을 잃었다. 비록 최선의 노력에도 불구하고 우리 마음을 평화롭게 해줄 만족스러운 답을 찾지 못했지만, 우리가 생각하는 대부분의 모험, 아마도 모든 모험의 끝은 이런 형태이다. 그러나 신들을 상대해야 하는 경기에서 어쩔 수 없이 실패하는 이유를 발견할 수만 있다면, 셰익스피어식의 해방, 구원, 진정으로 비극적인 카타르시스를 확인할 수는 있을 것이다. 그러나 언젠가는 도달할 수 있는 우주 공간처럼 절대적인 선이라는 고정된 꿈, 그 우주 공간의 이미지처럼 그 어디에도 진정한 징후는 없다. 다만 이를 잠깐 바라보면서 우리가 모험을 실천해야 한다는 당위성만 확인할 수 있을 뿐이다. 선과 악에 대한 확실성은 없지만, 선과 악을 우리가 일반적으로 생각하는 것보다 더 크게 만드는 무한한 회복력은 있다. 정상은 더 높고 심연은 더 깊다. 만약 그것이 경기라면 승률은 확실히 높일 수 있다.

　이로써 우리의 마지막 영웅인 우드로 윌슨의 위대한 모험을 마친다. 어떤 사람들은 아서 왕과 전설적인 알렉산드로스, 그리고 다른 영웅들처럼 그가 희망이고 약속이며 자신의 죽은 피와 살의 상징이자 자신의 뒤를 이어 모험을 계속하고 다시 크게 도약할 사람을 위해 준비한 미완성 유고작인 국제연맹을 남겼다고 생각한다. 그 생각이 맞을 수도 있다. 우리는 어떤 도덕적인 평가도 하지 않기로 했기 때문에 이것으로 이야기를 마치고자 한다. 그러나 어쨌든 이로써 이제 우리는 보이는 그대로의 모습, 그리고 앞으로의 모습에 대한 무한한 희망과 절망의 불확실성을 더욱 확실하게 알게 되었다.

신에 맞선 12인

초판 1쇄 발행 2024년 6월 28일
초판 3쇄 발행 2024년 8월 12일

지은이 윌리엄 볼리토
옮긴이 오웅석
펴낸이 서선행

책임편집 이하정
표지디자인 김세민 **본문디자인** 김혜림

펴낸곳 서교책방 **출판등록** 2024년 3월 27일 제 2024-000037호
전화 070)8850-5855
이메일 sun@seokyobooks.com
종이 ㈜월드페이퍼 **인쇄·제본** 한영문화사
ISBN 979-11-987524-2-0 (03900)